Les Nationalismes majoritaires contemporains : identité, mémoire, pouvoir

Sous la direction de

Alain-G. Gagnon
André Lecours
Geneviève Nootens

Avec la collaboration de

James Bickerton
Àngel Castiñeira
John Coakley
Alain Dieckhoff
Louis Dupont
Enric Fossas
Liah Greenfeld
John Loughlin

Les Nationalismes majoritaires contemporains : identité, mémoire, pouvoir

Sous la direction de

Alain-G. Gagnon
André Lecours
Geneviève Nootens

Avec la collaboration de

James Bickerton
Àngel Castiñeira
John Coakley
Alain Dieckhoff
Louis Dupont
Enric Fossas
Liah Greenfeld
John Loughlin

CRÉQC
CHAIRE DE RECHERCHE DU CANADA
EN ÉTUDES QUÉBÉCOISES ET CANADIENNES

QUÉBEC AMÉRIQUE

Catalogage avant publication de Bibliothèque et Archives Canada

Vedette principale au titre :
Les Nationalismes majoritaires contemporais : identité, mémoire, pouvoir
(Débats)
ISBN 978-2-7644-0550-5

1. Nationalisme. 2. Mondialisation. 3. Minorités. 4. Multiculturalisme. I. Gagnon, Alain-G.
(Alain-Gustave). II. Lecours, André. III. Nootens, Geneviève. IV.
Collection : Débats (Éditions Québec Amérique).

JC311.N36 2007   320.54   C2006-941830-6

Conseil des Arts   Canada Council
du Canada   for the Arts

Nous reconnaissons l'aide financière du gouvernement du Canada
par l'entremise du Programme d'aide au développement de l'industrie
de l'édition (PADIÉ) pour nos activités d'édition.

Gouvernement du Québec – Programme de crédit d'impôt pour
l'édition de livres – Gestion SODEC.

Les Éditions Québec Amérique bénéficient du programme de subvention
globale du Conseil des Arts du Canada. Elles tiennent également à remercier la SODEC pour son appui financier.

Québec Amérique
329, rue de la Commune Ouest, 3ᵉ étage
Montréal (Québec) Canada H2Y 2E1
Téléphone : 514 499-3000, télécopieur : 514 499-3010

Dépôt légal : 2ᵉ trimestre 2007
Bibliothèque nationale du Québec
Bibliothèque nationale du Canada

Mise en pages : André Vallée – Atelier typo Jane
Révision linguistique : Claude Frappier

Imprimé au Canada

La collection « Débats » est consacrée à des ouvrages faisant état des grands enjeux culturels, politiques et sociaux au Québec et explore les questions de citoyenneté, de diversité et d'identité qui traversent les sociétés plurinationales. En collaboration avec la Chaire de recherche du Canada en études québécoises et canadiennes, cette collection est réalisée par les Éditions Québec Amérique et dirigée par Alain-G. Gagnon, titulaire de la Chaire et professeur titulaire au département de science politique de l'Université du Québec à Montréal. Outre le présent ouvrage, la collection compte déjà quatorze titres :

Duplessis : Entre la Grande Noirceur et la société libérale, sous la direction d'Alain-G. Gagnon et Michel Sarra-Bournet, 1997.

Québec 18 septembre 2001. Le monde pour horizon, Claude Bariteau, 1998. Prix Richard-Arès, 1998.

L'Ingratitude. Conversation sur notre temps, Alain Finkielkraut, avec Antoine Robitaille, 1999. Prix Aujourd'hui 1999.

Le Québec dans l'espace américain, Louis Balthazar et Alfred O. Hero Jr, 1999. Prix Richard-Arès, 1999.

Penser la nation québécoise, sous la direction de Michel Venne, 2000.

Récits identitaires. Le Québec à l'épreuve du pluralisme, Jocelyn Maclure, 2000.

Repères en mutation. Identité et citoyenneté dans le Québec contemporain, sous la direction de Jocelyn Maclure et Alain-G. Gagnon, 2001.

Québec : État et société, tome 2, sous la direction d'Alain-G. Gagnon, 2002.

Critique de l'américanité. Mémoire et démocratie au Québec, Joseph Yvon Thériault, 2002. Prix Richard-Arès, 2003 et Prix de la Présidente de l'Assemblée nationale du Québec, 2003.

Justice, démocratie et prospérité. L'avenir du modèle québécois, sous la direction de Michel Venne, 2003.

Désenclaver la démocratie. Des huguenots à la paix des Braves. Geneviève Nootens, 2004.

Le français, langue de la diversité québécoise, sous la direction de Pierre Georgeault et Michel Pagé, 2006.

Le poids de la coopération : les rapports France-Québec, Frédéric Bastien, 2006.

TABLE DES MATIÈRES

AVANT-PROPOS

Le nationalisme a été abordé de diverses façons depuis le 18ᵉ siècle. Phénomène libérateur au moment de l'apparition des premiers États-nations et du printemps des peuples, le nationalisme a subséquemment été vu comme progressiste, réactionnaire, conservateur ou libéral. On le reconnaîtra assez facilement, les frontières du nationalisme ne sont pas toujours bien définies. Sommes-nous en présence d'un mouvement social, d'un phénomène de construction historique, d'une lutte des classes, d'un phénomène de décolonisation ou d'une idéologie politique? Le sens à donner au nationalisme et à ses manifestations a varié selon les périodes et les contextes. Aujourd'hui, dans les pays de démocratie libérale, le nationalisme gagne à être étudié sous l'angle des rapports de force entre communautés et de leur lien à l'État. Aussi peut-on parler du nationalisme majoritaire au Canada, en Espagne et en France et du nationalisme minoritaire en Catalogne, en Écosse et au Québec. Les protagonistes du natio-nalisme majoritaire se drapent le plus souvent dans un discours empreint de patriotisme pour défendre les États-nations déjà constitués et pour s'opposer à toutes les autres expressions nationales. Les défenseurs du nationalisme minoritaire remettent en question l'existence même des États établis en ce que ces derniers ne les reconnaissent pas comme des nations culturelles et sociologiques pleinement constituées. Les uns et les autres s'alimentent mutuel-lement, tout en cherchant à penser leurs projets de construction nationale sur des bases universelles, inspirées par les valeurs humanistes héritées de la période des Lumières.

Depuis plus d'une décennie, les membres du Groupe de recherche sur les sociétés plurinationales (GRSP) tentent de mieux comprendre les conditions qui animent les rapports entre nations au sein des États occidentaux contemporains. Inscrits dans une démarche pluridisciplinaire inspirée par le droit, la philosophie et la science politique, plusieurs ouvrages scientifiques ont été produits à ce jour par les membres du GRSP. Mentionnons tout d'abord les efforts de théorisation faits du côté de l'avènement de la multination en vue de répondre aux besoins des communautés nationales évoluant au sein d'États-nations et profondément différenciées sur le plan sociétal. Parmi ces travaux, mentionnons, en 2001, *Multinational Democracies* et, en 2003, *The Conditions of Diversity in Multinational Democracies*[1]. D'autres efforts importants ont été faits au chapitre de la construction identitaire par les communautés nationales en présence. À titre d'illustration, notons *Récits identitaires. Le Québec à l'épreuve du pluralisme* en 2000, suivi en 2001 par *Repères en mutation. Identité et citoyenneté dans le Québec contemporain*[2]. À ces études, il faut ajouter des analyses en profondeur concernant les tenants et les aboutissants des transformations de la démocratie dans les États traversés par la diversité profonde. Deux ouvrages ressortent de l'ensemble des études réalisées ; il s'agit en l'occurrence de *Strange Multiplicity. Constitutionalism in an Age of Diversity* et de *Désenclaver la démocratie. Des huguenots à la paix des Braves*[3]. Inspirés par une démarche de

---

1. Alain-G. Gagnon et James Tully (dir.), *Multinational Democracies*, Cambridge, Cambridge University Press, 2001 ; Alain-G. Gagnon, Montserrat Guibernau, François Rocher (dir.), *The Conditions of Diversity in Multinational Democracies*, Montréal, Institut de recherche en politiques publiques/McGill-Queen's University Press, 2003.

2. Jocelyn Maclure, *Récits identitaires. Le Québec à l'épreuve du pluralisme*, Montréal, Québec Amérique, collection « Débats », 2000 ; Jocelyn Maclure et Alain-G. Gagnon (dir.), *Repères en mutation. Identité et citoyenneté dans le Québec contemporain*, Montréal, Québec Amérique, collection « Débats », 2001.

3. James Tully, *Strange Multiplicity. Constitutionalism in an Age of Diversity*, Cambridge, Cambridge University Press, 1995 ; Geneviève Nootens, *Désenclaver la démocratie. Des huguenots à la paix des Braves*, Montréal, Québec Amérique, collection « Débats », 2004.

philosophie politique, ces travaux ont grandement bénéficié de l'apport des juristes qui sont venus explorer à fond les tentatives d'uniformisation des normes de la part des instances politiques centrales, comme en témoigne *Appartenances, institutions et citoyenneté*[4]. En outre, les membres de l'équipe ont souventes fois comparé les cas catalan, écossais et québécois afin de mieux cerner les questions touchant la représentation politique, la citoyenneté fédérale et la diversité profonde. Relevons ici les divers livres des membres qui ont participé au GRSP depuis 1994 : *Pour la liberté d'une société distincte*[5] (2004), *Basque Nationalism*[6] (2007), *Au-delà de la nation unificatrice. Plaidoyer pour un fédéralisme multinational*[7] (2007).

Le présent projet s'inscrit en continuité avec ceux qui ont été mentionnés ci-dessus, tout en s'en distinguant par sa volonté d'approfondir la compréhension des liens entre le nationalisme majoritaire et le nationalisme minoritaire. Les analyses rassemblées dans cet ouvrage jettent un éclairage tout à fait novateur sur les fondements du nationalisme majoritaire en explorant simultanément les questions identitaires, les lieux de mémoire et les rapports de force en présence au sein des États traversés par la diversité profonde. Y participent nos collègues américain, britannique, canadien, français et espagnols qui ont dédié une partie importante de leurs travaux universitaires à l'étude du nationalisme majoritaire dans leur propre pays ainsi qu'aux expériences de nationalisme(s) minoritaire(s) qui en ont résulté. Les analyses qui nous sont offertes par James Bickerton, Àngel

---

4. Pierre Noreau et José Woehrling (dir.), *Appartenances, institutions et citoyenneté*, Montréal, Wilson et Lafleur, 2005.

5. Guy Laforest, *Pour la liberté d'une société distincte. Parcours d'un intellectuel engagé*, Québec, Les Presses de l'Université Laval, 2004. Avant de franchir la frontière qui sépare le politique de la politique en février 2000 en se joignant à l'Action démocratique du Québec (ADQ), Guy Laforest participait activement aux travaux du GRSP où il a su faire valoir les idées sous-tendant le libéralisme communautaire et le nationalisme libéral.

6. André Lecours, *Basque Nationalism*, Reno, University of Nevada Press, 2007.

7. Alain-G. Gagnon, *Au-delà de la nation unificatrice. Plaidoyer pour un fédéralisme multinational* (à paraître, Institut d'Estudis Autonomics, Barcelone).

Castiñeira, Alain Dieckhoff, Louis Dupont, Enric Fossas, Liah Greenfeld, John Loughlin et par mes collègues André Lecours et Geneviève Nootens sont à la fois pénétrantes et sans complaisance devant les pouvoirs établis. Nous souhaitons remercier vivement tous les auteurs d'avoir accepté de présenter leurs travaux devant public et de les avoir révisés en tenant compte des commentaires exprimés lors de ces forums.

L'apport scientifique de nos collègues du GRSP à la présente initiative doit être souligné de façon particulière puisque chacun d'eux a été invité à commenter les textes et à vérifier la traduction des textes pour les éditions française et anglaise. Mille mercis à André Lecours (Université Concordia), Jocelyn Maclure (Université Laval), Pierre Noreau et José Woehrling (Université de Montréal), Geneviève Nootens (Université du Québec à Chicoutimi), François Rocher (Université d'Ottawa) et James Tully (Université de Victoria) pour leur appui à la réalisation du présent projet.

Soulignons que les travaux du GRSP bénéficient depuis le milieu des années 1990 de l'appui financier du Conseil de recherches en sciences humaines du Canada (CRSHC) et du Fonds québécois de recherches sur la société et la culture (FQRSC, auparavant Fonds de chercheurs et aide à la recherche). Nos remerciements vont à ces deux organismes subventionnaires et, dans le cas du présent projet, à la Chaire de recherche du Canada en études québécoises et canadiennes (CREQC) qui a prêté son concours à l'organisation de la série de conférences publiques qui ont précédé la rédaction de ce livre. Nous en profitons aussi pour remercier la Délégation du Québec à Paris, la Délégation du Québec à Londres, le Consulat d'Espagne au Canada et l'Association internationale d'études québécoises (AIEQ) pour leur appui financier lors de la tenue des événements publics.

En outre, nos remerciements vont à Jacques Hérivault qui agissait alors comme coordonnateur des activités à la CREQC ainsi qu'au personnel et aux étudiants des cycles avancés rattachés à la

CREQC, dont Olivier De Champlain, Raffaele Iacovino et Charles-Antoine Sévigny qui nous ont épaulés tout au long de la préparation de ce livre. Des remerciements tout à fait spéciaux sont adressés à Jean-Pierre Couture, doctorant au département de science politique de l'Université du Québec à Montréal, à qui nous devons la traduction des textes de John Coakley et de James Bickerton ainsi qu'à Luc Fortin, doctorant au département de science politique de l'Université de Montréal, pour son aide à la traduction du texte de Liah Greenfeld.

Enfin, nos remerciements vont aussi à Anne-Marie Villeneuve et à Claude Frappier, de la maison d'édition Québec Amérique, qui nous ont accompagnés à chaque étape de la préparation du présent ouvrage, avec un professionnalisme constant.

Alain-G. Gagnon,
Coordonnateur,
Groupe de recherche sur les sociétés plurinationales

INTRODUCTION

Comprendre le nationalisme majoritaire[1]

André Lecours et Geneviève Nootens

Les sociétés démocratiques libérales ont longtemps associé le nationalisme aux minorités et à la résistance à l'État. Le phénomène s'est en effet souvent manifesté avec éclat dans la contestation de l'État central, ce qui a rendu plus visibles les manifestations de ce type de nationalisme. En contrepartie cependant, le nationalisme projeté par l'État central est demeuré relativement occulte, quand il ne s'est pas vu attribuer une légitimité pourtant refusée à ses manifestations minoritaires. Ainsi, le choix d'une langue officielle pour l'espace public, qui est vu comme allant de soi du point de vue des États, voit sa légitimité contestée dans le cas des nations minoritaires. Le patriotisme est souvent identifié à la défense de l'État (quand ce n'est pas à des valeurs universelles) et le nationalisme à sa fragmentation.

Le nationalisme minoritaire a fait l'objet de nombreux travaux, au cours des quinze dernières années[2]. L'intérêt pour ce phénomène relève de la volonté d'analyser la résurgence ou la persistance des

---

1. Nous tenons à remercier nos collègues du GRSP pour les discussions que nous avons eues sur la première version de ce chapitre d'introduction.

2. Soulignons à titre d'exemples les travaux du Groupe de recherche sur les sociétés plurinationales (GRSP), qui a produit plusieurs ouvrages collectifs sur les manifestations de ces nationalismes, leurs fondements normatifs et les possibilités d'aménagement qui s'offrent aux autorités étatiques (Alain-G. Gagnon et James Tully (dir.), *Multinational Democracies*, Cambridge, Cambridge University Press, 2001 ; Alain-G. Gagnon, Montserrat Guibernau et François Rocher (dir.), *The*

revendications des nations minoritaires dans un contexte de mondialisation. Il s'inscrit aussi dans l'intention d'en découdre avec le préjugé voulant qu'il s'agisse d'un phénomène rétrograde, à contre-courant de la modernité[3]. Le contexte international contribue également à expliquer cet intérêt. La fin de la guerre froide a entraîné le démantèlement de l'Union soviétique au milieu de revendications nationalistes et ouvert la voie à des conflits majeurs dans les Balkans et le Caucase. Dans les sociétés occidentales, les mouvements nationalistes québécois, écossais, basque, catalan et flamand continuent à se manifester avec vigueur. Ainsi, au cours des dernières années, la Belgique et le Royaume-Uni ont vu leurs structures politiques se

---

Conditions of Diversity in Multinational Democracies, Montréal, Institut de recherche en politiques publiques, McGill-Queen's University Press, 2003 ; Pierre Noreau et José Woehrling (dir.), *Appartenances, institutions et citoyenneté*, Montréal, Wilson et Lafleur, 2005). Mentionnons aussi les travaux de Michael Keating et John McGarry, qui situent leur analyse du phénomène notamment par rapport à la mondialisation et à la construction de l'Union européenne (*Minority Nationalism and the Changing International Order*, Oxford, Oxford University Press, 2001). Les nationalismes minoritaires ont aussi fait l'objet d'analyses comparées de la part d'auteurs cherchant à identifier ressemblances et différences (Michael Murphy et Helena Catt, *Sub-State nationalism. A Comparative Analysis of Institutional Design*, Londres, Routledge, 2002 ; Michael Keating, «Nations Without States» dans M. Keating et John McGarry (dir.), *Minority Nationalism and the Changing International Order, op. cit.*). Il existe une myriade d'études de cas sur le Québec (notamment Michel Seymour, *La nation en question*, Montréal, L'Hexagone, 1999 ; Gérard Bouchard, *Genèse des nations et cultures du Nouveau Monde*, Montréal, Boréal, 2001), l'Écosse (David McCrone, *Understanding Scotland. The Sociology of a Nation*, Londres, Routledge, 2001), la Catalogne (Kenneth McRoberts, *Catalonia. Nation-Building Without a State*, Toronto, Oxford University Press, 2001 ; Montserrat Guibernau, *Catalan Nationalism*, Londres, Routledge, 2004), le Pays basque (Jan Mansvelt Beck, *Territory and Terror, Conflicting Nationalisms in the Basque Country*, Londres, Routledge, 2005) et la Flandre (Lode Wils, *Histoire des nations belges*, Ottignies, Quorum 1996).

3. Voir : Michael Keating, *Plurinational Democracy : Stateless Nations in a Post-Sovereign Era*, Oxford, Oxford University Press, 2001 ; Michael Keating, «Par-delà la souveraineté. La démocratie plurinationale dans un monde postsouverain», dans Jocelyn Maclure et Alain-G. Gagnon (dir.), *Repères en mutation*, Montréal, Québec Amérique, collection «Débats», 2001.

modifier à la suite de mobilisations en Flandre et en Écosse[4]. Le statut d'autonomie de la Catalogne a été modifié en 2006 pour inclure, notamment, de plus amples pouvoirs fiscaux et une reconnaissance du fait que ses habitants attribuent à la région un caractère national. Le nationalisme québécois revendique la reconnaissance de la nation québécoise et une refonte du fédéralisme, quand ce n'est pas l'indépendance. En Australie et en Nouvelle-Zélande, comme au Canada, les populations autochtones revendiquent l'autonomie gouvernementale et un meilleur partage des ressources, en invoquant leur existence comme sociétés organisées avant la conquête et la colonisation européennes. En Europe, le développement de régimes de droits de la personne a attiré l'attention sur le sort de certaines minorités[5]; parallèlement, il y a eu (notamment à l'Organisation pour la sécurité et la coopération en Europe) une prise de conscience du fait que le régime des droits de la personne ne permet pas nécessairement d'intégrer les minorités à la vie étatique[6]. Le politique est par conséquent fortement structuré par ces mouvements qui contestent les termes de leur intégration à l'État central, ce qui fait de ce nationalisme un des vecteurs les plus importants de contestation politique à l'époque contemporaine.

Cependant, comprendre le nationalisme impose de se pencher sur sa face occultée : celle de sa projection par l'État central, consolidé dans un

---

4. Le processus de fédéralisation de la Belgique a été amorcé en 1970 tandis que la « dévolution » au Royaume-Uni remonte à 1999. Dans ce dernier cas, les revendications galloises ont aussi joué un rôle, mais moins important que dans le cas de l'Écosse.

5. Voir à ce sujet : Michael Keating, « European Integration and the Nationalities Question », *Politics & Society*, vol. 32, n° 3, 2004, p. 367-388; Stephen Tierney, « Sub-State National Societies and Contemporary Challenges to the Nation-State », *International and Comparative Law Quarterly*, vol. 54, n° 1, 2005, p. 161-183.

6. OSCE, *Recommandations de Lund*. Les États eux-mêmes demeurent cependant réticents à reconnaître les droits collectifs des minorités nationales et nations minoritaires, et à admettre l'existence d'un nationalisme majoritaire. Cela en effet risquerait non seulement d'entacher l'égalité citoyenne mais aussi d'imposer une réflexion sur la nature réelle des rapports de force entre groupes nationaux dans les États.

nationalisme que nous qualifierons ici de majoritaire. Nous contestons l'idée que l'association de l'État au nationalisme, dans les sociétés démocratiques développées, a pris fin au tournant du 20ᵉ siècle. C'est ce genre de postulat, manifestement erroné, qui empêche l'étude des nationalismes majoritaires. Par exemple, Juan Linz disait en 1992[7] qu'il ne connaissait personne ayant écrit ou étant en mesure d'écrire un livre sur le nationalisme espagnol[8]. L'objectif du présent ouvrage est précisément de rendre explicites les dimensions normatives, institutionnelles (juridiques, notamment) et culturelles des rapports entre l'État, la nation majoritaire, les nations minoritaires et la diversité culturelle issue de l'immigration. Dans cette introduction, nous entendons essentiellement délimiter le phénomène et en saisir les principales modalités d'action. Dans un premier temps, nous dresserons un bref état des lieux de la recherche sur le nationalisme majoritaire. Dans un second temps, nous tenterons de préciser la nature de ce phénomène. Nous énumérerons par la suite les principaux modes d'action et manifestations de ce nationalisme. Nous présenterons finalement les différentes contributions à cet ouvrage, en précisant leur apport à l'étude du nationalisme majoritaire.

Le nationalisme majoritaire : état des lieux

L'angle analytique privilégiant la référence au nationalisme des groupes majoritaires s'est manifesté dans les travaux des pionniers de la recherche universitaire sur le nationalisme. Dans ses réflexions sur le nationalisme civique et ethnique, par exemple, Hans Kohn a traité des nationalismes allemand, français, néerlandais, etc[9]. Il est souvent

---

7. Il y a une nouvelle littérature sur le nationalisme espagnol. Voir, à titre d'illustration, Xosé-Manoel Núñez, « What is Spanish Nationalism Today ? From Legitimacy Crisis to Unfulfilled Renovation (1975-2000) », *Ethnic and Racial Studies*, vol. 24, nº 5, 2001, p. 719-752.

8. Mary Katherine Flynn, « Constructed Identities and Iberia », *Ethnic and Racial Studies*, vol. 24, nº 5, 2001, p. 708.

9. Hans Kohn, *The Idea of Nationalism. A Study of its Origins and Background*, New York, MacMillan, 1944.

question, dans les travaux appartenant à ce courant, du nationalisme des États dans le contexte des relations interétatiques (internationales). D'autres chercheurs ont plutôt tenté d'expliquer comment les nations (sous-tendues par des États) se sont construites. Karl Deutsch et Ernest Gellner ont développé des arguments fonctionnalistes mettant l'accent sur la nécessité, pour les sociétés modernes, de bénéficier de réseaux denses de « communication sociale » par la diffusion d'une « haute culture »[10]. Pour Deutsch, par exemple, la communauté nationale repose sur l'intensité des interactions entre ses membres. Le niveau de cette communication s'évalue en fonction des taux d'urbanisation, de population active dans les secteurs secondaire et tertiaire, de lecture de la presse, ou encore du nombre d'étudiants, par exemple. Ces indices témoigneraient d'une plus ou moins grande mobilisation sociale.

Ce type de travaux (dits modernistes) met donc l'accent sur la construction des nations par l'État. Ils constituent de ce fait une contribution fondamentale à la compréhension des modes de construction de l'*État* national, dans la mesure où les auteurs qui s'en réclament insistent sur les modalités d'émergence et de consolidation de certains aspects structurels et institutionnels importants de l'État moderne[11]. Cependant, ce modèle ne fait pas référence à un sentiment national en dehors de ses manifestations institutionnelles (l'État) ou matérielles (moyens de communication, réseau routier...). De plus, il véhicule la conviction que la modernisation entraînera un effacement des particularismes ethniques et l'assimilation des groupes minoritaires par le groupe dominant : la construction de l'État

---

10. Pour une lecture détaillée, voir : Karl Deutsch, *Nationalism and Social Communication : An Inquiry Into the Formation of Nationality*, Cambridge, MIT, 1966 ; Ernest Gellner, *Nations and Nationalism*, Londres, Blackwell, 1983.

11. Voir : Charles Tilly (dir.), *The Formation of National States in Western Europe*, Princeton, Princeton University Press, 1975 ; Charles Tilly, *Coercion, Capital, and European States, AD 990-1990*, Basil, Blackwell, 1990.

véhiculerait nécessairement la disparition des groupes se proclamant nationaux mais dépourvus d'institutions étatiques[12]. Par conséquent, la nature des relations entre l'État comme structure institutionnelle, d'une part, et les groupes majoritaires et minoritaires, d'autre part, n'est pas véritablement analysée. Autrement dit, les « modernistes » concentrent leur attention sur le processus historique menant à la congruence de l'État et du groupe majoritaire (quand ils ne font pas que présumer de cette congruence). L'une des conséquences de cette approche est que le nationalisme majoritaire n'est plus reconnu en tant que *nationalisme* après qu'il a réalisé l'intégration d'une part substantielle des populations sur le territoire d'un État. Par le fait même, certains aspects sociologiques et normatifs fondamentaux du nationalisme majoritaire demeurent occultés. Il est par conséquent difficile d'utiliser ces approches pour penser le déploiement par l'État d'un nationalisme qui cherche toujours activement à s'assurer l'allégeance de groupes minoritaires historiques.

Au cours des années 1980, les adversaires des modernistes ont préféré mettre l'accent sur l'évolution socioculturelle, plutôt que politico-institutionnelle, des groupes. Ils se sont concentrés de manière similaire sur la construction des grandes nations et des grands États européens[13]. Cette approche (qualifiée de « pérennialiste » et d'« ethno-symboliste ») s'est employée à montrer la continuité entre la pré-modernité et la modernité quant à l'émergence des nations, selon des modalités inscrites dans la longue durée[14]. Les travaux d'Anthony Smith, d'Eric Kaufmann et de Rogers Brubaker, notamment, s'inscrivent dans cette optique. Smith soutient que les nations

---

12. Les travaux de Benedict Anderson sont eux aussi fondés sur les processus de communication mais accordent une grande importance au développement des techniques de l'édition et à l'émergence d'un « capitalisme d'imprimerie ». Voir *Imagined Communities*, Londres, Verso, 1991.

13. John Armstrong, *Nations before Nationalism*, Chapel Hill, University of Carolina Press, 1982.

14. Adrian Hastings, *The Construction of Nationhood. Ethnicity, Religion and Nationalism*, Cambridge, Cambridge University Press, 1997.

se constituent autour d'un noyau ethnique dont l'influence reste longtemps présente[15]. À partir des travaux de Smith, Kaufmann a développé l'idée d'« ethnicité dominante » pour saisir l'influence de groupes majoritaires sur les nationalismes projetés par les États ou les gouvernements régionaux[16]. Malgré la distinction rigide établie par Kaufmann entre le nationalisme et l'ethnicité dominante, cette idée a permis d'exposer les aspects culturels de nationalismes souvent présentés comme « neutres » ou civiques. Kaufmann a ainsi pu montrer, par exemple, l'influence *wasp* (l'acronyme de *White Anglo-Saxon Protestant*) sur la construction nationale américaine[17]. Quant à Brubaker, il a développé un concept proche de celui d'ethnicité dominante, soit celui de « nationalisme nationalisant »[18]. Les « nationalismes nationalisants » articulent des demandes faites au nom d'un noyau national défini en termes ethnoculturels et qui se considère le juste propriétaire de l'État[19]. Ainsi, les États de l'Europe centrale et orientale se sont engagés, à la suite du démantèlement de l'Empire soviétique, dans des processus de consolidation nationale au nom d'un noyau national, ces processus étant justifiés par la perception d'une position de faiblesse culturelle, économique ou démographique au sein du pays[20].

Les notions d'ethnicité dominante et de nationalisme nationalisant peuvent contribuer à mieux cerner les phénomènes de nationalisme majoritaire. Elles présentent par contre des limites importantes dans la mesure où elles sont très fortement culturelles. Dans le cas de l'ethnicité dominante, l'identité et les projets politiques qu'elle conditionne sont vus comme fortement déterminés par l'origine

---

15. Anthony D. Smith, *The Ethnic Origins of Nations*, New York, Blackwell, 1986.
16. Eric Kaufmann (dir.), *Rethinking Ethnicity : Majority Groups and Dominant Minorities*, Londres, Routledge, 2004.
17. Eric Kaufmann, *The Rise and Fall of Anglo-America : The Decline of Dominant Ethnicity in America*, Cambridge, Harvard University Press, 2004.
18. Rogers Brubaker, *Nationalism Re-Framed : Nationhood and the National Question in the New Europe*, Cambridge, Cambridge University Press, 1996.
19. *Ibid.*, p. 5.
20. *Idem.*

ethnique ou, à tout le moins, par une croyance en une origine ethnique commune. Ces concepts ne peuvent donc apporter qu'un éclairage limité sur les nationalismes qui, tout en rejoignant plus fortement les membres du groupe majoritaire, s'érigent néanmoins sur des bases bi ou multiculturelles, ou incorporent des éléments culturels du ou des groupes minoritaires. Le nationalisme canadien contemporain, par exemple, ne saurait être perçu comme la simple extension d'un « noyau ethnique » anglophone protestant. Il s'articule partiellement autour du bilinguisme et du multiculturalisme. De façon similaire, l'identité britannique ne peut pas se comprendre uniquement par son « noyau » anglais puisqu'elle comporte des bases multinationales et l'idée d'union entre entités nationales. Il nous faut donc préciser davantage en quoi consiste le nationalisme majoritaire.

Dévoiler et conceptualiser le nationalisme majoritaire

Nous avons déjà souligné que l'un des problèmes que pose l'analyse de ce phénomène réside dans le fait qu'il n'est pas toujours clairement identifié comme *nationalisme*. Il est en vérité doublement occulté. Il est d'abord occulté par le fait que « le renforcement de l'allégeance à l'État est tenu pour l'expression d'un sentiment national légitime, le patriotisme, alors qu'à l'inverse, la contestation de l'État est invariablement disqualifiée comme manifestation d'une force régressive, le nationalisme[21] ». Il est aussi occulté par le fait que l'État est présenté comme le lieu de rapports égalitaires avec, et entre, les citoyens[22]. Quelques remarques s'imposent sur chacun de ces deux aspects.

D'abord, dans les sciences sociales et en philosophie politique, le nationalisme majoritaire s'est parfois perdu dans la distinction artificielle entre patriotisme et nationalisme. L'allégeance à une nation projetée par l'État relèverait du patriotisme plutôt que du

---

21. Alain Dieckhoff, *La nation dans tous ses États. Les identités nationales en mouvement*, Paris, Flammarion, 2000, p. 159.
22. *Ibid.*, p. 160.

nationalisme[23]. Pour Maurizio Viroli par exemple, la distinction cruciale entre patriotisme et nationalisme réside dans le fait que le patriotisme a pour valeur fondamentale la république et sa liberté, alors que le nationalisme a comme valeur fondamentale l'unité spirituelle et culturelle du peuple, exigeant de ce fait une loyauté inconditionnelle[24]. Le patriotisme serait de ce fait plus compatible avec l'universalisme et plus tolérant de la diversité. L'attrait des versions récentes du patriotisme réside précisément dans le fait qu'elles insistent sur la vision d'une communauté postnationale unie par la combinaison de la loyauté envers les principes libéraux universels et des engagements particuliers[25]. Il s'agit là d'une distinction artificielle, cependant, puisque les termes « nationalisme » et « patriotisme » désignent un même phénomène : des sentiments de solidarité pour une communauté généralement territoriale dont l'expression politique est l'acquisition ou le maintien d'un statut politique distinct permettant à cette communauté de déterminer elle-même son destin politique (en d'autres mots, de s'autogouverner). Le patriote, rappelle Margaret Canovan[26], ne défend pas la liberté de n'importe qui mais bien celle de ses concitoyens[27]. Cette vision serait d'autant

---

23. Walker Connor, « The Timelessness of Nations », dans Montserrat Guibernau et John Hutchinson (dir.), *History and National Destiny : Ethnosymbolism and its Critics*, Londres, Blackwell, 2004, p. 39.

24. Maurizio Viroli, *For Love of Country : An Essay on Patriotism and Nationalism*, Oxford, Clarendon Press, 1995, p. 2.

25. Margaret Canovan, « Patriotism is not Enough », dans Catriona McKinnon et Iain Hampsher-Monk (dir.), *The Demands of Citizenship*, Londres/New York, Continuum, 2000, p. 281.

26. Margaret Canovan, *Nationhood and Political Theory*, Cheltenham, Edward Elgar, 1996, p. 93.

27. Viroli écrit que « Pour inciter nos compatriotes à s'engager envers la liberté commune de leur peuple, nous devons faire appel aux sentiments de compassion et de solidarité qui sont – quand ils existent – enracinés dans les liens de la langue, de la culture et de l'histoire » (Viroli, *op. cit.* p. 10 ; traduction libre). Canovan souligne que la version du nationalisme libéral défendue par David Miller (qui fait de l'identité nationale le prérequis indispensable pour soutenir la confiance et la solidarité qu'exige la citoyenneté républicaine) et la conception virolienne du patriotisme sont pratiquement identiques (Canovan, « Patriotism is not enough », *op. cit.*, p. 289).

plus illusoire qu'elle exigerait d'inculquer de toute façon aux citoyens un certain nombre de principes et de valeurs, et qu'elle tiendrait pour acquise l'existence de communautés politiques historiques, exagérant du coup le contraste entre les liens pré-politiques et les relations politiques entre citoyens[28]. En fait, le nationalisme peut être associé tout autant à la contestation de l'État central qu'à sa pérennité. Et qu'il soit exprimé par le moyen de l'État, par des institutions politiques régionales, par des partis politiques ou par des organisations de la société civile, le nationalisme s'inscrit toujours dans une double dynamique d'inclusion et d'exclusion. Le nationalisme suisse, par exemple, opère une différentiation importante entre les droits et privilèges d'individus habitant sur le territoire selon qu'ils sont citoyens ou étrangers[29].

Par ailleurs, la représentation de l'État comme le lieu de rapports égalitaires avec, et entre, les citoyens, ne répond pas nécessairement aux besoins des minorités nationales et nations minoritaires. Rappelons que les politiques de consolidation de l'État peuvent très bien être mises en œuvre aux dépens des minorités nationales sans qu'il y ait pour autant violation des droits individuels au sens strict (par exemple, par la délimitation des unités infra-étatiques de manière à éviter qu'une minorité nationale ne forme une majorité localement)[30]. Kymlicka a ainsi dénoncé le mythe de la neutralité ethnoculturelle, mythe qui présume que l'État est neutre par rapport aux caractéristiques culturelles de ses citoyens. Toutes les démocraties libérales, rappelle-t-il fort justement, ont tenté de diffuser, à un degré ou un autre et comme moyen de consolidation de l'État, la culture sociétale de la majorité. Cette entreprise a comporté la

---

28. Margaret Canovan, *op. cit.*, p. 281-287.
29. Andreas Wimmer utilise le terme «*dominant nationhood*» pour caractériser les cas de nationalisme étatique où nation, citoyenneté et souveraineté coïncident. Voir Wimmer : « Dominant Ethnicity and Dominant Nationhood », dans Eric Kaufmann (dir.), *op. cit.*, p. 51.
30. Will Kymlicka et Christina Straehle, « Cosmopolitanism, Nation-States, and Minority Nationalism : A Critical Review of Recent Literature », *European Journal of Philosophy*, vol. 7, n° 1, 1999, p. 65-88.

répression ou l'occultation de la diversité ethnoculturelle plutôt que la neutralité bienveillante[31].

Les exemples abondent. Pour n'en rappeler que quelques-uns, citons l'interdiction, dans la France postrévolutionnaire, de certaines langues régionales, notamment dans le système scolaire ; la redéfinition des frontières en Floride au 19e siècle pour placer la majorité locale, hispanique, en situation de minorité ; l'immigration massive dans les territoires historiques de certaines minorités (au Tibet par exemple)[32]. Dans les « sociétés du Nouveau Monde[33] », les conséquences de cette diffusion de la culture majoritaire ont été particulièrement néfastes pour les peuples autochtones, puisqu'elle y fut doublée du mépris de sociétés dotées de traditions et d'institutions politiques anciennes et propres à elles. James Tully a ainsi bien expliqué comment Locke utilisa le contraste entre état de nature et sociétés politiques pour justifier l'appropriation par les Européens des terres américaines et les guerres contre les peuples autochtones[34]. Le mythe de la neutralité ethnoculturelle a ainsi très clairement servi à justifier la distinction présumée entre l'utilisation de la culture pour consolider l'État central et l'utilisation de la culture par les minorités pour contester cet ordre.

Que doit-on déduire de ces remarques pour l'analyse du nationalisme majoritaire ? À un premier niveau, il faut comprendre que la distinction entre nationalisme majoritaire et nationalisme minoritaire n'est pas tellement une différence de nature. Dans la mesure où le nationalisme consiste à faire de la nation un sujet politique et à revendiquer pour elle un degré (variable) d'autodétermination, les

---

31. Will Kymlicka, « Nation-Building and Minority Rights : Comparing West and East », *Journal of Ethnic and Migration Studies*, vol. 26, n° 2, 2000, p. 185 ; Cass Sunstein, *The Partial Constitution*, Cambridge, Harvard University Press, 1993.

32. Voir : Will Kymlicka, Christina Straehle, *op. cit.*, p. 65-88 ; Claude Hagège, *Halte à la mort des langues*, Paris, Odile Jacob, 2000 ; Anne-Marie Thiesse, *La création des identités nationales*, Paris, Seuil, 1999.

33. Gérard Bouchard, *Genèse des nations et cultures du Nouveau Monde, op. cit.*

34. James Tully, *Strange Multiplicity. Constitutionalism in an Age of Diversity*, Cambridge, Cambridge University Press, 1995.

nationalismes minoritaire et majoritaire procèdent du même type de revendication politique. De même, pour toute forme de nationalisme, la culture constitue une ressource politique à laquelle les mouvements nationaux recourent, soit pour légitimer l'ordre établi (nationalisme majoritaire), soit pour le contester (nationalisme minoritaire)[35]. Si, comme nous le croyons, tel est bien le cas, deux constats s'imposent : on ne peut pas voir le nationalisme minoritaire comme un phénomène régressif, contraire au mouvement de la modernité, à moins d'en faire autant avec le nationalisme majoritaire ; et le nationalisme n'est pas seulement le fait des mouvements minoritaires, et il n'a pas pris fin, dans les États occidentaux, avec la stabilisation des formes de consolidation au tournant du 20e siècle. Cela ne signifie pas que certaines formes de nationalisme majoritaire ne sont pas plus accommodantes que d'autres. Il faut cependant bien comprendre que le processus de négation de la légitimité des mouvements minoritaires est en fait directement lié à l'importance de l'idée de nation dans la conception moderne de la légitimité politique : puisque cette conception repose sur la communauté des citoyens *comprise comme nation*, les États existants ont tout avantage à nier aux groupes minoritaires ce statut dont ils bénéficient eux-mêmes et sur lequel repose en principe l'accès à la souveraineté dans le système interétatique contemporain[36]. Ils doivent par conséquent non seulement pouvoir se présenter eux-mêmes comme une telle

---

35. Chaim Gans distingue le nationalisme étatique du nationalisme culturel. Le premier « met l'accent sur la manière dont les cultures nationales peuvent contribuer à la réalisation de valeurs politiques qui ne sont pas dérivées de cultures nationales particulières, ni destinées à protéger ces dernières »(Chaim Gans, *The Limits of Nationalism*, Cambridge, Cambridge University Press, 2003, p. 2 ; traduction libre). Le second soutient que « les membres de groupes partageant une histoire et une culture sociétale communes ont un intérêt fondamental, moralement important, à adhérer à leur culture et à la préserver de génération en génération. Cet intérêt justifie la protection par les États » (Gans, *op. cit.*, p. 7 ; traduction libre). Selon Gans, il y a donc une distinction entre le nationalisme étatique et le nationalisme culturel. Nous avons plutôt choisi, pour éclairer des facettes négligées du phénomène du nationalisme majoritaire, de mettre l'accent sur la parenté entre nationalismes majoritaires et nationalismes minoritaires.

communauté d'intérêts et de solidarité, mais aussi garder le monopole de ce statut à l'intérieur de leurs frontières.

Cela appelle deux précisions. D'une part, l'une des distinctions fondamentales entre la nationalité et les autres formes de collectivité est l'aspiration à l'autodétermination, vue comme droit inhérent[37]. Les revendications nationalitaires sont fondées sur l'argument que la nation s'est historiquement constituée comme communauté s'auto-déterminant, comme un peuple qui veut décider de son avenir comme collectivité[38]. Si l'utilisation des ressources culturelles et politiques sert parfois à consolider l'État, parfois à le contester, dans tous les cas le nationalisme s'articule autour de cette revendication de *self-government*. Les rapports entre culture et politique dans l'idée moderne de nation sont d'ailleurs beaucoup plus complexes que ne le laisse entendre l'opposition courante entre nation culturelle et nation politique. D'autre part, il est devenu courant d'admettre le caractère construit des nations[39], tout comme le fait qu'elles relèvent de caractéristiques à la fois subjectives et objectives dont le calibrage respectif varie suivant les cas. Cela a contribué à en faire un objet fluide, paradoxalement aisé à repérer et difficile à définir[40]. Les individus ne

---

36. Jennifer Jackson Preece, *National Minorities and the European Nation-States System*, Oxford, Clarendon Press, 1998; Yaël Tamir, *Liberal Nationalism*, Princeton, Princeton University Press, 1993; Geneviève Nootens, *Désenclaver la démocratie. Des huguenots à la paix des Braves*, Montréal, Québec Amérique, collection «Débats», 2004.

37. Michael Keating, «Par-delà la souveraineté», *op. cit.*, p. 83.

38. L'idée moderne de nation renvoie en effet à un changement fondamental dans la source de la légitimité politique. Celle-ci, avec l'effritement des sociétés d'Ancien régime, en vient à être située dans le peuple. Cependant, les doctrines modernes de la souveraineté populaire, pour résoudre l'aporie qui se trouve au cœur de la théorie démocratique moderne (le peuple est la source de légitimité mais ne peut résoudre lui-même la question de sa propre légitimité), projettent la souveraineté dans la nation (Bernard Yack, «Popular Sovereignty and Nationalism», *Political Theory*, vol. 29, n° 4, 2001, p. 517-536). La nation constitue ainsi la base sociale et culturelle de la citoyenneté. Voir : Michael Keating, *Plurinational Democracy, op. cit.*, p. 204.

39. Depuis une trentaine d'années, les modèles essentialistes de la culture ont fait l'objet de critiques sérieuses. L'idée de nation n'a pas échappé à ce phénomène,

constituent pas une nation en vertu de similarités personnelles, mais bien parce qu'ils partagent quelque chose qui agit entre eux comme médiation[41]. Les nations sont donc fondamentalement des phénomènes de l'espace public.

Définir le nationalisme majoritaire exige cependant quelques précisions supplémentaires. Le nationalisme majoritaire est celui dont les projets identitaires et de mobilisation sont articulés largement par l'intermédiaire des institutions et organes de l'État central. Il est associé aux politiques de construction nationale (*nation-building*) mises en œuvre par l'État central pour donner à ses citoyens une langue, une culture ou une identité communes[42]. Il s'articule donc par le moyen de l'État. Le nationalisme majoritaire peut autoriser des représentations plus ou moins souples de la nation, notamment en fonction de la capacité des nations minoritaires de négocier certains traits institutionnels de l'État consolidé. Il n'implique donc pas nécessairement le transfert des attributs culturels du groupe majoritaire à la nation projetée par l'État. Il comporte cependant l'articulation d'une communauté nationale qui a habituellement son centre dans le groupe majoritaire ou les représentations qu'il se

---

associé à un changement paradigmatique, qui fait des groupes des processus symboliques qui émergent et se dissolvent dans des contextes d'action particuliers (Richard Handler, « Is Identity a Useful Cross-Cultural Concept? », dans J.R. Gillis (dir.), *Commemorations. The Politics of National Identity*, Princeton, Princeton University Press, 1994, p. 29-30).

40. Margaret Canovan suggère de définir les nations comme « des communautés politiques expérimentées *comme si* elles étaient des communautés de parenté, le *comme si* étant fondamental » (Margaret Canovan, *Nationhood and Political Theory*, *op. cit.*, p. 59 ; traduction libre). La particularité de l'appartenance nationale résiderait dans trois facteurs. La médiation qu'elle réalise entre différents aspects de l'expérience et entre les membres de la nation constituerait la clé de l'appartenance nationale comme phénomène politique (1). Cette activité de médiation permettrait à la nation d'agir comme réservoir et génératrice de pouvoir politique (2). Enfin, ce faisant, les nations prendraient l'apparence d'un phénomène naturel (3) (Canovan, *op. cit.*, p. 59).

41. Margaret Canovan, *op. cit.*, p. 71.

42. Le fait que plusieurs auteurs persistent à utiliser le terme « nation » pour désigner l'État est tout à fait révélateur du phénomène du nationalisme majoritaire.

donne de l'identité nationale étatique (notamment à travers ses élites). Il rejoint donc principalement et plus fortement les membres de ce groupe. Ces représentations sont évidemment susceptibles de se transformer avec le temps en fonction notamment des modifications dans les rapports de force et les discours dominants. Dans le cas du nationalisme canadien par exemple, mentionnons qu'après 1949 (quand prend fin totalement le recours au Conseil privé de Londres pour les questions juridiques), l'interprétation juridique en matière constitutionnelle apparaît moins favorable aux provinces. De même, le rapatriement de 1981-1982 apparaît toujours aux yeux d'une majorité de Québécois comme un rapatriement unilatéral qui a modifié les règles du jeu constitutionnel.

Modes d'action et manifestations du nationalisme majoritaire

Les mécanismes de promotion, de reproduction et d'expression du nationalisme majoritaire dans les États occidentaux sont divers. Il est cependant possible de les regrouper au sein de quelques catégories : les systèmes d'éducation; le service militaire, les guerres et le colonialisme; les pratiques, traditions et institutions politiques; l'utilisation de symboles et de mythes. Le nationalisme majoritaire est un phénomène ancré dans l'histoire en ce sens qu'il est relié aux processus de construction et de consolidation étatiques européens et nord-américains des 18ᵉ et 19ᵉ siècles. Dans ce contexte, il peut être vu en termes de *nation-building*[43]. Le nationalisme majoritaire se manifeste aussi à l'époque contemporaine, soit dans la continuation d'un effort actif de construire la nation (par exemple, au Canada et en Espagne), soit dans l'affirmation plus routinière de son existence.

Le nationalisme majoritaire doit historiquement beaucoup à la mise sur pied de systèmes d'éducation administrés par l'État et dont la fréquentation devint obligatoire. À travers ces systèmes s'est

---

43. Shmuel N. Eisenstadt, Stein Rokkan (dir.), *Building States and Nations*, Londres, Sage, 1973.

souvent opérée une assimilation linguistique. C'est notamment le cas de la France révolutionnaire et postrévolutionnaire, où l'enseignement en des langues autres que le français demeura largement proscrit jusqu'aux années 1970 pour ne connaître un réel développement qu'au cours des années 1990. Ces systèmes procèdent plus largement à une socialisation de la jeunesse aux normes dominantes, ce qui inclut les considérations identitaires. Ainsi, la réécriture de l'histoire dite « nationale » a permis de projeter des notions (généralement imaginaires) d'homogénéité et d'un passé commun. De ce point de vue, l'établissement en France de l'éducation de masse au cours des années 1870 et l'arrivée plus tardive en Espagne d'un tel système expliquent en partie les différents niveaux d'intégration des populations basques aux identités dominantes[44]. Le contrôle des cursus scolaires en ce qui concerne la langue et l'histoire demeure aujourd'hui une préoccupation majeure pour plusieurs États, exception faite de ceux qui possèdent des structures fédérales plus décentralisées dans le domaine de l'éducation (Belgique, Canada). Chez ces derniers, l'éducation fait moins partie du répertoire d'outils servant à consolider la cohésion nationale (quoiqu'au Canada le gouvernement central cherche à s'assurer une présence et une visibilité au niveau de l'enseignement supérieur).

L'autre grand mécanisme historique de production des identités nationales étatiques fut l'entreprise militaire (guerres, conquêtes, conscription). Le service militaire obligatoire a fortement contribué à former des citoyens membres d'une même communauté nationale. En plus de favoriser la connaissance de la langue dominante, l'armée fait très fortement appel à la notion de solidarité. Elle représente de ce point de vue un microcosme de la nation homogène et unie que l'État veut créer (voir par exemple au chapitre 7 les remarques de Liah Greenfeld, sur ce mécanisme dans la société israélienne). La cristallisation des identités nationales étatiques résulte aussi de la

---

44. Jan Mansvelt Beck, *Territory and Terror*, op. cit.

guerre et dans laquelle le rôle de l'altérité dans la formation de la représentation de soi de la nation étatique est radicalisé. Une analyse de la construction des identités britannique et française par exemple peut difficilement ignorer le rôle joué par les conflits entre ces deux États dans la formation de leur identité nationale respective. De plus, les guerres génèrent des pressions très fortes de conformité sociale, au cœur desquelles se situe la solidarité nationale telle que la conçoivent les élites politiques. Ainsi, en Europe occidentale entre 1870 et 1914, la consolidation de l'État comporte « la tentative de fournir un degré de légitimité populaire aux relations de pouvoir cristallisées dans l'État-nation, bien que les modalités précises aient varié selon les cas. Le point commun de ces modalités, cependant, fut l'importance du nationalisme qui, d'idéologie révolutionnaire en partie inspirée par l'idéalisme démocratique, est reformulé comme une idéologie exigeant la loyauté à l'État-nation[45]. » Sur le plan empirique des pratiques de consolidation de l'État, on passe ainsi à une optique plus conservatrice d'adaptation du modèle de citoyenneté afin d'intégrer les classes subordonnées à l'ordre social et de promouvoir leur loyauté à l'État établi. Dans cette optique, « tout fut fait pour entretenir l'image d'un ensemble de citoyens socialement indistincts définis d'abord et avant tout par leur appartenance à une « nation ». Dans ce but, les États tentèrent d'entretenir le sens d'une communauté nationale[46]. »

L'idée que les guerres agissent comme forces formatrices et consolidatrices de l'identité nationale s'observe aussi dans les préoccupations sécuritaires qui marquent la politique américaine depuis septembre 2001. La notion de sécurité nationale montre bien le lien étroit entre l'intégrité de l'État, la protection des citoyens et la nation. Dans une période où la menace semble omniprésente, l'État central

---

45. Brian Jenkins, Spyros A. Sofos, « Nation and Nationalism in Contemporary Europe : A Theoretical Perspective », dans B. Jenkins et S.A. Sofos (dir.), *Nation and Identity in Contemporary Europe*, Londres/New York, Routledge, 1996, p. 20.
46. *Idem.*

prend soudainement beaucoup d'importance dans la vie des citoyens puisqu'il est chargé de leur protection. La nation que l'État projette est mise en valeur mais aussi souvent redéfinie de manière restrictive pour en exclure ceux qui sont perçus comme ayant une loyauté douteuse et présentant un risque (pensons par exemple à certaines dispositions du *Patriot Act*).

Finalement, la force militaire des États européens a aussi permis le développement des empires coloniaux[47], dont la « splendeur » politique et les opportunités économiques ont souvent séduit les membres des groupes minoritaires. La bourgeoisie écossaise, par exemple, a largement trouvé son compte dans l'Empire britannique. De façon plus large, l'Empire a servi à promouvoir et diffuser l'identité nationale britannique en Écosse. En Espagne, le développement des nationalismes basque et catalan à la fin du 19e siècle, et l'échec du projet de construction nationale espagnole, furent facilités par la fin de la « splendeur » de l'Espagne incarnée par la disparition de l'Empire[48].

Le processus historique de construction étatique a aussi eu pour résultat d'engendrer des conceptions particulières du pouvoir et de l'autorité politique qui se reflètent dans des pratiques politiques et

---

47. Charles Tilly souligne l'importance de la conquête et de la colonisation dans l'histoire nationale de la France et de la Grande-Bretagne : « En France, les conquêtes militaires étrangères de 1815, 1870, 1940 et 1944 ont toutes façonné les institutions démocratiques : celles de 1815 et 1940 en donnant au pays une orientation autoritaire ; celles de 1870 et 1944 en l'orientant finalement vers la citoyenneté démocratique. En Grande-Bretagne, des tentatives non réussies de conquête militaire ont conduit à des modifications majeures du pouvoir national de manière répétée entre 1650 et 1746, tandis que la présence d'un pouvoir militaire étranger influença la transition irlandaise jusqu'en 1916. La colonisation britannique mena à l'établissement d'institutions plus ou moins démocratiques en Australie, en Nouvelle-Zélande, en Amérique du Nord et (de manière plus incertaine) en Asie du Sud et en Afrique du Sud. Dans les îles britanniques, cependant, la colonisation contribua à dé-démocratiser l'Irlande en installant une minorité protestante « cliente » [de la Grande-Bretagne] dans un pays majoritairement catholique. » (Charles Tilly, *Contention and Democracy in Europe, 1650-2000*, Cambridge, Cambridge University Press, 2004, p. 165 ; traduction libre.)
48. Eric Storm, « The Problems of the Spanish Nation-Building Process around 1900 », *National Identities, vol. 6*, n° 2, 2004, p. 143-156.

constitutionnelles. L'identité britannique par exemple est bien ancrée dans les institutions politiques ; elle se reconnaît particulièrement dans la monarchie constitutionnelle et la suprématie du Parlement. Cet ensemble constitutionnel est d'ailleurs célébré depuis le 18ᵉ siècle comme un modèle de sophistication politique. L'historien Arthur Aughey soutient que «l'importance de cette célébration est qu'elle est devenue un substitut pour l'idéologie décrétée et officielle du nationalisme britannique[49]». Cette identité articulée par le constitutionnalisme est au centre de l'attitude ambiguë des Britanniques face à une intégration européenne plus poussée. La nation française est pour sa part associée à des valeurs, traditions et institutions politiques (celles du républicanisme)[50] qui tranchent avec le constitutionnalisme britannique par leur caractère formel, uniforme, symétrique et centralisateur. Le nationalisme espagnol contemporain est profondément ancré dans la Constitution de 1978, qui est considérée comme la clé de la nouvelle démocratie espagnole et de la «normalisation» du pays[51]. Au Canada, la Charte canadienne des droits et libertés, adoptée en 1982, constitue, avec le bilinguisme officiel et le multiculturalisme, l'expression du nationalisme canadien. Enfin aux États-Unis, ce sont la Déclaration d'indépendance et la Constitution qui constituent les paramètres centraux de l'identité politique nationale.

Toutes ces formes d'expression du nationalisme majoritaire ne sont ni statiques, ni exemptes de contradictions. Gérard Bouchard dit de l'État-nation qu'il est un «formidable magma idéologique, hétérogène et contradictoire, né à la confluence de divers courants philosophiques et culturels, capable d'accommoder les traditions et

49. Arthur Aughey, *Nationalism, Devolution and the Challenge to the United Kingdom State*, Londres, Pluto, 2001, p. 49.
50. Dominique Schnapper, *La France de la Nation. Sociologie de l'intégration en 1990*, Paris, Gallimard, 1991.
51. Cet accent explicite sur une constitution comme fondement de la nation mène beaucoup d'auteurs à parler, de façon trompeuse à notre avis, de patriotisme constitutionnel plutôt que de nationalisme.

visées collectives les plus variées[52] », et dont les composantes s'articulent les unes aux autres dans des combinaisons variables. Le « montage idéologique » de l'État-nation constituerait ainsi « un exemple extra-ordinaire de pensée organique qui doit la plupart de ses traits à des compromis, à des assemblages fortuits et inattendus (sinon contre nature), à des symétries illusoires, à des glissements stratégiques, à des incohérences fonctionnelles soutenues par une panoplie de mythes[53] ».

Car le nationalisme majoritaire se construit et s'exprime aussi par la production de symboles et l'articulation de narrations[54]. Le nationa-lisme espagnol, par exemple, se réclame du processus de reconquête de la péninsule ibérique par les monarques catholiques aux dépens des populations maures. Le nationalisme américain est ancré dans sa

---

52. Gérard Bouchard, *Raison et contradiction. Le mythe au secours de la pensée*, Montréal, Nota Bene, 2003, p. 53-54.

53. *Ibid.*, p. 56.

54. La dissémination de ces symboles et narrations se fait en grande partie au moyen des systèmes d'éducation, ainsi que nous l'avons mentionné. L'utilisation de mythes, de héros, de traditions dans le cadre de l'entreprise de construction d'une identité nationale (que ce soit par des minorités ou par une majorité) relève d'une interprétation et d'une « invention » des traditions révélatrice du caractère construit des nations. Mais cela ne signifie pas l'absence de certains traits identitaires déjà présents, dans certains cas, et sur lesquels on a pu tabler. La mémoire et l'identité sont subjectives et sélectives, et leur articulation s'inscrit dans des relations de pouvoir. John R. Gillis remarque par exemple qu'avant le 19e siècle, 1) il n'y a pas de véritable institutionnalisation de la mémoire dans les classes populaires (dont le passé fait tellement partie du présent qu'elles ne sentent pas le besoin de le pré-server), et 2) que les mémoires populaires demeurent longtemps très locales. Cela change avec le développement des identités nationales, par exemple dans l'Angleterre du 16e siècle ; ce n'est cependant qu'à la fin du 18e que ce phénomène balaie les classes « populaires ». La « mémoire nationale » est particulière, par rapport aux mémoires populaires prénationales, notamment parce que « La mémoire nationale est partagée par des gens qui ne se sont jamais vus, ni n'ont jamais entendu parler les uns des autres, et qui pourtant considèrent partager une histoire commune » (John R. Gillis, « Memory and Identity : the History of a Relation-ship », dans J.R. Gillis (dir.), *Commemorations, op. cit.*, p. 7 ; traduction libre). Elles deviennent plus impersonnelles, en même temps qu'elles deviennent plus démocratiques (Gillis, p. 11 ; voir aussi Charles Tilly, *Contention and Democracy in Europe, op. cit.*)

propre narration mettant en valeur l'unité des premiers colons dans la guerre d'Indépendance ; il dépend aussi très fortement du mythe de la mobilité sociale (voir au chapitre 7 Liah Greenfeld). La force du nationalisme majoritaire est en grande partie dépendante de l'efficacité, sinon du volume, de cette production symbolique. Par exemple, le contraste entre la réussite du projet national en France et son échec en Espagne au tournant du 20e siècle correspond à une situation où l'État français a été beaucoup plus en mesure que l'État espagnol de produire des monuments, des hymnes et des drapeaux pouvant rallier la nation. Ces symboles sont importants puisqu'ils tendent à devenir des marqueurs durables, bien que souvent discrets, de l'identité nationale. Ils correspondent à ce que Michael Billig appelle le nationalisme «banal»[55], qui s'exprime par l'intériorisation quotidienne de référents à la nation qui en viennent à ne plus être remarqués tellement ils sont devenus coutumiers. Le nationalisme banal opère notamment par le biais des pièces d'identité (les passeports par exemple) et d'évènements tels que les fêtes nationales et les compétitions sportives internationales, ou encore plus simplement dans les représentations géographiques utilisées par les bulletins télévisés de météorologie[56].

Il faut finalement rappeler qu'au 20e siècle, l'État-providence a fortement contribué à consolider ces représentations de la nation dans beaucoup de pays occidentaux. Le prolongement de la notion de citoyenneté vers les droits sociaux a imbriqué l'identité nationale dans de nouvelles pratiques redistributives liées aux idéaux d'égalité et d'universalisme, redéployant du même coup les composantes de

---

55. Michael Billig, *Banal Nationalism*, Londres, Sage, 1995.
56. Le nationalisme «banal» n'est donc pas le seul fait du nationalisme majoritaire. Les nationalismes minoritaires, surtout s'ils sont chapeautés par des institutions politiques autonomes, peuvent aussi produire ce type de nationalisme (Voir Kathryn Crameri, «Banal Catalanism», *National Identities*, vol. 2, n° 2, 2000, p. 145-157). Cependant, les manifestations minoritaires sont plus remarquées et étudiées par les analystes.

l'identité nationale étatique[57]. Les politiques sociales représentent un terrain fertile pour l'articulation de valeurs et priorités communes ; elles peuvent de ce fait devenir des symboles nationaux fondamentaux. Au Canada par exemple, le système public de santé est souvent présenté par les politiciens fédéraux comme une preuve du caractère distinct de la nation canadienne par rapport à la nation américaine. Le rôle des politiques sociales dans la stimulation de l'allégeance à la nation explique le combat politique pour le contrôle de la protection sociale au sein d'États multinationaux entre politiciens de différents ordres de gouvernement[58].

Présentation des chapitres

Le présent ouvrage est essentiellement structuré autour de deux pôles. Dans la première partie, le lecteur trouvera principalement des travaux de nature analytique et théorique alors que la deuxième partie rassemble des études de cas dont les enseignements pour les pays traversés par la diversité apparaissent fondamentaux.

Le volume débute avec une contribution d'Alain Dieckhoff sur le paradoxe du nationalisme contemporain. Ce paradoxe réside dans le fait que l'effervescence nationaliste des dernières décennies se manifeste dans un contexte de mondialisation qui peut faire paraître anachroniques les revendications particularistes. Dieckhoff remarque que cette position est partagée par plusieurs penseurs libéraux, marxistes et républicains postnationalistes. Il soutient que l'idée

---

57. Par exemple, Nicola McEwen a montré comment l'État-providence britannique a généré des sentiments d'appartenance en Écosse tandis que Brodie a mis en relief les velléités intégratives des politiques sociales canadiennes. Voir : McEwen, « State Welfare Nationalism : The Territorial Impact of Welfare State Development in Scotland », *Regional and Federal Studies*, vol. 12, n° 1, 2002, p. 66-90, et Janine Brodie, « Citizenship and Solidarity : Reflections on the Canadian Way », *Citizenship Studies*, vol. 6, n° 4, 2002, p. 377-394.

58. Daniel Béland et André Lecours, « Social Policy Reform in Canada, the United Kingdom, and Belgium », *Comparative Political Studies*, vol. 38, n° 6, 2005, p. 676-703.

selon laquelle la mondialisation marginalisera le nationalisme est erronée. Les processus précédents de modernisation n'ont jamais eu cet effet et les grandes transformations contemporaines semblent au contraire encourager de nouvelles formes de nationalisme, tel le nationalisme à distance des diasporas. En discutant du cas québécois, Dieckhoff montre qu'une convergence de valeurs n'entraîne pas nécessairement une convergence d'identités. Cette distance identitaire entre groupes représente aussi un conflit entre nationalismes, minoritaire et majoritaire, même si la majorité ne se reconnaît typiquement pas comme étant porteuse de nationalisme.

Dans le deuxième chapitre, Àngel Castiñeira explore comment des identités collectives deviennent nationales et cherche à expliquer les relations entre l'identité nationale et la mémoire collective. L'identité personnelle est un processus évolutif d'identification et de singularisation. Elle est une construction narrative, dynamique et multiple nécessitant une connexion intertemporelle, une capacité d'intégration des expériences et une reconnaissance dialogique. Selon Castiñeira, l'identité collective se construit comme l'identité personnelle. Le cadre collectif des nations est une réalité aussi abstraite que celle des individus. L'identité collective devient nationale par une mobilisation de la mémoire collective se définissant comme une sélection d'événements ayant influencé le cours de l'histoire d'un groupe. Il existe une composante construite et imaginée dans la mémoire collective. Le sens de l'histoire peut être déplacé, mais l'histoire n'est pas inventée. La mémoire collective donne un sens à des événements ou des lieux historiques d'une communauté. Elle est la gardienne de l'identité, l'outil de justification et l'élément constitutif de la nation. La mémoire collective est nécessaire pour convertir une population en un peuple et faire de ce peuple un sujet collectif autonome. Elle est au centre de l'identité nationale et constamment mise au défi par une atomisation résultant en une fragmentation de la société et une pluralisation des répertoires identitaires.

Dans le chapitre 3, Louis Dupont illustre jusqu'à quel point la géographie de la modernité et de la nation est complexe – comme l'homme, qui ne peut vivre hors d'un monde signifiant et ordonné. La notion de « vivre ensemble » permet de penser non seulement l'organisation d'une société, mais aussi sa délimitation. Le pluralisme culturel pose un défi aux nations particulières. La transformation rapide de la composition de la population de certains pays n'explique pas à elle seule les difficultés des nations à intégrer, voire assimiler, les minorités culturelles. Des nations existent parce qu'elles ont pu imposer des limites assurant la concorde sociale et l'émergence d'un intérêt général. Aujourd'hui, les groupes majoritaires doivent aménager la pluralité des cultures en négociant avec l'Autre ce qu'hier ils pouvaient imposer. Si le droit à la différence permet à des individus de se distinguer et de faire valoir leurs revendications, le droit à l'indifférence permet de sortir des ghettos, d'être un citoyen. Le droit à l'indifférence rétablit l'équilibre entre identité et citoyenneté, notamment dans les sociétés dont le « vivre ensemble » est qualifié de multiculturel.

La contribution de John Coakley qui clôt la première partie vient enrichir les débats en posant un regard sur la cohabitation des communautés. Il précise que les attitudes de la majorité envers les minorités sont communément catégorisées de façon dichotomique entre une forme inclusive de nationalisme « civique », que l'on retrouverait généralement en Occident, et une forme « ethnique » davantage exclusive, que l'on retrouverait ailleurs. Ce chapitre défend l'argument que la première de ces catégories doit se ramifier : le nationalisme civique peut laisser entendre une ouverture et une attitude accommodante envers les minorités, mais il peut aussi être associé à une profonde intolérance qui exige des minorités qu'elles se conforment à la culture de la majorité. Ainsi, au lieu de ces deux seuls types d'approche, nous devons plutôt en considérer trois : l'incorporation, l'assimilation et l'élimination (ou l'exclusion) des minorités. Ce texte se termine par quelques remarques spéculatives à propos des facteurs associés à l'émergence de l'une ou l'autre de ces approches comme forme dominante dans les attitudes d'une majorité.

La deuxième partie propose des interprétations riches pour les comparativistes en explorant de façon soutenue les cas français, britannique, canadien, états-unien et espagnol. John Loughlin y va d'une comparaison étoffée des nationalismes majoritaires britannique et français en considérant les moments clés qui orienteront les évolutions subséquentes. En Angleterre, la Réforme protestante a jeté les fondations des Églises « nationales » et la Révolution de 1688 a confirmé l'ascension du Parlement de Westminster. En France, la Révolution de 1789 a créé une nouvelle conception de l'organisation politique. Les nationalismes anglais, puis britannique, et français vont s'exprimer de manière radicalement opposée. Le texte trace le contour des principales transformations des États nationaux et des défis qui se posent à eux dans un contexte marqué par la montée de nouveaux acteurs politiques aux niveaux supra et infra-étatiques à l'heure de la construction de la zone européenne.

James Bickerton prend le relais en s'appuyant sur les plus récentes avancées dans le champ des études sur le nationalisme pour déceler au Canada la présence d'un nationalisme canadien enraciné. Les définitions de nation et de nationalisme proposées par Benedict Anderson, ainsi que les concepts de nationalités enchâssées dans les sociétés divisées, sont employés afin de comprendre les récents développements de trois formes distinctes de nationalisme majoritaire au Canada, soit le nationalisme unitaire, le nationalisme multinational et le nationalisme plurinational. L'avènement du fédéralisme de la Charte au Canada et du constitutionnalisme populiste, tout au long des années 1980 et 1990, ont mené, selon l'auteur, au développement de nationalismes de confrontation (canadien, québécois, autochtone) qui ont contribué à définir et à mettre à l'épreuve l'essence, le contenu et les limites du nationalisme majoritaire canadien. Ce chapitre propose un retour sur certaines des critiques qui ont été adressées à ce nationalisme majoritaire et propose un plurinationalisme asymétrique inclusif pouvant à la fois accommoder le groupe national majoritaire et les deux groupes nationaux minoritaires au Canada.

Dans sa contribution sur le nationalisme américain, Liah Greenfeld soutient que « La nature ouverte, fluide et individualiste de la société états-unienne, reflet de sa conscience nationale, refuse d'accorder une importance culturelle aux différences ethniques [...]». La tolérance de la loyauté ethnique « résiduelle » des immigrants envers leurs origines, dans le cadre du nationalisme civique caractéristique de la société états-unienne, banaliserait en effet l'ethnicité. Elle interprète le multiculturalisme états-unien comme la preuve de la « décultu- ralisation » de l'ethnicité. À ses yeux, c'est le consensus fondamental sur les valeurs de liberté et d'égalité, bien plus que les politiques de discrimination positive, qui permet la coexistence pacifique des groupes ethniques aux États-Unis.

Le livre s'achève avec une contribution d'Enric Fossas sur le cas espagnol. Après avoir fait le constat que l'Espagne a accompli depuis la transition politique une des expériences de décentralisation les plus importantes et les mieux réussies du 20e siècle, l'auteur remarque que ce pays est parvenu à se transformer d'un État unitaire et centraliste en un système presque fédéral. Toutefois, même s'il est vrai que la Constitution a permis à la Catalogne et au Pays basque de jouir de la période d'autonomie la plus longue de leur histoire et de récupérer certains éléments de leur identité nationale, il est aussi vrai qu'après un quart de siècle d'expérience constitutionnelle, ce sont ces deux communautés qui montrent aujourd'hui leur malaise et qui proposent des projets politiques permettant d'introduire des changements importants à l'ordre constitutionnel. Il faut souligner, toutefois, qu'il s'agit de projets très différents : celui du Pays basque (plan Ibarretxe) ne jouit que du soutien des nationalistes, défend un statut de libre-association avec l'Espagne et se rapproche de celui proposé par les souverainistes québécois au référendum de 1995, alors qu'en Catalogne, toutes les forces politiques du Parlement régional cherchent un accord pour réformer le Statut d'autonomie de la Catalogne sans modifier la Constitution espagnole. L'Espagne vient d'entamer depuis les dernières élections une période de réformes institutionnelles, mais seul un accord politique entre les nationalismes en présence pourra régler la « question nationale » et apporter le succès espéré à l'expérience constitutionnelle en Espagne.

Chacune de ces contributions vient jeter un éclairage trop longtemps attendu sur les rapports entre nations majoritaires et minoritaires en explorant à fond les façons dont le noyau national opère et en soupesant les stratégies mises en place par les communautés nationales en situation minoritaire. Il s'agit là d'une contribution essentielle à une meilleure compréhension d'un phénomène encore trop souvent identifié exclusivement à la contestation par les minorités des termes de leur intégration à l'État, contestation longtemps jugée rétrograde et à contre-courant de la modernité. Le nationalisme constitue l'un des phénomènes politiques les plus importants de la modernité. Mais loin d'être l'apanage de minorités rétrogrades et fermées sur elles-mêmes, il fait aussi partie intégrante des politiques et institutions étatiques et des attitudes de la majorité. On ne peut pas faire l'économie de cette vision, si l'on veut comprendre adéquatement les rapports sociaux et politiques contemporains, et penser le « vivre ensemble » aujourd'hui.

PREMIÈRE PARTIE

CHAPITRE 1

Rapprochement et différence : le paradoxe du nationalisme contemporain

Alain Dieckhoff

Ouzbékistan, Érythrée, Moldavie, Slovaquie, Timor-Leste, autant de noms d'États indépendants qui figurent désormais dans nos atlas. Or ils ne sont pas les seuls : au cours de la décennie 1990, pas moins d'une vingtaine d'États ont vu le jour, la plupart sur les décombres de l'Empire soviétique, d'autres dans le cadre de l'achèvement de processus de décolonisation qui avaient été interrompus par des voisins expansionnistes comme l'Éthiopie ou l'Indonésie. Et encore, cette comptabilité qui ne prend en compte que le critère de la reconnaissance internationale ne donne qu'une image parcellaire et imparfaite d'une dynamique de revendication nationaliste beaucoup plus profonde.

Ici, le lehendakari basque (chef du gouvernement) présente un plan de libre association du Pays basque avec l'Espagne, qui vise à accroître encore le transfert de compétences à la communauté autonome et à la doter d'une représentation propre au sein de l'Union européenne. Là, les leaders du gouvernement kosovar réclament que leur province accède enfin à une pleine souveraineté au lieu de bénéficier d'une indépendance « *Canada dry* » qui donne au Kosovo les attributs et les institutions d'un État sans en être officiellement un. Ailleurs, un ministre-président flamand réclame pour la Belgique la mise en place du confédéralisme que d'aucuns voient comme la dernière étape avant le démembrement final du pays. Hors d'Europe, le phénomène est tout aussi notable. Ici, les souverainistes québécois n'ont pas abandonné l'espoir, malgré l'échec du second référendum, de voir un jour la Belle Province accéder à l'indépendance. Là, les Kurdes d'Irak ont vu leur autonomie interne *de facto* constitutionnellement garantie dans la Loi sur l'administration de l'État irakien qui instaure le fédéralisme. Ailleurs, des Sikhs continuent de lutter, en Inde, pour la création d'un État souverain, le Khalistan – Pays des purs – tandis que les Tigres tamouls tentent d'obtenir, y compris par le recours aux attentats-suicides, l'indépendance de l'Eelam qui correspond aux actuelles provinces orientales et septentrionales du Sri Lanka.

Cette indéniable effervescence nationaliste apparaît à beaucoup comme un phénomène régressif et anachronique. Régressif parce qu'en valorisant des identifications particulières (culturelles, régionales...), ce nationalisme met à mal la citoyenneté politique comme allégeance suprême transcendant les appartenances particulières. Anachronique parce que l'expression de ces nationalismes semble aller à l'encontre d'un processus de mondialisation qui devrait, selon le sens commun, s'accompagner de l'émergence d'une authentique condition humaine, et donc d'un arasement des différences. Cette perception des choses est, de façon étonnante, embrassée par les marxistes, les libéraux et les républicains postnationalistes.

La fin du nationalisme : une illusion partagée

Même si les premiers déplorent les coûts sociaux de la globalisation économique, ils persistent à penser à l'unisson de Karl Marx que « les démarcations nationales et les antagonismes entre peuples disparaissent de plus en plus avec le développement de la bourgeoisie, la liberté du commerce, le marché mondial, l'uniformité de la production industrielle et les conditions d'existence qu'ils entraînent[1] ». Quant aux seconds, ils voient, dans une perspective fonctionnaliste,

---

1. Karl Marx, *Le manifeste du Parti communiste*, Paris, UGE, collection 10/18, p. 42.

l'émergence d'une économie de marché mondialisée comme un moyen de développer les interdépendances et les interactions, et donc de faire naître, autour d'intérêts partagés, une véritable communauté internationale qui dépasserait les clivages nationaux. Enfin, les troisièmes considèrent, avec Jürgen Habermas, « que la cohésion des communautés nationales est mise à l'épreuve par la mondialisation [...] le vernis d'une culture uniforme placée sous le signe de la marchandise ne recouvre pas seulement les continents lointains. Même en Occident, il semble niveler les différences nationales au détriment des traditions propres à chaque pays[2]. » Les trois camps se retrouvent parce qu'ils partagent une même perspective évolutionniste qui voit dans la multiplication des interactions le chemin le plus direct vers l'unification du monde. Certes, ils divergent sur la finalité ultime, les premiers étant convaincus que le capitalisme finira par connaître une crise finale qui l'emportera tandis que les seconds sont persuadés que la démocratie de marché finira par être adoptée par l'ensemble de la planète et que les troisièmes sont d'avis que l'ampleur des problèmes auxquels l'humanité est confrontée est telle que la réponse doit nécessairement se situer à un niveau supranational. Toutefois, sur l'analyse du phénomène de mondialisation lui-même comme facteur d'uniformisation et de réduction des différences, en particulier, nationales, les points de rapprochement sont tout à fait remarquables. Comment alors expliquer la vigueur persistante des nationalismes ? Comment rendre compte de la prolifération étatique que d'aucuns tiennent pour un défi stratégique majeur[3] ?

Là encore, la réponse des marxistes, des libéraux et des républicains postnationalistes est identique. Ne pouvant récuser la réalité du phénomène lui-même, ils en diminuent la portée, pour le considérer

---

2. Jürgen Habermas, *Après l'État-nation. Une nouvelle constellation politique*, Paris, Fayard, 2000, p. 68.
3. Dossier spécial sur la prolifération étatique sous la direction de Pascal Boniface, *La revue internationale et stratégique*, n° 37, printemps 2000, p. 57-151.

comme un fait transitoire que la dynamique historique emportera irrésistiblement. Pour Eric Hobsbawm, « même si personne ne peut nier l'impact croissant et parfois spectaculaire de la politique nationaliste ou ethnique, ce phénomène est aujourd'hui fonctionnellement différent du « nationalisme » et des « nations » dans l'histoire des 19e et 20e siècles sous un aspect essentiel : il n'est plus un vecteur majeur du développement historique[4]. » En quoi résiderait cette différence de nature ? En ce que le nationalisme européen du 19e siècle et le nationalisme décolonisateur dans le tiers-monde étaient liés à un projet fondamentalement émancipateur alors que les mouvements nationalistes contemporains seraient « essentiellement négatifs, ou plutôt diviseurs... [fondés] sur des réactions de faiblesse et de peur[5] ». L'argument n'est guère convaincant : la loi générale du nationalisme est bien sa capacité réactive, et cela s'est vérifié dès le début du 19e siècle lorsque l'invasion napoléonienne contribua à l'essor des nationalismes allemand et espagnol. Quant aux formes du nationalisme, hier comme aujourd'hui, elles ont été contrastées : la dimension émancipatrice a toujours cohabité avec un aspect régressif (comprenant de fortes composantes d'exclusion xénophobe).

La dépréciation du nationalisme contemporain est étonnamment similaire chez un libéral convaincu comme Francis Fukuyama. Même s'il considère « le désir d'indépendance et de souverainetés nationales comme une des manifestations possibles du désir d'autodétermination et de liberté[6] » et tient l'existence d'une puissante unité nationale pour nécessaire à l'apparition d'une démocratie stable, le nationalisme n'en reste pas moins *in fine* une force négative, fondée sur une passion mégalothymique (c'est-à-dire sur la volonté d'être reconnu comme supérieur aux autres). À l'inverse, la démocratie libérale repose sur la

---

4. Eric Hobsbawm, *Nations et nationalisme depuis 1780*, Paris, Gallimard, 1992, p. 209-210.
5. *Ibid.*, p. 210-211.
6. Francis Fukuyama, *La fin de l'Histoire et le dernier homme*, Paris, Flammarion, 1992, p. 250.

promotion de la raison et sur un principe isothymique (le désir d'être reconnu comme l'égal des autres). La planète est de plus en plus divisée entre un monde toujours engagé dans l'Histoire, qui recouvre surtout l'essentiel du tiers-monde, où les conflits seront nourris par les idéologies, les religions et les nationalismes, et un monde post-historique (l'Occident, une large part de l'Amérique latine) où les interactions seront avant tout économiques et où le politique sera régulé par la démocratie procédurale. À longue échéance toutefois, Fukuyama est persuadé que l'unification du monde se fera sous les auspices de la démocratie de marché et que « le nationalisme est destiné à disparaître comme force politique[7] » : toute avancée de la modernisation (développement économique, croissance de l'urba-nisation, expansion de l'éducation…) marque un recul des formes traditionnelles d'autorité (tribus, Églises, corporations…) et des iden-tifications collectives nationales.

Enfin, dans sa réflexion, Jürgen Habermas insiste sur le fait qu'his-toriquement la communauté démocratique s'est réalisée dans un ensemble national donné : l'État-nation unit précisément le *demos* et l'*ethnos*, la citoyenneté républicaine et la communauté caractérisée par une langue et une histoire partagées[8]. Cette fusion inédite a fait que « ce modèle historique s'est imposé partout dans le monde […] et que l'État-nation a définitivement triomphé sur les types plus anciens de formations politiques[9] ». Toutefois, à ses yeux, le lien entre esprit républicain et conscience nationale est purement contingent. Non seulement « du point de vue conceptuel, la citoyenneté était toujours déjà indépendante de l'identité nationale[10] », mais d'un point de vue

---

7. *Ibid.*, p. 309.
8. Pour une analyse détaillée du républicanisme postnational de Habermas, voir Patrick Savidan, « La constellation post-nationale et l'avenir de l'État libéral », dans Alain Dieckhoff (dir.), *La constellation des appartenances. Nationalisme, libéralisme et pluralisme*, Paris, Presses de Sciences-Po, 2004, p. 63-97.
9. Jürgen Habermas, *L'intégration républicaine. Essais de théorie politique*, Paris, Fayard, 1998, p. 95-96.
10. Jürgen Habermas, *op. cit.*, p. 72.

fonctionnel, l'État-nation n'est tout simplement plus adapté aux défis économiques, technologiques, écologiques et militaires. La conséquence est imparable : «[L]a souveraineté des États-nations continuera à se vider de sa substance et appellera la construction et le développement de capacités d'action politique à un niveau supranational dont les amorces sont déjà observables[11].»

Ce dépassement de l'État-nation se réalisera à travers des organisations supranationales dont le modèle le plus accompli est l'Union européenne. Par un mouvement d'abstraction tout à fait inédit, elle réalise la dissociation entre nation et société politique, inaugurant ainsi la mise en œuvre d'une démocratie postnationale.

Sans doute, cet effacement du nationalisme n'est guère attesté pour l'heure, mais cela n'ébranle pas une certitude largement partagée qu'il est bien programmé par le «sens de l'Histoire». Aux yeux de Fukuyama, «le fait que la neutralisation politique finale du nationalisme ne puisse intervenir ni à notre génération, ni même à la suivante n'affecte pas la perspective bien réelle de la fin de celui-ci[12]». Quant à Eric Hobsbawm, il croit déceler, derrière les apparences, une dialectique secrète. Le bouillonnement nationaliste de la fin du 20e siècle serait ainsi le chant du cygne du nationalisme, non son apogée. Loin de démontrer la vitalité du phénomène, il ne ferait qu'en prouver l'épuisement. Avant de s'éteindre progressivement, le nationalisme brillerait, une dernière fois, de tous ses feux[13]. Jürgen Habermas défend une position semblable. Adoptant une posture hégélienne, il considère que «toute figure historique, parvenue à sa maturité, est condamnée à périr» ; dès lors, «la marche triomphale de l'État-nation a elle aussi son revers ironique[14]» dans la mesure où

---

11. Jürgen Habermas, *op. cit.*, p. 97.
12. Francis Fukuyama, *op. cit.*, p. 312.
13. Dans *Nations et nationalisme depuis 1780*, il écrit ainsi : « Le déclin de l'importance historique du nationalisme est aujourd'hui dissimulé par un certain nombre de phénomènes qui semblent le rendre encore plus visible qu'il y a quelque temps. » (p. 217)
14. Jürgen Habermas, *op. cit.*, p. 96.

cette universalisation de l'État intervient au moment même où les conditions historiques invalident sa pertinence pratique. Invérifiable, cette conception, en termes de «ruse de l'histoire», relève plus du tour de passe-passe que d'une démonstration sociologique rigoureuse.

Tout cet effort argumentatif des marxistes, des libéraux et des républicains postnationalistes doit servir à nier la pertinence du nationalisme car l'admettre reviendrait à ruiner le postulat de l'avènement de l'universel dont la mondialisation en acte depuis une vingtaine d'années constituerait une nouvelle étape décisive. Pourtant, une approche plus complexe doit être défendue. Au lieu de chercher à escamoter un fait sociopolitique dérangeant comme le nationalisme ou de l'interpréter en fonction d'une logique cachée, il est préférable de le reconnaître pour ce qu'il est : une configuration centrale de la modernité qui connaîtra certes des recompositions avec le mouvement de globalisation actuelle mais ne disparaîtra pas pour autant. Marxistes, libéraux et républicains postnationalistes sont enclins à penser le contraire parce que leur démarche repose sur le présupposé suivant : la multiplication des échanges économiques, la constitution de réseaux de communication mondiaux, la diffusion d'une culture de masse standardisée conduisent à une dilution des spécificités nationales, à un rapprochement entre les individus et les peuples, et donc à la constitution progressive de solidarités à un niveau de plus en plus élevé. Pour Fukuyama, il ne fait ainsi aucun doute que «tous les pays dont l'économie se modernise ont nécessairement tendance à se ressembler [...] ces sociétés se trouvent liées entre elles de manière croissante par les marchés mondiaux et par la diffusion d'une culture de consommation universelle[15].» À terme, les démarcations nationales s'effaceront et l'humanité sera réellement une. Cette perspective réactualise et prolonge la théorie de la construction nationale formulée par le politologue américain Karl Deutsch dans les années cinquante. À ses yeux, la modernisation,

---

15. Francis Fukuyama, *op. cit.*, p. 15.

dont l'urbanisation, l'industrialisation, l'éducation de masse, le développement des communications sont des indices notables, suscite une intensification des interactions. Cette mobilisation sociale accrue conduit alors progressivement à une cohésion nationale de plus en plus poussée, qui balaye les anciennes allégeances, locales ou régionales. À l'intégration nationale d'hier succède désormais, à la faveur de l'explosion des communications tous azimuts, une intégration planétaire qui aura un effet corrosif sur les nations.

Quel crédit accorder à cette hypothèse? Un crédit, à l'évidence, limité car elle repose sur une interprétation unidimensionnelle qui a été souvent démentie par les faits. Si, en effet, la modernisation a pu accélérer l'assimilation nationale à l'intérieur d'un État, en relativisant, voire en effaçant, les distinctions culturelles ou sociales entre des populations d'origine différente, cette correspondance n'a jamais été univoque. En France, les choses sont allées dans ce sens. L'augmentation de la mobilité sociale, dans la phase de démarrage de l'industrialisation, accéléra les mouvements migratoires à l'intérieur du pays, poussant les gens à quitter leur province natale et leurs occupations traditionnelles pour s'installer dans les régions en voie d'expansion industrielle ainsi que dans les capitales. Associées à l'action volontariste de l'État républicain qui, grâce à l'école, s'évertua à mettre en œuvre un authentique nationalisme linguistique, ces migrations internes conduisirent effectivement à la transformation des Bretons, Alsaciens et autres Provençaux en Français. Toutefois, le résultat était tout autre lorsque la modernisation s'opérait dans le cadre d'une seule et même région : si elles provoquèrent l'abandon des micro-identités locales, ces migrations intra-régionales se firent au profit de l'identité régionale, non de l'identité nationale (étatique). Ainsi, l'essor de l'industrialisation de la Catalogne dans le dernier quart du 19e siècle poussa les gens des campagnes, de la frontière pyrénéenne au nord à Valence au sud, à se diriger vers Barcelone où ils éprouvèrent pour la première fois, à travers une langue parlée commune, le sentiment diffus de former une même communauté humaine. L'identité villageoise d'origine était peu à peu supplantée par une identité catalane que les premières organisations politiques catalanistes entendaient promouvoir avec énergie. Dans cette situation, l'immigration, à partir des années 1920, d'éléments allogènes provenant d'autres régions d'Espagne, loin d'atténuer la conscience d'une spécificité catalane, ne fit que la stimuler. D'abord modeste, ce flux prit des proportions énormes durant la période franquiste avec l'arrivée entre 1951 et 1975 d'un million et demi de personnes (en particulier d'Andalousie) dans une région qui n'en comptait elle-même que trois millions et demi au début des années 1950. Cet afflux massif renforça parmi les organisations catalanistes le sentiment d'urgence quant à la nécessité de défendre pied à pied la catalanité.

Le résultat était aussi différent lorsque la migration continue de paysans parlant une langue populaire les obligeait à quitter leur région d'origine pour s'installer dans des centres urbains, moteurs de l'industrialisation, qui étaient peuplés par un autre groupe linguistique, politiquement dominant. Ainsi, en Europe centrale, l'industrialisation de la Bohême-Moravie comme de la Hongrie avaient été l'œuvre de la bourgeoisie allemande, souvent de confession juive, alors que la classe ouvrière était composée de migrants ruraux tchèques, slovaques ou hongrois[16]. Dans ce cas de figure, lorsque la différence linguistique recoupe une différence sociale, la langue du groupe prépondérant sur le plan politique fonctionne souvent comme une barrière qui empêche, ou à tout le moins handicape, la promotion sociale des membres du groupe parlant l'autre idiome. Ces derniers sont alors tentés de construire une «niche protectrice» où la mobilité sociale sera désormais assurée et, pour cela, s'engagent sur la voie du nationalisme culturel puis politique[17].

---

16. Bernard Michel, *Nations et nationalismes en Europe centrale, XIXe-XXe siècle*, Paris, Aubier, 1995, p. 133-154.
17. Voir les développements d'Ernest Gellner sur la «métaphore ruritarienne», dans *Nations et nationalisme*, Paris, Payot, 1983, p. 90-96.

On le voit, les chemins de la modernisation ont été tortueux, et la multiplication des contacts est loin d'avoir conduit à une « assimilation heureuse ». Dans bien des cas, la croissance des échanges a, au contraire, eut l'effet strictement inverse : elle a accéléré la prise de conscience nationale en soulignant autant les traits distinctifs entre un groupe et ses voisins que les traits de contiguïté à l'intérieur du groupe. À contre-courant des théories alors en vogue sur la construction nationale par intégration et dilution des identités, Walker Connor avait souligné, il y a plus de trente ans, l'effet catalyseur de la modernisation sur les nationalismes. Pour lui, « la progression des moyens de communication et de transport tend à augmenter la conscience culturelle des minorités en rendant leurs membres davantage conscients des différences entre eux-mêmes et les autres[18] ». Bien entendu, il ne s'agit pas d'établir une nouvelle loi d'airain qui postulerait que l'accélération de la mobilité sociale et l'intensification des communications favoriseraient inéluctablement la multiplication exponentielle de nationalismes en conflit. Bavarois, Saxons et Hessois ne vont pas demain s'engager dans un processus de séparation pour reconstituer les royaumes et principautés du passé simplement parce qu'ils partagent désormais une identité allemande standardisée. Le rapprochement ne sera vécu comme une menace et ne s'accompagnera d'une mobilisation nationaliste de défiance que si le contrat politique qui lie les différentes parties est tenu pour déséquilibré, insatisfaisant par l'une d'entre elles. Le contexte sociopolitique s'avère donc, une fois de plus, déterminant.

L'incontournable question de l'identité

Intéressons-nous à titre d'exemple au cas du Québec. Par rapport au Canada anglophone, il a connu une modernisation décalée. Celle-ci n'a sans doute pas été aussi brusque et tardive que d'aucuns l'ont

---

18. Walker Connor « Nation-Building or Nation-Destroying? », *World Politics*, vol. 24, n° 3, 1972, p. 329.

prétendu en faisant des années 1960 une époque charnière où, d'une société rurale et agricole, le Québec se serait soudainement transformé en société urbaine et industrielle. Toutefois, si le processus de modernisation a été plus graduel, s'étalant sur toute la première moitié du siècle, il a incontestablement connu une activation prodigieuse avec la Révolution tranquille et a progressivement conduit à effacer les disparités de tous ordres entre anglophones et francophones. Tous les indicateurs montrent, en effet, une remarquable convergence entre les deux communautés. Alors que les francophones constituaient les gros bataillons de la classe ouvrière au début du 20e siècle, ils ont connu une remarquable ascension sociale tant en termes de revenus que d'occupations professionnelles. Le taux d'urbanisation, les pratiques de consommation sont désormais quasiment identiques. Même constatation sur le plan des comportements : le Québec s'est aligné sur le reste du Canada avec la baisse marquée de la pratique religieuse et de la natalité et l'augmentation considérable des divorces. Quant aux attitudes vis-à-vis de la question des libertés publiques, de l'éthique..., elles sont désormais similaires[19]. Pourtant, c'est au moment précis où les francophones se rapprochaient des anglophones que les premiers créaient le Parti québécois, porté au pouvoir en 1976, qui tentera à deux reprises de faire du Québec un pays souverain. Des francophones qui, alors qu'ils étaient 34 % à se définir comme Canadiens et 21 % comme Québécois en 1970, étaient respectivement 9 % et 59 % vingt ans plus tard.

Que les Québécois francophones baignent « dans la même culture de consommation, sécularisée, libéralisée, démocratique urbaine, qu'ils soient animés des mêmes idéaux de liberté individuelle et d'égalité démocratique[20] » que les Canadiens anglophones, cela n'empêche

---

19. Ces données sont tirées de l'article de Stéphane Dion : « Le nationalisme dans la convergence culturelle. Le québec contemporain et le paradoxe de Tocqueville », dans Raymond Hudon et Réjean Pelletier (dir.), *L'engagement intellectuel. Mélanges en l'honneur de Léon Dion*, Sainte-Foy, Les Presses de l'Université Laval, 1991, p. 292-311.

20 Will Kymlicka, *Politics in the Vernacular : Nationalism, Multiculturalism and Citizenship*, New York, Oxford University Press, 2001, p. 256.

donc nullement une majorité d'entre eux de vouloir être reconnus comme « société distincte ». Penser qu'une similitude croissante – sur le plan des comportements, des valeurs… – gomme toute tendance à la différenciation repose sur une confusion entre proximité sociale et convergence identitaire. Or la première peut s'opérer sans pour autant faire émerger une identité nationale commune. Cette dernière n'existe que si les individus d'un groupe A ont la conviction subjective de faire *exactement* partie de la même collectivité que leurs concitoyens appartenant à un groupe B : si ce processus d'identification n'existe pas, les membres de ces deux groupes peuvent très bien partager les mêmes valeurs sans pour autant partager la même identité[21].

Le nationalisme minoritaire n'émerge pas dans un vacuum mais dans l'interaction avec l'État central qui est lui-même pourvoyeur de nationalisme, un fait qui, dans un contexte politique libéral, est doublement masqué. D'abord, le renforcement de l'allégeance à l'État est fréquemment tenu pour l'expression d'un sentiment national légitime, le patriotisme, alors qu'à l'inverse, la contestation de l'État est invariablement disqualifiée comme la manifestation d'une force régressive, le nationalisme. Par ce procédé rhétorique, la convergence réelle entre les deux formes concrètes de nationalisme est ainsi escamotée. Ensuite, l'État est présenté comme organisant des rapports strictement égalitaires avec l'ensemble des citoyens. Toutefois, cette conception « universalisante » et abstraite est bien adaptée aux besoins nationaux du groupe majoritaire et aux attentes des groupes dispersés sur l'ensemble du territoire : minorités religieuses et linguistiques, immigrés... Elle est bien moins satisfaisante pour les groupes territorialisés qui se considèrent comme des nations à part entière et voient dans le « nationalisme de la citoyenneté » un instrument de dilution de leur identité propre. Ce nationalisme de la majorité,

---

21. Pour une réflexion approfondie sur les caractéristiques essentielles des identités nationales, voir Wayne Norman, « De la construction nationale à l'ingénierie nationale : l'éthique du façonnement des identités », dans Alain Dieckhoff (dir.), *op. cit.*, p. 125-152.

recouvert d'un vernis universaliste, a beau être inconscient, il n'en est pas moins réel.

Ainsi, au Canada « les Canadiens de langue anglaise ne voient pas dans le gouvernement central le véhicule d'une culture canadienne spécifiquement anglaise. Ils diront que leur allégeance va à l'ensemble du Canada, non à une communauté linguistique particulière. Dans une certaine mesure, une telle affirmation est fallacieuse, car elle cache l'importance réelle de la langue dans leur allégeance [...] Les Canadiens anglophones ont souvent considéré comme canadiens des phénomènes qui étaient en réalité propres à leur groupe linguistique. » La cécité des anglophones quant à leurs motivations nationales tient au fait « qu'ils n'avaient pas besoin de distinguer leur allégeance au groupe linguistique de leur allégeance à la véritable communauté pancanadienne. Ils pouvaient se permettre de confondre les deux puisque, comme ils constituaient la majorité, le caractère distinctif de leur communauté n'était jamais menacé[22]. »

Cette constatation est tout à fait capitale. Les anglophones ont embrassé avec ferveur le projet d'identité canadienne, non parce qu'ils adhéraient davantage que les francophones aux valeurs libérales contenues dans la Charte des droits, mais parce que cette conception d'un nationalisme englobant s'harmonisait parfaitement avec leurs propres intérêts. Dès lors que le cadre politique de référence est l'État canadien dans son ensemble, les anglophones qui constituent la majorité absolue de la population du Canada sont assurés de conserver le pouvoir politique ultime, grâce aux instances nationales (Parlement, Cour suprême). De plus, à partir du moment où la logique individualiste prévaut, elle frappe de nullité toute mesure générique de protection d'une identité culturelle particulière, comme celle du Québec. Pourtant, la rationalité intéressée qui pousse un groupe majoritaire

---

22. Jeremy Webber, *Reimagining Canada. Language, Culture, Community and the Canadian Constitution*, Kingston et Montréal, McGill-Queen's University Press, 1994, p. 210.

à soutenir le nationalisme d'État est rarement reconnue ouvertement. En général, ses membres la camouflent en se présentant comme de généreux partisans de l'unité nationale mus par un idéalisme sincère et aux prises avec de dangereux séparatistes bornés.

L'exemple canadien n'est pas unique. Avant la division de la Tchéco-slovaquie en 1993, on retrouvait du côté tchèque une même incompré-hension face à un nationalisme slovaque tenu pour rétrograde, doublée d'une identification à la fédération dans son ensemble, tout simple-ment parce que, pour les élites tchèques, intérêts tchèques et intérêts fédéraux se confondaient[23]. Cette imbrication permet de comprendre la difficulté qu'ont eue, par la suite, les Tchèques à assumer leur indépendance après la séparation d'avec la Slovaquie. Il leur fallait en effet désormais définir directement une identité nationale qui s'était jusqu'alors exprimée de façon prioritaire à travers l'État central. Nul doute que le Canada anglais aurait à affronter la même difficulté en cas de sécession du Québec.

Au sein du groupe minoritaire, la conscience d'une identité propre est entretenue par l'existence d'une culture sociétale, autrement dit « une culture qui assure à ses membres des styles de vie significatifs à travers le champ complet des activités humaines, dans les domaines sociaux, religieux, éducatifs, économiques et de loisirs, aussi bien dans l'espace public que dans la sphère privée[24] ». Cette culture englo-bante bénéficie pour sa perpétuation et sa diffusion de canaux relative-ment nombreux et structurés (écoles, médias, institutions, associa-tions...). De ce point de vue, le Québec abrite incontestablement une culture sociétale à part entière, différente de celle du reste du Canada, une culture qui est présente dans le système scolaire et universitaire, la production médiatique, l'administration, le monde de l'entreprise...

---

23. Voir sur ce point l'analyse de Petr Pithart, « L'asymétrie de la séparation tchéco-slovaque », dans Jacques Rupnik (dir.), *Le déchirement des nations*, Paris, Seuil, 1995, p. 157-179.
24. Will Kymlicka, *Multicultural Citizenship : A Liberal Theory of Minority Rights*, Oxford, Clarendon Press, 1995, p. 76.

Si culture sociétale rime très fréquemment avec langue particulière, cette correspondance n'est pas toujours nécessaire. L'Écosse dispose ainsi d'une culture sociétale propre bien que ni le *scot*, ni le gaélique ne soient plus en usage. La persistance de trois institutions (Église presbytérienne, système d'enseignement indépendant, droit écrit et magistrature) fonctionnant à l'intérieur d'un territoire dont la frontière avec l'Angleterre a été fixée par le traité d'York en 1237 suffit à donner à la culture écossaise une forte compacité[25].

À défaut de culture sociétale, c'est-à-dire si la culture est diffuse et résiduelle, il est douteux qu'une identité nationale puisse se constituer. La Bretagne a ainsi perdu sa culture sociétale dont il ne subsiste plus que des bribes, et malgré les efforts consentis par une pléiade d'entrepreneurs culturels pour la faire revivre, sa renaissance paraît improbable : l'incorporation dans l'espace français a été si profonde que la Bretagne se trouve désormais en-deçà du seuil minimal indispensable pour préserver une cohérence culturelle suffisante. Un cas plus extrême est celui où la culture sociétale n'a tout bonnement jamais existé et où il s'avère impossible de la créer *ex nihilo*. La Ligue du Nord fondée par Umberto Bossi en 1987 en est l'exemple type. Cette formation politique est parvenue au cours des années 1990 à attirer les forces entrepreneuriales les plus dynamiques du Nord-Est de l'Italie séduites par son discours antifiscal dirigé contre l'inefficacité d'un État prédateur. Toutefois, si la Ligue a rempli une fonction tribunitienne, elle n'est pas parvenue à incarner un véritable projet nationaliste. Bien que le sénateur, actuel ministre des réformes institutionnelles et de la décentralisation dans le gouvernement dirigé par Silvio Berlusconi, ait solennellement proclamé en septembre 1996, à Venise, l'indépendance de la Padanie – néologisme qui désigne cette Italie du Nord qui s'étend le long du Pô, du Piémont au Frioul en passant par la Lombardie –, cet objectif n'est pas près d'être atteint. Pour

---

25. Pour des compléments sur les ressorts sociologiques qui assurent la persistance du nationalisme, voir Alain Dieckhoff, *La nation dans tous ses États. Les identités nationales en mouvement*, Paris, Flammarion, collection «Champs», 2002.

beaucoup d'électeurs de la Ligue, l'invocation de l'indépendance est d'ordre purement tactique et doit servir à engager la réforme en profondeur de l'État sur la base d'une large décentralisation, un projet désormais entré dans sa phase législative. De plus, la cause de la Padanie ne mobilise guère les foules[26], et ce, pour une raison majeure : la fabrication d'une « symbolique nationale » (drapeau vert et blanc, hymne, constitution transitoire...) ne suffit pas à masquer le vide abyssal du projet sécessionniste qui souffre d'un « déficit identitaire » colossal. En effet, cette Padanie à laquelle Bossi fait référence n'est pas beaucoup plus homogène que l'Italie dans son ensemble. Jusqu'au *Risorgimento*, le Nord de la péninsule fut divisé pendant des siècles en royaumes, républiques et duchés rivaux et a subi l'influence d'États voisins (France, Espagne, Autriche). Pas d'unité politique passée, guère de mémoire historique partagée. La langue padane est aussi un mirage : l'italien standard en usage à Milan n'est pas différent de celui qui est parlé à Rome alors que la diversité dialectale entre le piémontais et le vénitien n'est pas moindre qu'entre le sicilien et le napolitain. Quant à la religion, le catholicisme règne en maître au Nord comme au Sud, même si la Ligue tente artificiellement d'opposer un « catholicisme calviniste » au « catholicisme baroque » du Mezzogiorno. Même la cohésion économique est limitée, le Nord-Est de la petite entreprise se distinguant nettement du Nord-Ouest des grands complexes industriels. Sans doute, dans son effort d'instiller une conscience nationale « padane », la Ligue se comporte de façon somme toute très prévisible : tous les nationalismes ont inventé des traditions et fabriqué du passé. Toutefois, contrairement aux nationalismes flamand et catalan qui ont pu d'emblée s'inscrire dans une trajectoire historique longue et un territoire relativement cohérent et disposaient de ressources identitaires

---

26. Lors de la « déclaration d'indépendance », trente mille personnes seulement s'étaient réunies autour de Bossi alors qu'à Milan, l'Alliance nationale de Gianfranco Fini, membre de la Ligue de la coalition gouvernementale actuelle, en rassemblait cinq fois plus autour de la défense de l'intégrité territoriale du pays.

mobilisables (au premier chef la langue), le « padanisme » éprouve une véritable difficulté à donner un contenu cohérent à son projet d'indépendance d'une Italie septentrionale aussi diverse que le reste de la péninsule. Pour compenser ce déficit, la Ligue s'est engagée dans une fuite en avant : incapable de définir les « Padans » de façon positive, elle tente de le faire par défaut, en les opposant à d'autres catégories, les méridionaux et, de plus en plus, les immigrés d'origine non européenne, tout particulièrement musulmans[27]. D'où le développement d'un discours xénophobe extrêmement violent fustigeant l'invasion des immigrés et l'islamisation de la Padanie. À bien des égards, cette virulence a pour fonction de masquer la vacuité du projet porté par la Ligue[28].

À défaut de culture sociétale, la cristallisation d'une identité nationale « alternative », pouvant être mobilisée par un mouvement nationaliste de dissociation agissant à l'intérieur d'un État existant, paraît quasiment impossible. Autrement dit, un nationalisme de disjonction ne peut pas prospérer sans substrat culturel. Certes, les cultures ne forment pas des entités organiques, aux frontières imperméables. Pourtant, bien qu'elles soient constamment travaillées, façonnées, recomposées par d'incessants processus d'emprunts, elles n'en possèdent pas moins une configuration propre qui permet de les reconnaître et de les distinguer de leurs voisines. Sur ce plan, il y a une différence de structure entre les groupes se revendiquant comme nations et les groupes ethniques. Les premiers requièrent l'existence d'une culture sociétale innervant l'ensemble du corps social

---

27. Marta Machiavelli, « La Ligue du Nord et l'invention du Padan », *Critique internationale*, n° 10, janvier 2001, p. 129-142.
28. Ce racisme affiché a poussé une fraction des classes moyennes productives, qui avaient fortement soutenu la Ligue à l'origine, à lui tourner le dos, ne serait-ce que par intérêt bien entendu : leurs entreprises ont besoin d'une main-d'œuvre immigrée. A également contribué à cette désaffection le fait que la réforme de l'État dans le sens d'une plus grande autonomie des régions est désormais sur les rails. Les résultats électoraux attestent de ces changements : alors qu'elle avait attiré 8 % des suffrages lors du scrutin législatif de 1992, la Ligue n'en a plus rassemblé que la moitié en 2001.

(Québécois, Flamands, Catalans...) ; les seconds en sont généralement privés, ce qui ne les empêche absolument pas de se mobiliser (cas des minorités ethnoreligieuses et des communautés immigrées). Nombreux ont été ceux qui se sont penchés sur les sociétés d'immigration contemporaines à constater que l'ethnicité persiste alors même qu'elle est de plus en plus dépourvue de contenu culturel. Tariq Modood relève ainsi qu'en Grande-Bretagne, « l'identification ethnique n'est plus nécessairement liée à la participation individuelle à des pratiques culturelles spécifiques, comme la langue, la religion ou l'habillement[29] ». De la même façon, aux États-Unis, « l'identité n'a pas besoin d'avoir un contenu culturel distinct. Elle peut être définie purement en termes de descendance[30]. » La différence culturelle peut donc diminuer alors même que la diversité ethnique persiste, voire se renforce. Ce constat, l'anthropologue norvégien Frederik Barth l'avait déjà fait dans son ouvrage pionnier en remarquant « qu'une réduction marquée des différences culturelles entre les groupes ethniques ne peut être corrélée de façon simple avec une réduction de la pertinence organisationnelle des identités ethniques[31] ». Cet état de fait, a priori surprenant, tient à ce que l'ethnicité est liée avant tout à l'établissement de frontières symboliques distinguant les *insiders* des *outsiders*. Or cette démarcation n'a pas besoin de se fonder sur une différenciation culturelle forte, l'ethnicité fonctionnant avant tout comme un principe de différenciation sociale. Pour que l'ethnicité persiste, il suffit donc qu'elle soit mobilisée sur la base d'un choix stratégique par des acteurs politiques.

Autant l'ethnicité n'a donc pas besoin d'un contenu culturel particulièrement marqué, autant l'identité nationale ne peut totalement s'en passer. Sans doute, la prégnance de l'organisation étatique du

---

29. Tariq Modood, « Anti-Essentialism, Multiculturalism and the Recognition of Religious Groups », *Journal of Political Philosophy*, n° 6, 1998, p. 385.
30. Brian Barry, *Culture and Equality*, Cambridge, Polity Press, 2001, p. 82.
31. Frederick Barth, « Introduction », dans F. Barth (dir.), *Ethnic Groups and Boundaries : The Social Organization of Cultural Difference*, Bergen/Oslo, Universitetsforlaget ; Londres, George Allen & Unwin, p. 33.

monde est telle qu'il est rare de voir des États disparaître volontairement (la suppression d'États par la force est évidemment plus fréquente, que l'on songe aux pays baltes absorbés par l'Union soviétique en 1940 ou au Koweït envahi par l'Irak en 1990). L'existence d'institutions propres tend à faire naître une bureaucratie qui a intérêt à voir l'État perdurer quand bien même ce dernier aurait des affinités culturelles prononcées avec un État voisin. De plus, il ne faut pas sous-estimer le fait que, même si lors de sa création, un État X a une faible légitimité, il finit souvent par l'acquérir, l'école, l'armée, les médias… jouant un rôle actif dans le développement d'un sentiment national partagé. Ces facteurs expliquent largement pourquoi aucune des unions que le monde arabe a connues n'a débouché sur la disparition définitive d'un État (l'entreprise la plus sérieuse, la fusion entre l'Égypte et la Syrie pour former la République arabe unie n'aura duré que trois ans, entre 1958 et 1961). La proximité culturelle n'est donc pas suffisante pour produire une association politique, sauf si elle peut faire fond sur une histoire longue : les nations divisées ont tendance à être réunifiées. Cela a été vrai du Viêt-nam en 1976, de l'Allemagne et du Yémen au cours des années 1990, ce sera demain vrai de la Corée. Ces nations ont été séparées en deux États par le colonialisme ou la Guerre froide alors qu'elles avaient partagé, antérieurement, un même destin collectif. Une fois disparu le contexte bien particulier qui a entraîné leur division, la dualité étatique n'a donc plus guère de sens et tout les pousse à renouer le fil d'une histoire commune.

Un petit détour par l'histoire

Comme nous l'avons noté précédemment, les théoriciens «développementalistes» des années 1950 et 1960 avaient accrédité l'idée que la modernisation est un processus téléologique qui, par dépassement de la tradition, doit conduire à l'avènement d'une société de plus en plus rationnelle, de nature individualiste, et à l'effacement progressif des allégeances collectives fortes. En fait, la modernisation apparaît comme un processus beaucoup plus complexe. À l'extrême fin du 19ᵉ siècle, un des pionniers de l'architecture moderne, l'Autrichien Adolf Loos, fut frappé, lors d'un séjour aux États-Unis, par l'uniformité des vêtements. Contrairement à l'Autriche-Hongrie où les paysans portaient des costumes traditionnels, distincts d'une vallée à l'autre, les Américains s'habillaient, en ville, avec un complet-veston standard dont seuls quelques détails variaient. Un siècle plus tard, son souhait de voir le même type de vêtement se répandre dans les sociétés modernes – car il y voyait le reflet d'un *ethos* d'égalité au moins formelle entre les hommes – a été largement exaucé, même si le costume a été détrôné par le jean. Pourtant, ce rapprochement progressif des styles de vie n'a pas empêché l'affirmation concomitante de différenciations symboliques fortes, en particulier à travers les revendications identitaires, qu'elles soient nationalistes ou ethniques. Le phénomène de globalisation actuel, même s'il a connu une accélération depuis une vingtaine d'années, s'inscrit dans le prolongement des étapes antérieures de la modernisation, et aura le même type d'effet contrasté : augmentation de la convergence des modes de vie, des conceptions, des représentations... et, parallèlement, réactivation des processus de démarcation identitaire.

La globalisation progressive du monde s'est accompagnée de sa nationalisation dont l'indice le plus net est la multiplication prodigieuse du nombre d'États : près de deux cents aujourd'hui. Globalisation et fragmentation ont bien une relation d'affinité comme l'évolution de ces derniers siècles le souligne. L'histoire nous enseigne en effet que les époques où les échanges se sont multipliés ont toujours été celles où les revendications nationales ont connu un élan incontestable. L'invention de l'imprimerie qui permettra une diffusion inégalée du savoir, le développement du commerce maritime, les grandes découvertes jetteront les bases et donneront naissance à une vision du monde plus ouverte. Pourtant, au même moment, en Europe, les individualités collectives nationales s'affirment et se différencient de plus en plus les unes des autres sur des bases à la fois religieuses et linguistiques (les deux se recoupant d'ailleurs très fréquemment). L'Espagne achève la *Reconquista*, et par là même une nationalisation politique et culturelle précoce. La France et l'Angleterre sortent consolidées dans leur spécificité nationale après la guerre de Cent ans. Ailleurs, sous l'action du protestantisme naissant, la promotion de la langue du peuple (Luther traduisant la Bible en allemand) ainsi que l'apparition d'Églises d'État favorisent l'essor du sentiment national. Cette effervescence aboutit à la mise en place d'un premier système étatique officialisé par le traité de Westphalie (1648). Deux siècles plus tard, la révolution industrielle s'accompagne d'un développement prodigieux des communications et d'une circulation accélérée des marchandises et des capitaux. Ce rétrécissement du monde va pourtant de pair avec l'apparition de nouveaux États dans l'aire impériale ottomane (Serbie, Grèce, Roumanie, Bulgarie) et, après la Première Guerre mondiale, sur les décombres de l'Empire austro-hongrois et, dans une moindre mesure, russe (Pays baltes, Finlande). L'avènement progressif de la société de masse dans l'entre-deux-guerres, l'accélération des techniques contribueront à une certaine planétarisation des problèmes (y compris de la guerre), mais ils s'accompagneront aussi d'un « choc en retour » : la reprise en mains de leur destin politique par des dizaines de pays colonisés qui fera d'une communauté des nations jusqu'alors essentiellement européenne une authentique communauté internationale. Finalement aujourd'hui, la mondialisation économique, l'uniformisation de la production culturelle sur le modèle américain, la généralisation de l'économie de marché, la diffusion du modèle démocratique, le développement d'une société communicationnelle pourraient bien ouvrir une quatrième étape dans cette quête identitaire qui s'exprimerait à nouveau par des revendications de type nationaliste.

La vision naïve qui veut que l'accroissement continu des échanges économiques et sociaux entre les hommes, le développement de l'information et des voyages conduisent à l'effacement des barrières politiques, religieuses, communautaires reçoit donc un cinglant démenti historique. L'historien Carlton Hayes avait déjà dénoncé, en son temps, l'optimisme fallacieux de ceux «qui sont convaincus que la révolution industrielle est fondamentalement anti-nationaliste [...] qu'elle favorise la progression accélérée du localisme au cosmopolitisme». Or si la révolution industrielle a été accompagnée «par le développement rapide d'une sorte d'internationalisme économique – l'expansion colossale des échanges d'idées, de biens et de personnes par-delà les frontières politiques nationales», elle est allée de pair avec «la diffusion parallèle et l'intensification du nationalisme, à telle enseigne que plus le commerce croissait entre nations, plus, à l'intérieur de chaque nation, différentes variétés de nationalisme se renforçaient[32]». L'ouverture grandissante au monde va donc de pair avec la rétractation croissante sur son monde et l'accélération de la globalisation entretiendra le phénomène de particularisation dans la mesure où elle lui donne de nouveaux moyens de s'exprimer.

Les atouts économiques de la mondialisation pour les nationalismes de disjonction

D'emblée, il convient de bien circonscrire la relation de causalité entre globalisation et fragmentation. L'apparition de nouveaux États dans les années 1990 a, de fait, très peu à voir directement avec la mondialisation économique et ses corollaires sociaux et culturels. Au contraire, ce sont des pays marginalisés dans l'économie capitaliste mondiale, les pays du «socialisme réel», qui ont connu une implosion nationale. La désintégration de l'Union soviétique, de la Tchécoslovaquie et de la Yougoslavie fut avant tout la conséquence du délitement de systèmes fédéraux autoritaires, voire dans le cas de l'URSS d'un véritable empire. Quant à l'Érythrée, son accession à l'indépendance en 1993 fut l'aboutissement logique d'une résistance armée et politique

---

32. Carlton Hayes, *The Historical Evolution of Modern Nationalism*, New York, Macmillan, 1931, p. 234-236.

persistante qui avait combattu l'incorporation forcée du pays à l'Éthiopie voisine.

Pourtant, s'il n'y a pas de lien de causalité directe entre mondialisation et poussées nationalistes, des interactions existent bel et bien. Si le démembrement de l'URSS et des deux autres fédérations s'explique par des facteurs largement politiques, la persistance et l'approfondissement des revendications nationalistes dans les pays développés (Belgique, Espagne, Italie...) sont entretenus par la dynamique de la mondialisation, nouvelle étape décisive de la modernisation. Celle-ci n'est pas, faut-il le souligner, à l'origine des nationalismes flamand ou catalan qui, nés au 19e siècle, sont les produits d'un contexte sociohistorique particulier et, plus précisément, d'un certain type de rapport à l'État. Par contre, la mondialisation favorise leur développement car elle leur offre de nouvelles ressources. Comme le constate fort justement un économiste avisé, « cette idée selon laquelle il vaut mieux un grand marché intérieur qu'un petit se dissout à l'heure où le marché mondial offre à chacun le plus grand marché [...] l'intégration économique rétracte le champ des communautés politiques[33]. » La concurrence internationale de plus en plus acharnée accroît le sentiment qu'il est optimal de fonctionner dans des cadres territoriaux plus compacts. Si aucune économie nationale ne fut jamais ce marché unifié et clos que l'économiste allemand Friedrich List appelait de ses vœux au 19e siècle, l'État-nation parvint toutefois à réguler avec un certain succès le développement économique à l'intérieur du cadre national. L'accélération de la mondialisation entame fortement cette capacité régulatrice et redistributive de l'État et donne, à l'inverse, des atouts incontestables aux entités régionales. Flux d'investissements et stratégies d'implantation d'entreprises répondent en effet de plus en plus souvent à des logiques régionales et non pas nationales. Les opérateurs économiques n'ont plus guère de stratégies d'investissements ciblées sur les

---

33. Daniel Cohen, *Richesse du monde, pauvretés des nations*, Paris, Flammarion, 1997, p. 97.

États-nations mais sur les États-régions, c'est-à-dire sur des zones économiques aux contours variables, qui peuvent être entièrement incluses dans des États (Kansai autour d'Osaka, au Japon, ou Bade-Würtemberg) ou bien à cheval sur plusieurs pays comme le «triangle de croissance» Singapour/Johore (Malaisie)/Batam (Indonésie)[34]. Les régions ainsi choisies le sont en fonction de divers critères (situation géographique, infrastructures existantes, qualifications profession-nelles, politique salariale...). Elles ont une masse critique de cinq millions d'habitants mais ne dépassent pas vingt millions. De telles régions sont considérées par un nombre grandissant d'investisseurs comme les unités opérationnelles de l'économie planétaire parce que leur taille relativement modeste leur donne une compacité suf-fisante tout en les obligeant à s'adapter en permanence aux évolu-tions de la concurrence internationale. Avec un marché intérieur étroit, les régions n'ont pas en effet d'autre choix que d'avoir une économie ouverte, pleinement intégrée dans les échanges mondiaux[35]. Afin d'attirer les capitaux étrangers, les élites économiques mais aussi poli-tiques de ces États-régions ont tout intérêt à valoriser les atouts régio-naux et à s'émanciper le plus possible de la tutelle du centre politique. Grâce à cette insertion dans l'économie-monde, les États-régions peuvent désormais obtenir directement des ressources qui leur permettent de se passer, au moins partiellement, du marché national tout en consolidant une base économique autonome. Si cette situ-ation n'a pas d'implications politiques directes pour nombre d'États-régions (Sao Paulo, Tokyo...), elle donne incontestablement à certains d'entre eux des moyens supplémentaires à l'appui de stratégies d'affirmation nationale. Il en va ainsi en particulier de régions ayant un fort « différentiel identitaire » par rapport au reste du pays, comme

---

34. Kenichi Ohmae, *De l'État-nation aux États-régions*, Paris, Dunod, 1996.

35. Les avantages structurels des petits pays dans la concurrence internationale (forte capacité d'ajustement économique, incitations à l'exportation...) ont été soigneuse-ment analysés par Peter Katzenstein, *Small States in World Markets. Industrial Policy in Europe*, Ithaca et Londres, Cornell University Press, 1985.

la Catalogne ou la Flandre. Ainsi le gouvernement de la Flandre met-il de l'avant, pour attirer les entreprises étrangères dans la région, de multiples atouts : infrastructures modernes, main-d'œuvre qualifiée, *ethos* du travail... Des arguments qui, visiblement, n'ont pas laissé insensibles une kyrielle de sociétés internationales (Mazda, Volvo, Philip Morris, Pioneer...) qui ont préféré s'installer dans le Nord de la Belgique plutôt qu'en Wallonie. Dans le même ordre d'idées, une intégration réussie d'une région à l'économie mondiale constitue un facteur positif dans une stratégie de déconnexion politique. Ainsi, au Québec, les exportations vers les autres provinces sont passées de 55 % en 1983 à 33 % en 2000 tandis que la part du commerce international n'a fait que croître. Cette ouverture vers l'extérieur a été facilitée par la conclusion de l'Accord de libre-échange nord-américain qui a transformé les États-Unis en premier partenaire du Québec (83 % des exportations vers l'étranger se font avec le voisin du Sud). Cette autonomisation économique croissante à l'égard du reste du Canada constitue pour les nationalistes québécois un atout dans la mesure où elle réduit les coûts objectifs d'une éventuelle sécession[36].

Si l'existence d'une économie dynamique, intégrée de plain-pied dans le monde globalisé constitue un atout appréciable pour un nationalisme de dissociation, elle n'est pas suffisante, à elle seule, pour entretenir une mobilisation politique à long terme comme l'atteste le cas de la Ligue du Nord en Italie. Le mouvement d'Umberto Bossi est en effet parvenu à s'imposer, à la fin des années 1980, comme une force politique dans la partie septentrionale du pays (et surtout au Nord-Est) grâce au soutien de petits entrepreneurs qui formaient le secteur le plus innovant de l'économie de la péninsule et qui entendaient par leur vote protestataire dénoncer un État pléthorique, inefficace et parasitaire. L'invocation de la modernité économique a donc alimenté la

---

36. Marc Holitscher et Roy Suter, « The Paradox of Economic Globalisation and Political Fragmentation : Secessionist Movements in Quebec and Scotland », *Global Society*, vol. 13, n° 3, 1999, p. 257-286.

protestation nationaliste, mais elle est clairement insuffisante pour structurer durablement le léguisme qui apparaît trop crûment comme fondé sur le seul utilitarisme économique, une motivation trop fragile pour engendrer un sentiment d'identité partagée, indispensable au succès de tout mouvement nationaliste.

Le nationalisme à distance comme nationalisme de la globalisation

Venons-en, pour terminer, à un des phénomènes majeurs liés à la mondialisation : le développement des flux migratoires et leur effet sur le nationalisme. Ces migrations sont supposées avoir toute une série de conséquences. Elles sont censées conduire à des recompositions identitaires novatrices, les migrants se détachant partiellement de leur pays d'origine sans pour autant se fondre, par voie d'acculturation, dans le collectif national de leur pays de résidence. Par hybridation naîtraient ainsi des identités métisses dans lesquelles se mêlent l'ancien et le nouveau, «l'originel» et «l'acquis». Pour l'anthropologue Arjun Appadurai, les migrations favorisent l'apparition de nouveaux «espaces ethniques» (*ethnoscapes*) habités par des communautés diasporiques d'un genre différent qui ne conservent plus guère de contact avec leur pays d'origine et se révèlent incapables de donner une dimension territoriale à leur imaginaire. Sikhs, Tamouls, Haïtiens, Arméniens et autres migrants formeraient ainsi de véritables «nations transnationales[37]» qui évoluent dans un espace mondial déterritorialisé. Ce nouveau contexte conduirait à l'invention d'une modalité résolument postnationale de participation politique. Partant du fait que de nombreux droits (en particulier sociaux, économiques et civils) sont désormais accordés aux immigrés en fonction de leur résidence et que leur jouissance ne requiert donc plus leur naturalisation, Yasemin Soysal considère qu'ils fonderaient un nouveau

---

37. Arjun Appadurai, *Modernity at Large : Cultural Dimensions of Globalization*, Minneapolis, University of Minnesota Press, 1997, p. 165.

mode d'appartenance politique, fondée sur l'universel des droits de l'homme, qui transcende le particularisme de la citoyenneté nationale. La mise en œuvre de cette régulation politique nouvelle passe par la mobilisation de normes internationales (comme la Déclaration universelle des droits de l'homme) et le recours à des organisations internationales (comme le Conseil de l'Europe, la Cour européenne des droits de l'homme...)[38].

En réalité, les conclusions sur la « postnationalisation » du monde consécutive aux migrations exigent d'être fortement nuancées. Sans aucun doute, comme tous les groupes humains, migrants et membres des diasporas ne constituent pas des totalités organiques, aux frontières imperméables ; ils sont donc inévitablement transformés par leur éloignement du pays d'origine et leur insertion dans une autre société. Emprunts et échanges refaçonnent ainsi en permanence les limites des groupes et leur structure interne. Toutefois, ces processus ne conduisent que rarement à une authentique hybridation, c'est-à-dire à l'émergence d'une identité fondamentalement inédite, fondée sur un savant dosage entre identités « première » et « secondaire » ; ils mènent plutôt à une reconfiguration de l'appartenance s'appuyant sur une nouvelle combinatoire dans laquelle le référent ethnique/national joue un rôle important. Il faut se garder de l'illusion romantique qui tend à lier dispersion géographique et atomisation identitaire : le sentiment d'appartenance collective peut être tout aussi fort au sein des diasporas que chez les peuples territorialisés. En réalité, il est même souvent plus vigoureux dans le premier cas pour la simple et bonne raison qu'un groupe en diaspora doit entretenir une conscience claire de sa spécificité, sous peine d'être totalement absorbé par la société environnante. Cette exigence est moins puissante dans le second cas car le territoire joue d'emblée un rôle central pour l'ancrage identitaire du peuple. L'invocation du référent national prendra deux formes. Soit l'appartenance

---

38. Yasemin Soysal, *Limits of Citizenship : Migrants and Postnational Membership in Europe*, Chicago, The University of Chicago Press, 1994.

revendiquée repose sur la nationalité, c'est-à-dire l'appartenance juridique à un État (c'est fréquemment le cas des immigrants africains qui édifient ainsi leurs réseaux de sociabilité, dessinent leurs territoires…)[39] Soit l'appartenance ainsi mise en avant est de nature ethnoculturelle : ce sera le cas des diasporas mobilisées comme les Tamouls, les Kurdes, les Arméniens, les Juifs…

Dans ce cas de figure, on a affaire à ce que Benedict Anderson appelle le « nationalisme à distance[40] ». Là où certains voient, à tort, les flux migratoires conduire à la formation de communautés trans-nationales, il repère, à l'inverse, une reviviscence du nationalisme par l'entremise des diasporas. Ce phénomène est loin d'être nouveau. Déjà au 19e siècle, l'exil nourrissait le nationalisme comme l'atteste l'exemple grec. Installées dans les centres urbains ottomans mais aussi dans les villes d'Europe centrale et occidentale, comme en Russie, ces élites grecques jouèrent un rôle déterminant dans la cristallisation du nationalisme hellénique[41]. La même chose valait pour les natio-nalismes irlandais, juif sioniste ou polonais.

Aujourd'hui, Sikhs du Canada et de Grande-Bretagne, Tamouls établis en Europe et en Amérique, Kosovars de Suisse poursuivent sur la même lancée en soutenant financièrement et politiquement les mouvements séparatistes « au pays ». La seule inflexion notable, par rapport au passé, tient à l'extrême radicalisme des nationalistes à distance : n'ayant « à redouter la prison, la torture ou la mort ni pour eux-mêmes ni pour leurs proches[42] », ils se permettent d'adopter des positions sans concession et de soutenir les groupes les plus extrémistes qui recourent à des méthodes terroristes.

---

39. Eliane de Latour, « Héros du retour », *Critique internationale*, n° 19, avril 2003, p. 171-189.
40. Benedict Anderson, *The Spectre of Comparisons : Nationalism, Southeast Asia, and the World*, Londres et New York, Verso, 1998, p. 59.
41. Maria Couroucli, « Le nationalisme d'État en Grèce. Les enjeux de l'identité dans la politique nationale, XIXe-XXe siècle », dans Alain Dieckhoff (dir.), *Nationalismes en mutation en Méditerranée orientale*, Paris, CNRS Éditions, 2002, p. 45-47.
42. *Ibid.*, p. 74.

Trois facteurs permettent d'expliquer la persistance de ce nationalisme à distance. Le premier tient au rapport à l'Autre. De nombreux auteurs ont souligné que le nationalisme naît de la réaction de la périphérie face à la domination exercée par un Autre, celui qui est lié au « centre politique » (colonisés face à l'Occident mais aussi régions rebelles face à un pouvoir d'État tenu pour « étranger », comme au Pays basque, en Flandre, etc.)[43]. Ce nationalisme, produit de la stigmatisation par l'Autre et de la volonté de l'imiter, s'est historiquement développé à la périphérie lorsque l'Autre de la métropole ou du centre s'installait parmi les autochtones. Cette tendance s'est inversée dans la seconde moitié du 20e siècle avec l'arrivée massive de migrants issus de sociétés postcoloniales dans les anciennes métropoles. Fait significatif : ce retournement n'a pas fait disparaître la tentation nationaliste dans les communautés immigrées (tout au moins certaines d'entre elles) pour la simple et bonne raison que la migration multiplie les contacts avec les « Autres », et donc la volonté de s'en démarquer.

Cette persistance d'un rapport ambivalent à l'Autre s'accompagne d'un changement du rapport à soi. Autrefois, les immigrés s'intégraient à la culture dominante beaucoup plus rapidement et profondément. Polonais, Italiens, Juifs russes, arrivés en France au début du 20e siècle, s'insérèrent assez vite dans leur pays d'accueil à la fois parce que les instruments d'intégration de l'État (école, armée) étaient puissants et parce que les liens avec leur pays d'origine étaient en général épisodiques. La situation est bien différente aujourd'hui : non seulement l'État est moins « fort » et interventionniste, mais les communautés immigrées disposent de beaucoup plus de ressources pour préserver leur identité d'origine. La diffusion des antennes paraboliques permet aux familles de continuer à regarder la télévision comme si elles étaient encore au pays. Internet, le téléphone portable, la messagerie électronique sont autant de technologies qui facilitent des

---

43. Cette grille de lecture est développée par Christophe Jaffrelot, « For a Theory of Nationalism », *Questions de recherche*, n° 10, 2003, www.ceri-sciences-po.org.

contacts quasiment en continu avec les co-nationaux « sédentarisés ». Cette présence à distance a un double effet contraire : d'un côté, elle alimente l'identité d'origine, en particulier par l'accession régulière à des moyens de communication fonctionnant dans la langue maternelle ; de l'autre, elle handicape considérablement le processus d'intégration « dans la mesure où la compétence des enfants de la génération actuelle dans la langue du pays d'accueil est moindre que celle qu'au même âge leurs parents avaient acquise[44] ».

Enfin, le rapport au territoire d'origine est bien mieux préservé aujourd'hui qu'il ne l'était hier. La banalisation des voyages en avion permet aux membres des communautés immigrées et des diasporas d'aller et de venir entre le pays d'accueil et la mère patrie. Ce lien est favorisé par l'acceptation beaucoup plus large de la binationalité qui les autorise à garder leur nationalité d'origine tout en acquérant celle du pays de résidence. Même lorsque le contact physique est rare ou impossible (pour les opposants politiques par exemple), les migrants et leurs descendants conservent souvent la mémoire vivace de leur pays. Ce dernier fait l'objet d'un investissement mythique ; il est célébré comme le lieu historique de naissance du peuple, la terre des ancêtres, la terre des événements fondateurs. Souvent, la terre est tenue pour sainte car elle est associée à une révélation religieuse. Cette relation symbolique au territoire est suffisante pour maintenir l'identification nationale. Comme l'a remarqué Walker Connor, « la patrie ethnique est beaucoup plus qu'un territoire » ; elle est « dotée d'une dimension émotionnelle et fait l'objet d'une quasi-vénération[45] ».

---

44. Philippe Van Parijs, « L'Europe, République multiculturelle ? Trois défis », dans Patrick Savidan (dir.), *La République ou l'Europe ?*, Paris, Le Livre de Poche, 2004, p. 313.
45. Walker Connor, « The Impact of Homelands Upon Diasporas », dans Gabriel Sheffer (dir.), *Modern Diasporas in International Politics*, Londres, Croom Helm, 1986, p. 16.

Où que le regard se porte, une conclusion s'impose donc : la fin du nationalisme demeure une illusion. Certes, la mondialisation constitue un défi pour l'État-nation parce qu'elle réduit sa capacité de régulation, mais le nationalisme ne s'estompe pas pour autant[46]. D'abord, parce que le processus de globalisation n'est pas univoque, mais bien dialectique : il donne aussi de nouvelles ressources aux acteurs nationalistes. Ensuite, parce que la « diasporisation » du monde conduit, non à l'extinction du nationalisme, mais à sa réinvention sous la forme de variantes « à distance ». En dépit de sa mort sans cesse annoncée, le nationalisme est pareil au Phénix de l'Antiquité : il renaît toujours de ses cendres.

---

46. Pour des développements complémentaires, voir Alain Dieckhoff et Christophe Jaffrelot, « La résilience du nationalisme face aux régionalismes et à la mondialisation », *Critique internationale*, n° 23, avril 2004, p. 125-139.

CHAPITRE 2

Nations imaginées : identité personnelle, identité nationale et lieux de mémoire

Àngel Castiñeira

L'émergence des identités

Le phénomène des (nouvelles) réclamations identitaires a obligé la philosophie et les sciences sociales en général à se reposer la question de l'identité personnelle et des identités collectives (peut-être parce qu'elle n'avait pas été correctement posée). Pourquoi nous les êtres humains affirmons-nous avoir une identité ? Pourquoi attribuons-nous également une identité à certains groupes comme des entreprises, des villages ou des nations ?

La plupart des études abordant la philosophie de l'esprit aboutissent à la conclusion que l'identité personnelle est une dimension interactive qui dépend, d'une part, de facteurs et de dispositions psychologiques et neurophysiologiques et, d'autre part, de facteurs sociaux et culturels. L'identité personnelle est en fin de compte une construction individuelle et communautaire, un état de conscience dynamique fruit d'une longue chaîne de transformations. Nous ne sommes pas, mais nous parvenons à ce que nous sommes. Nous n'avons pas d'identité prédéterminée, mais nous construisons progressivement un sentiment d'identité.

L'identité personnelle est la structure subjective, relativement stable, caractérisée par une représentation complexe, intégrée et cohérente du moi, qu'un agent humain doit pouvoir élaborer en interaction avec les autres dans un contexte culturel particulier à l'occasion de son passage dans le monde adulte et qu'il redéfinira tout au long de sa vie dans le processus dynamique de recompositions et de ruptures.

Continuité, connectivité et stabilité spatiotemporelle

Pour pouvoir parler d'identité personnelle, il doit avant tout exister un sens de continuité (psychologique et corporelle), de durée dans le temps, de connexion intertemporelle cohérente, verticale, des moments successifs du parcours personnel ainsi qu'un sens de stabilité spatio-temporelle nous permettant de parler du moi comme d'un être situé. Cette connexion verticale intertemporelle assurée par la mémoire et l'intention, ajoutée à la perception de similitude avec soi-même, permet de déterminer l'axe de l'identité et le processus discursif d'identification ou de désidentification des sujets.

L'identification est un processus évolutif de toute une vie, en grande partie inconscient, par lequel l'individu, en interaction avec les autres, se forge successivement et de façon originale un idéal du moi à partir de l'appropriation ou de l'assimilation totale ou partielle de qualités ou attributs obtenus de la diversité des modèles offerts par les différents groupes de sa société. De ce point de vue, identité et identification constituent des notions complémentaires. Comme le dit Luis Villoro, l'identité n'est pas constituée d'un simple mouvement de différenciation des autres, mais d'un processus complexe d'identification à l'autre et de séparation d'avec lui, un processus dynamique de singularisation face à l'autre et en même temps d'identification à lui[1]. L'identité est un état ou une disposition du moi. L'identification est le processus qui nous mène à cet état. L'identité représente une photo fixe, la définition stable d'un sujet à un endroit et à un moment précis. L'identification, en revanche, nous permet de découvrir la dynamique intérieure de « crise » du sujet,

---

1. Luis Villoro, *Estado plural, pluralidad de culturas*, Mexico, Paidós, 1998.

pleine de contradictions, de vulnérabilités et de potentialités typiques de sa force autocréatrice. Identité et identification révèlent la tension constante entre la stabilité et le changement dans nos vies, tension que nous parvenons heureusement à résoudre grâce au sens de la continuité. C'est ce que nous ressentons lorsque nous regardons une vieille photo de nous. « *Le moi de maintenant et celui d'il y a vingt ans* ne sont pas identiques mais ce sont les mêmes. » Il n'existe pas d'égalité mais il existe une continuité. C'est pourquoi « l'identité de chacun est le résultat de la confluence et de la divergence de ses identifications[2] ».

Dans les états de conscience du sujet, les faits et les événements qui l'affectent ont, comme le dit Henri Bergson, une « durée » dans l'espace-temps[3]. Ils apparaissent enchaînés, comme une succession d'images cinématographiques (les photogrammes) où des impulsions continues se superposent. Ces superpositions sont comme des filaments vitaux qui, par torsion et adhésivité latérale, constituent le fil de notre identité personnelle. Comprendre l'axe de l'identité personnelle comme le résultat d'un processus dynamique d'identification (et de désidentification) nous permet à la fois de distinguer les étapes ou les périodes de la vie humaine en fonction de leur intensité et de leur importance, mais aussi de nous rapprocher d'une compréhension plus complexe du même axe de l'identité.

1) La périodisation du sentiment d'identité est particulièrement intéressante pour expliquer comment, dans l'enfance et pendant l'adolescence, la succession des nœuds identitaires est plus grande et plus intense : le nombre d'impacts de socialisation induits reçus par l'enfant et les processus constants d'appropriation, de rejet et de réappropriation (apprentissage et désapprentissage des

---

2. Josep Mª Terricabras, *Raons i tòpics. Catalanisme i anticatalanisme*, Barcelone, La Campana, 2001, p. 60-61.
3. Henri Bergson, *La perception du changement*, Paris, Les Presses Universitaires de France, 1959.

modèles) que celui-ci ressent illustrent bien de façon schématique le fait que nous traversions l'étape cruciale de construction du moi.

En revanche, à l'étape adulte, où l'on présuppose une identité fortement située (c'est-à-dire un idéal du moi complètement formé), la succession des cycles qui ferment chaque nouveau nœud identitaire, c'est-à-dire qui justifient une nouvelle sédimentation, une nouvelle appropriation sur les stratifications passées, est plus réduite et plus éloignée dans le temps.

2) Il existe d'autre part l'axe linéaire vertical de l'identité, qui accentue la continuité et la connectivité temporelles du moi ainsi que sa stabilité. Cet axe se constitue en réalité à travers un parcours complexe de points en spirale qui correspond, justement, au processus d'identification. La fragilité et l'instabilité du processus d'acquisition de l'identité et surtout la difficulté d'atteindre un certain niveau d'intégration et de cohérence à cause des « crises » successives de réorganisation du moi, expliquent ou justifient au moins l'existence de certaines pathologies de l'identité comme les inadaptations, les problèmes d'(auto-)acceptation des différences, voire parfois les expressions de haine envers les autres ou d'auto-haine (parce que l'on souhaite déserter une identité qu'il est impossible d'abandonner ou parce que l'on est incapable d'avoir l'identité voulue).

Le psychologue Erik H. Erikson caractérise l'identité « normale » comme une sensation subjective de similitude et de continuité stimulantes[4]. L'*id-entitas* latine fait référence à la « *entitas tota* » du moi. Il n'est donc pas étonnant que nous l'identifiions en utilisant des termes tels que la conscience de soi, le sentiment du moi (*ego feeling*), la représentation du moi, l'image de soi, la perception de soi, la continuité du

---

4. Erik H. Erikson, *Identidad, juventud y crisis*, Buenos Aires, Paidós, 1968.

moi, la persistance du moi ou «ipséité», la plupart de ces expressions accentuant cet élément de continuité.

En revanche, les pathologies de l'identité sont traditionnellement liées à des expressions telles que désintégration du moi, confusion de l'identité, dispersion de l'identité, dédoublement, déviation, perte d'identité, désidentification. La fragmentation, la déconnexion ou l'atomisation radicale du sujet signalerait la présence d'une ou plusieurs raisons susceptibles de rendre difficile ou d'empêcher la continuité (et la cohérence) de la succession d'instants qui constituent sa vie. Cette difficulté à gérer la continuité, le changement et la fragmentation de l'identité a été observée par Emmanuel Mounier dans son *Traité du caractère*, lorsqu'il avance que la constance du moi ne consiste pas à «maintenir» une identité, mais à «entretenir» une tension dialectique et à maîtriser les crises passagères[5].

La vision dynamique des identités signifie donc assumer le fait que la nôtre sera toujours une identité problématisée et que nous devrons apprendre à gérer une certaine stabilité dans le changement ou, au contraire, un certain changement dans la sensation de stabilité. Cette maîtrise des tensions du moi exige par conséquent une deuxième condition : la capacité d'intégration.

Intégration/unification interne et différenciation ou exclusion

Outre la sensation de continuité, le sujet requiert, pour devenir une unité significative, une capacité d'intégration ou d'unification interne de la variété de ses expériences, de ses attributs idiosyncratiques ou caractérologiques et, à l'inverse et en même temps, une capacité de différenciation ou d'exclusion des autres ou de ce qu'il n'est pas ou ne veut pas être. C'est là qu'apparaît le deuxième élément fondamental de la constitution de l'identité personnelle. Le moi est forcément un agent, quelqu'un qui développe des actions. L'action et, comme nous le verrons immédiatement, l'action intelligible, est la condition de la

---

5. Emmanuel Mounier, *Obras completas II*, Salamanque, Ediciones Sígueme, 1988.

possibilité d'existence de l'identité. Le moi considéré comme un tout doit constituer une unité d'action jouissant de conscience réflexe : c'est une instance de réflexion capable d'organiser les versions d'elle-même. Cela signifie que nous entrons dans l'analyse de l'action en développant un schéma d'interprétation nous permettant de nous en rapprocher et de lui donner un sens. L'agent jouit d'une identité car il possède une capacité d'auto-interprétation dans un cadre de procédure et dynamique : un environnement de sens où le sujet intériorise et construit son identité. Le moi est donc différent de la somme de ses traits distinctifs. Le moi est une unité comprise de façon réfléchie.

Narrativité

Il n'y a pas d'intégration sans narration. Toute identité humaine est donc une identité narrée. Tout moi existe ou s'autoconstitue comme tel grâce à un acte de narration. L'identité est une construction narrative qui tend à donner du sens à une histoire vécue : c'est pourquoi Pierre Bourdieu parlait d'« illusion biographique » car nous nous construisons comme un personnage de notre propre récit[6]. En nous constituant en tant qu'acteur, à travers les récits, nous construisons un sens pour notre action. La continuité historique de notre totalité temporelle (1) et la capacité à donner une unité significative, de la cohérence et une orientation intentionnelle (2) aux moments ou actions successives de notre vie, comprennent nécessairement un ensemble de séquences narratives enchaînées (3) grâce auxquelles chaque individu rend compte de lui-même (de ses actions, de ses attitudes et croyances) et devient le constructeur-créateur du scénario de son propre personnage (*self-narration* : quelque chose qui ressemble au roman ou au film de notre vie) jusqu'à la création d'une biographie immuable.

Les actes de narration du sujet, évidemment, sont immergés dans les dispositifs symboliques d'une culture déterminée et c'est cette

---

6. Pierre Bourdieu, « La ilusión biográfica », *Historia y Fuente Oral*, n° 2, Barcelone, 1989, p. 29-35.

dernière qui nous fournit des modèles canoniques de comportement. « Nous ne sommes pas comme l'araignée qui tisse sa toile à partir de sa propre substance[7]. » Ces patrons (ou matrices) de comportement sont également des patrons de narration, des grammaires locales particulières dont les règles et conventions modèlent nos pratiques intentionnelles et permettent à nos actions de trouver un sens[8]. La structure narrative qui organise nos histoires est la condition de la possibilité de construction de ce sens. Pour cette raison, agir signifie toujours activer une tâche interprétative, c'est-à-dire situer mon action dans un contexte culturel précis de possibilité qui rend mes actions possibles ou non. En d'autres termes, nous faisons les deux (vivre et comprendre la vie) dans des termes narratifs, en véhiculant des récits explicatifs qui aspirent à rendre cohérente la trame des histoires dont nous faisons partie. L'identité personnelle n'est rien de plus que cela : une histoire vitale dynamique, un récit que nous construisons, que nous déployons, révisons et transformons à partir des différents processus d'identification et de désidentification vécus et que nous relions aux récits de notre contexte socioculturel.

La narrativité nous permet de disposer d'une « mémoire biographique ». Nous utilisons les récits (histoires, jugements, épisodes) pour comprendre les parcours, les itinéraires et les expériences de notre vie et pour présenter cette dernière aux autres. Pour utiliser l'expression d'Alberto Melucci, « nous nous racontons aux autres » importants[9]. Les narrations sont des autoprésentations faites aux autres. L'auto-conscience n'est donc pas le point de départ mais le point d'arrivée des histoires que nous (nous) racontons. Les récits constituent la clé privilégiée de médiation pour nous interpréter, pour construire notre propre schéma mental de ce que nous sommes et où nous sommes,

---

7. Mariano Rodríguez González, *El problema de la identidad personal*, Madrid, Biblioteca Nueva, 2003, p. 159.
8. Nous avons développé ce point dans notre étude sur la transmission des valeurs. Voir : Àngel Castiñeira, *Ens fans o ens fem? La transmissió de valors avui*, Barcelone, Proa, 2004.
9. Alberto Melucci, *Vivencia y convivencia*, Madrid, Editorial Trotta, 2001, p. 97.

de ce que nous faisons et le sens que nous donnons à notre action. C'est pourquoi, dans la philosophie de l'action de MacIntyre[10], ce dernier affirme : «[J]*e peux répondre à la question : que ferai-je? uniquement si je trouve la réponse à la question précédente : de quelle histoire ou de quelles histoires fais-je partie?*» L'originalité de l'identité d'une vie humaine réside dans l'acte constitutif de la sélection de ces structures narratives qui lui donnent du sens. Cela exige du sujet une importante activité de réflexion, une vie examinée, un effort continu d'auto-compréhension. L'accès au moi nécessite un véritable combat de conquête (*a struggle for the self*) car l'identité personnelle ne nous est pas acquise. Elle est le résultat de la réussite d'intégration des différentes voix (internes et externes), les réseaux d'interlocution qui composent le sujet. Nous sommes donc un moi conversationnel (un *speech self*). Réussir à devenir quelqu'un est une réussite rhétorique qui nous demande d'inclure notre genre discursif dans le contexte argumentatif de notre communauté.

Le combat narratif pour l'identité doit éviter par conséquent trois dangers : 1) le danger de la fragmentation (unifier ou intégrer les différentes voix du moi dans une histoire cohérente, dans une unité significative car l'unité du personnage dépend de l'unité du récit); 2) le danger de la marginalisation ou du rejet (savoir incorporer notre récit dans notre communauté de langage); et 3) le danger de la dilution ou de la dispersion (l'engagement pour entretenir, dans le changement, l'effort de continuer à être soi-même).

Reconnaissance intrasubjective et intersubjective (autoreconnaissance et hétéroreconnaissance)

La subjectivisation ou l'expression narrative de l'idiosyncrasie («Je suis caractérisé par, je me différencie de, je m'identifie à...») requiert une connexion horizontale interpersonnelle, c'est-à-dire une dimension relationnelle liée à un environnement culturel particulier stable

---

10. Alasdair MacIntyre, *Tras la Virtud*, Barcelone, Crítica, 1987.

(ou contexte culturel historique) et à un réseau d'appartenances sociales qui se transforme en cadre d'intelligibilité inévitable (Charles Taylor appelle cela l'horizon de sens de la communauté constitutive[11]). La construction narrative du moi est une construction partagée au sein des communautés humaines. Ce sont ces dernières qui lui permettront de faire ses choix et de réguler délibérément et de façon négociée l'acceptation de sa différence. L'identité, c'est parler de soi en regardant les autres, mais aussi parler des autres en se regardant soi-même. Il s'agit d'une autoperception par rapport aux autres. L'intelligibilité de nos narrations vitales dépend des contextes historiques et culturels. Le stade de la reconnaissance implique par conséquent une intersubjectivité linguistique, le point de rencontre entre deux histoires narratives, celle de l'agent et celle du contexte socioculturel de la collectivité qui l'accueille (qui n'est rien d'autre que le produit des histoires de vie des autres proches). Les autres font aussi partie de notre propre narration et contribuent à son écriture. Le moi est donc toujours un moi impliqué dans un horizon de valeurs collectif[12]. L'auto-identification et l'autodifférenciation sont toujours liées à une relation circulaire de reconnaissance par les autres et de constitution réciproque. La perception du fait que les autres reconnaissent cette similarité et cette continuité rend une personne importante pour les autres, et ces personnes sont à leur tour importantes dans la communauté proche. L'individu est donc modelé par des contextes communautaires, mais il contribue en même temps à la constitution du système social.

De l'identité personnelle à l'identité nationale

L'identité personnelle est donc une construction narrative dynamique et multiple qui nécessite la connexion intertemporelle (continuité),

---

11. Charles Taylor, *La ética de la autenticidad*, Barcelone, Paidós, 1994.
12. Àngel Castiñeira, *Ens fans o ens fem?*, *op. cit.*

la capacité d'intégration de l'ensemble des expériences et la reconnaissance dialogique des autres.

De la même façon, je crois qu'il est possible d'attribuer au cadre
collectif des identités nationales un processus de construction identitaire semblable à ce que nous venons d'expliquer pour le cadre
personnel. Le « qui suis-je ? » et le « qui sommes-nous ? » font référence
à un acteur ou à des sujets sociaux qui se comportent comme s'il
existait en eux (ou entre eux) une certaine unité de continuité et d'action
et qui attribuent un sens à ce qu'ils font. En tout cas, pour les
sciences sociales, les nations[13] sont toujours des réalités conceptuelles
pas plus artificielles, abstraites et construites que la réalité même
des individus[14]. Les personnes et les nations se ressemblent car elles
sont, jusqu'à un certain point, plus des artefacts que des choses
accordées par la nature[15]. Les nations, tout comme certaines autres
collectivités, représentent le rôle de véritables acteurs dans l'espace public
et, comme l'a argumenté C. Ulises Moulines, nous appliquons
l'attribut «*x* est une nation» à des entités qui ont une existence réelle
mais non observable directement. Il s'agit donc d'un attribut d'aspect

---

13. Anthony Smith définit la *nation* comme « une population humaine qui porte un
    nom précis, qui occupe un territoire d'origine historique et qui partage des
    mythes et des mémoires, une culture publique commune, une économie unique,
    des droits juridiques et des devoirs égaux pour l'ensemble de ses membres ».
    Quant à Guibernau, elle donne la définition suivante : « groupe humain conscient
    de former une communauté partageant une culture commune, lié à un territoire
    clairement délimité, avec un passé commun, un projet collectif pour le futur et
    revendiquant le droit à l'auto-détermination ». De la synthèse de ces deux
    définitions de la nation, soulignons le fait qu'il s'agit d'une communauté
    territoriale accompagnée d'un sentiment d'identité collective qui se projette dans
    une aspiration d'auto-gouvernement. Pour plus de détails voir : Anthony D.
    Smith, « Interpretacions de la identitat nacional », dans Montserrat Guibernau
    (dir.), *Nacionalisme : Debats i dilemes per a un nou mil·leni*, Barcelone, Proa, 1999,
    p. 131 ; Montserrat Guibernau, « Catalunya : comunitat política en l'era global »,
    Idées, 6, avril-juin 2000, p. 58.
14. Alfonso Pérez Agote, « La identidad colectiva : una reflexión abierta desde la
    sociología », *Revista de Occidente*, 56, janvier 1986, p. 76-90.
15. Jonathan Glover, « Naciones, identidad y conflicto », dans Robert McKim et Jeff
    McMahan (dir.), *La Moral del nacionalismo*, vol. 1, Barcelone, Gedisa, 2003, p. 27-52.

théorique qui ne peut par conséquent être réduit à des attributs observationnels ou « phénoméniques »[16]. John Searle[17] et Neil MacCormick[18] appellent ce genre de réalité (valable pour les nations et pour toutes les constructions de l'identité sociale) des « faits institutionnels » : ce sont des réalités sociales et symboliques qui naissent de l'assignation d'un état à des phénomènes par le biais de l'intentionnalité collective[19]. En d'autres termes, ce sont des réalités dont l'existence ne dépend pas de leur condition « physique » ou « étendue » ; ce sont des « communautés imaginées[20] » qui dépendent des attitudes propositionnelles ou des croyances des personnes[21].

Les nations, comme nous le disions de l'identité personnelle, ont également besoin de continuité (temporelle, démographique, territoriale, culturelle, politique), de reconnaissance interne et externe, de donner de la cohérence et de la différencialité aux expériences de ses membres et, comme nous le verrons plus loin de façon plus détaillée, de construire et d'interpréter l'identité narrative de leur propre mémoire biographique : la « mémoire collective ».

Pour Luis Villoro[22], les identités collectives sont des représentations intersubjectives partagées par les individus d'une même collectivité et constituées de croyances, d'attitudes et de comportements particuliers qui sont communiqués à chaque membre par son

---

16. C. Ulises Moulines, *Manifiest nacionalista (o fins i tot separatista, si volen)*, Barcelone, La Campana, 2002.
17. John Searle, *Actos de habla*, Madrid, Editions Cátedra, 1980, p. 58-61. (*Speech Acts : An Essay in the Philosophy of Language*, Cambridge, Cambridge University Press, 1969.)
18. Neil MacCormick, « ¿Es filosóficamente creíble el nacionalismo? », *Anales de la Cátedra Francisco Suárez*, Granada, n° 31, 1994.
19. Xacobe Bastida Freixedo, « La identidad nacional y los derechos humanos », dans Manuel Calvo García (dir.), *Identidades culturales y derechos humanos*, Madrid, Dykinson, 2002, p. 109-159.
20. Benedict Anderson, *Comunidades imaginadas. Reflexiones sobre el origen y la difusión del nacionalismo*, Mexico, Fundo de cultura economica, 1993.
21. David Miller, *Sobre la nacionalidad. Autodeterminación y pluralismo cultural*, Barcelone, Paidós, 1997.
22. Luis Villoro, *op. cit.*

appartenance à ce même collectif[23]. Dans cette façon de sentir, de comprendre et d'agir, dans le monde et dans les modes de vie partagés, il convient de s'exprimer dans un cadre normatif et cognitif stable : dans des institutions, dans des comportements régulés et dans le monde symbolique enchevêtré de la culture (artefacts, objets artistiques, connaissance, etc.) car la culture est la condition qui crée et préserve le vocabulaire de notre autocompréhension. Les identités collectives génèrent, par ricochet, un sentiment positif précis de dignité, d'estime de soi et de fierté d'appartenance qui les rend souvent nécessaires à l'autoréalisation personnelle.

Charles Taylor formule trois conditions fondamentales qui rendent possibles les identités collectives : a) qu'il existe un horizon moral ou un ensemble de valeurs très bien partagées par ses membres ; b) qu'il existe une volonté d'union de la majorité pour former un acteur commun ; et c) que les membres obtiennent la reconnaissance des autres collectifs importants[24].

D'une part, l'histoire politique et culturelle des peuples, toujours changeante, de l'autre le pluralisme axiologique et le processus de renforcement de l'autonomie du moi – caractéristiques de la modernité avancée –, ont contribué à créer, tant sur le plan individuel que collectif, une identité plus complexe qui tente d'harmoniser dans la mesure du possible les tensions entre universalisme et particularisme, autonomie et appartenance.

---

23. Nous suivons la notion de *collectivité* de Robert K. Merton, selon laquelle il s'agit d'un ensemble d'individus qui, malgré l'absence de toute interaction et contact proche, ressentent un certain sentiment de solidarité (ou d'identification par projection) car ils partagent certaines valeurs et parce qu'un sentiment d'obligation morale les encourage à répondre comme il se doit aux attentes liées à certains rôles sociaux. Voir : Gilberto Giménez, « Materiales para una teoría de las identidades sociales », dans José Manuel Valenzuela Arce (dir.), *Decadencia y auge de las identidades. Cultura nacional, identidad cultural y modernización*, Mexico, Plaza y Valdés, 2000, p. 53.

24. Àngel Castiñeira, « Identitat, reconeixement i liberalismes. Un debat al voltant de Ch. Taylor », dans Ferran Requejo (dir.), *Pluralisme nacional i legitimitat democràtica*, Barcelone, Proa, 1999, p. 105-128.

Bien avant donc que se produise l'actuel processus de mondialisation, de nombreux États accueillaient déjà en leur sein des sociétés aux identités complexes dont les différences nationales ou culturelles étaient quelquefois reconnues et très souvent sinon presque toujours réprimées.

Ainsi donc, le multiculturalisme apparaît juste au moment où ces sociétés prennent conscience de la valeur de leur identité et réclament publiquement que celle-ci soit reconnue et trouve sa place dans les structures fondamentales de l'État.

L'anti-assimilationnisme, l'anti-uniformisme ou le refus de l'homogénéisation culturelle constituent le côté le moins agréable des revendications visant à rompre avec les anciens schémas modernes de domination et d'exclusion culturelle, à protéger les identités collectives différenciées et à garantir leur expression dans la sphère publique.

L'époque actuelle de mondialisation ne fera qu'augmenter encore plus le nombre de facteurs qui remettront en cause les identités : les nouvelles diasporas, l'hybridation culturelle, la formation de nouvelles frontières, les nouveaux flux migratoires sont autant d'éléments qui mettent à l'épreuve les identités partagées et qui comportent d'importantes transformations.

Dans le cadre de cette situation générale, le cas de la Catalogne constitue un véritable laboratoire d'identités, tant en haut qu'en bas. D'une part, parce qu'aujourd'hui encore nous (Catalans) continuons à discuter avec l'État espagnol de notre place au sein de ses structures et de notre reconnaissance (ce qui constitue d'ailleurs la clé de voûte des demandes de réforme du Statut d'autonomie). D'autre part, parce que la nouvelle immigration attend sur le pas de la porte que nous résolvions nos problèmes lorsqu'elle n'entre pas directement dans la cuisine de notre maison avec l'intention de s'y établir.

Étant donné que nous avons déjà traité en profondeur dans d'autres articles le sujet de l'accommodement de la Catalogne au sein de l'État espagnol[25], je vais donc me concentrer ici sur les relations

25. Àngel Castiñeira, *Catalunya com a projecte*, Barcelone, Pórtic, 2001.

entre l'identité nationale et les différents usages de la mémoire collective. Nous essaierons ci-après d'expliquer comment certaines identités collectives deviennent des identités nationales.

La culture nationale

La culture nationale est un système symbolique partagé par un groupe de personnes qui, d'un point de vue temporel, joue le rôle de médiateur entre le passé et le futur tout en leur donnant du sens et qui mobilise des sentiments (comme celui de solidarité, d'appartenance et de loyauté) qui les unissent pour vivre ensemble le présent. Nous comprenons les symboles comme des expressions visuelles ou physiques qui font référence ou nous renvoient à l'identification à certains idéaux, croyances, valeurs ou sentiments partagés par un collectif humain et qui la renforcent, l'intensifient et nous aident à la structurer. Lorsque nous parlons d'une culture nationale, nous faisons référence à un système symbolique transhistorique qui permet à la nation de devenir « un laboratoire d'expériences, de comparaisons interspatiales et intertemporelles, capables de nous replacer dans la perspective de continuités[26] ».

La culture nationale permet d'atteindre l'autoconscience de groupe, définit les modèles de socialisation de base, prescrit certains comportements, renforce un ensemble de valeurs partagées et fournit une certaine organisation formelle de l'espace public. La culture nationale est une forme de vie collective, avec un répertoire partagé de croyances, de styles de vie, de valeurs et de symboles et qui, par conséquent, donne forme à la façon de penser, de percevoir et de sentir de chacun de ses membres[27].

---

26. Fernand Braudel, *La identidad de Francia*, Barcelone, Gedisa, vol. I, 1993, p. 19.
27. Josep R. Llobera, *De Catalunya a Europa. Fonaments de la identitat nacional*, Barcelone, Anagrama-Empúries, 2003.

L'identité nationale

L'autoconscience de groupe dérivée de la culture nationale est un des éléments qui nous permettent de parler d'« identité nationale ». L'identité nationale correspond au processus par lequel un ensemble d'idéaux et de valeurs hérités du passé (les souvenirs historiques, les mythes, les valeurs, les traditions et les symboles) constitue une « identité collective » que les membres d'une nation partagent comme patrimoine distinctif ou grâce à laquelle ils s'identifient[28]. D'après Anthony Smith, le modèle standard occidental d'identité nationale comprend les éléments suivants : un territoire historique ou une patrie, une communauté politique, l'égalité politico-légale de ses membres, une culture civique collective formée de souvenirs historiques et de mythes collectifs et une économie unifiée permettant la mobilité territoriale de ses membres[29]. De la même façon que pour l'identité personnelle où le processus d'identification du sujet est continu et dynamique, pour les identités nationales, chaque nouvelle génération reconstitue et transforme les composantes ou les ressources ethnosymboliques qui font partie de son patrimoine ethnique distinctif. Même si certaines, comme la langue, peuvent être fondamentales, aucune ne peut être considérée comme absolument perpétuelle et définitive.

Culture nationale et mémoire collective

Certains éléments du système symbolique des cultures nationales sont la musique, la poésie, la langue, la géographie ou le territoire, l'histoire, les drapeaux, les cartes, les mythes, la vie et les gestes des héros et des personnages célèbres, les livres, les monuments, les espaces publics, les emblèmes, les cérémonies commémoratives, etc.

---

28. Anthony D. Smith, « Interpretacions de la identitat nacional », *op. cit.*
29. Anthony D. Smith, *La identidad nacional*, Madrid, Trama Editorial, 1997.

Nous parlons de mécanismes sociaux, d'objets matériels ou immatériels présents dans l'imaginaire social qui jouent un rôle symbolique et de remémoration : celui de rendre présent ce qui est absent, celui de permettre aux groupes sociaux ou nationaux de se souvenir ensemble, d'avoir une identité commune et de réussir à passer de la multiplicité des expériences et des souvenirs représentés individuellement à l'unicité d'une mémoire collective. Paul Ricœur[30] définit la mémoire (ou le phénomène mnémonique) comme la présence dans l'esprit d'une chose absente qui, d'ailleurs, n'existe plus mais qui a existé. Le souvenir, qu'il soit évoqué simplement comme une présence, et pour cette raison comme *pathos*, ou qu'il soit recherché activement dans l'opération de la remémoration (conclusion finale de l'expérience de la reconnaissance) est une représentation. Il définit en outre la mémoire collective comme une sélection d'empreintes laissées par les événements ayant affecté le cours de l'histoire d'un groupe d'hommes et à laquelle on reconnaît le pouvoir de mettre en scène ces souvenirs communs ou partagés à l'occasion de fêtes, de rituels ou de célébrations publiques[31].

Avishai Margalit[32], lorsqu'il parle d'une éthique du souvenir collectif, fait une distinction précise entre le « souvenir en commun » (accumulation de souvenirs individuels concernant un même épisode vécu) et le « souvenir partagé » (souvenir intégrant dans une version unique les différentes perspectives individuelles vécues d'un même événement). La mémoire collective a un lien évident avec ce que Margalit appelle les souvenirs partagés qu'il associe à une communauté

---

30. Paul Ricœur, *La memoria, la historia, el olvido*, Madrid, Trotta, 2003.
31. Maurice Halbwachs, dans *Les cadres sociaux de la mémoire*, définit et différencie la « mémoire collective » (ou mémoire interne, constituée des souvenirs d'un groupe) de la « mémoire historique » (ou mémoire externe, qui réunit et ajoute les mémoires en circulation jusqu'à leur unification. Ce type de mémoire apparaît généralement lorsque la tradition vivante de la mémoire collective commence à diminuer). Pour plus de détails, voir : *Les cadres sociaux de la mémoire*, Paris, Librairie Félix Alcan, 1925.
32. Avishai Margalit, *Ética del recuerdo*, Barcelone, Herder, 2002.

de mémoire ou de souvenir. La vertu du souvenir partagé réside dans le fait qu'il permet d'inclure un sens synchronique et diachronique du souvenir. Le membre d'une communauté de souvenir est lié aux souvenirs de sa génération et des générations précédentes et futures dans une succession de transitions générationnelles qui se projette dans le temps : sous la forme d'un héritage (passé), sous la forme d'un engagement (présent) et sous la forme d'un projet (futur). On attribue ainsi au souvenir partagé les cinq caractéristiques suivantes :

1. N'importe quel souvenir partagé (culturel, politique ou spirituel) est associé à une tradition. C'est un souvenir « fermé », l'unique version du passé que la communauté autorise comme canonique (cela la différencie du travail critique des sciences historiques).

2. Le souvenir partagé d'un événement historique qui remonte au-delà de l'expérience de tous ceux qui sont vivants est « le souvenir des souvenirs ».

3. Lorsque cela survient avec un souvenir partagé lointain, on ne parvient généralement pas à l'événement historique réel mais au « récit » d'un événement.

4. Pour cette raison, le souvenir collectif se situe plus près du « croire » que du « savoir ».

5. Le souvenir partagé a le sens de « souvenir de vie » (ou « mythe vivant »). La haute signification du récit d'un souvenir partagé incite la communauté à revivre son essence, à le transformer à nouveau en une expérience de vie, en élément revivifiant. La revivification (et dans une moindre mesure la commémoration), d'après Margalit, « n'est pas seulement un acte d'identification mais un acte à identité réelle[33] ». Nous faisons vivre le souvenir et, dans

---

33. Avishai Margalit, *op. cit.*, p. 59.

un sens spirituel, nos ancêtres. C'est donc le souvenir qui donne de la survie (et de la projection) à la communauté.

Il existe donc suffisamment de coïncidences dans les réflexions de Margalit et dans la position d'Ernest Renan lorsque ce dernier affirme que dans toute nation, il existe «la possession d'un riche héritage commun de souvenirs[34]». Ce sont, en fin de compte, des unités de sens ou des fragments symboliques que la volonté des individus ou le temps a transformés en éléments constitutifs d'une communauté. Précisément parce que la fragilité des identités collectives dépend de leur existence continue, c'est-à-dire de leur relation difficile avec la temporalité, le désir de continuité (exprimé dans les dimensions culturelles et politiques du nationalisme[35]) se projette sur la mobilisation de la mémoire, laquelle (à travers sa fonction narrative) finit par devenir la gardienne de l'identité, un outil de justification et en même temps un élément constitutif et intégrant de la nation.

Les lieux de mémoire

Pour cette raison, certaines des composantes des cultures nationales sont en même temps des mécanismes de construction nationale et de véritables lieux du souvenir, des «lieux de mémoire» hautement symboliques car ils permettent de faire remonter des souvenirs précis du passé sous la forme d'images et de les intégrer à notre système de valeurs. L'élaboration de la mémoire, dans le cadre de la construction des identités nationales auxquelles nous faisons référence, inclut un processus de projection rétrospective (dans le passé) qui permet de

---

34. Ernest Renan, «Què és una nació», dans *L'Espill*, n° 7, 2001, p. 129.
35. Nous suivons la définition du nationalisme d'Anthony Smith, citée précédemment : «mouvement idéologique qui permet d'atteindre et de maintenir l'autonomie, l'unité et l'identité au nom d'une population d'hommes qui, pour certains de ses membres, constitue une " nation réelle et potentielle "». À propos de la dimension culturelle et politique du nationalisme, voir : Àngel Castiñeira, «Nacionalismos», dans Adela Cortina (dir.), *10 palabras clave en filosofía política*, Estella, Verbo Divino, 1998.

légitimer le présent, pour donner un véritable sens au contexte actuel où il est énoncé. Dans ce sens, la mémoire n'a pas tant une fonction historique qu'une fonction d'instrumentalisation politique. Il s'agit de la transformer en un processus d'« objectivation » du passé permettant de délimiter ou de différencier symboliquement l'identité d'une communauté nationale[36]. Dans une plus large mesure, les lieux de mémoire sont les éléments de base de la production symbolique de la différence nationale.

D'après Pierre Nora, les histoires nationales sont constituées d'une multitude de lieux de mémoire, d'épisodes exemplaires ou édifiants chargés d'un sens symbolique émotif et persistant[37]. Si le passé, comme le disait Fernand Dumont, nous envoie ses marées, les lieux de mémoire sont «les coquillages qui restent sur le rivage lorsque la mer se retire de la mémoire vivante[38]», des îlots du passé conservés, c'est-à-dire des indices de remémoration (*reminders*), des inscriptions, des indicateurs ou des signes extérieurs tendant à nous protéger contre l'oubli, d'authentiques empreintes matérielles où le passé survit, est remémoré et transmis, des éléments ou des pratiques qui ordonnent la production de sens social sur le passé et de l'identité collective, des lieux ou des espaces où la mémoire est incarnée et représentée, laquelle donne du sens et une orientation au parcours historique d'une collectivité ; des récits collectifs qui ont réussi à fonder sur le temps certains événements et lieux où s'inscrivent nos souvenirs, renforcés par des commémorations, des monuments et des célébrations publiques.

36. Voir : Pierre Nora (dir.), *Les lieux de mémoire*, vol. 1, Paris, Gallimard, 1984 ; Stéphane Michonneau, « Políticas de memoria en Barcelona al final del siglo XIX », dans Anna Maria Garcia Rovira (dir.), *España, ¿nación de naciones?*, Madrid, Marcial Pons, 2002, p. 101-120.

37. Pierre Nora distingue quatre types de lieux de mémoire : les lieux symboliques : commémorations, célébrations, pèlerinages, anniversaires, emblèmes, etc. ; les lieux de monuments : édifices, cimetières, etc. ; les lieux topographiques : musées, archives, bibliothèques, etc. ; et enfin les lieux fonctionnels : manuels, autobiographies, associations, etc. Voir : *Les lieux de mémoire, op. cit.*

38. Pierre Nora, *op. cit.*, p. XXIV.

Nora attribue jusqu'à trois sens simultanés au même terme : 1) un sens matériel (comme une caisse d'archives), qui détermine les lieux de mémoire en réalités « données » utilisables ; 2) un sens symbolique (comme une minute de silence) capable de donner un maximum de sens en un minimum de signes et qui, à travers l'imagination, garantit la cristallisation des souvenirs et leur transmission ; et 3) un sens fonctionnel (comme un manuel scolaire, un testament, une association d'anciens combattants, des élections) capable de conduire au rituel.

La construction de la tradition est composée, dans une large mesure, de la gestion du souvenir, des itinéraires de mémoire choisis, de la façon de sélectionner, d'encadrer, d'interpréter et d'évaluer les liens des souvenirs et de la façon de dramatiser les récits (les mythes ou les légendes constitutives) ou de la disposition des centres « sacrés » de pèlerinage historique.

En plus de la tâche mémorialiste de datation du temps, on trouve la tâche de localisation des espaces singuliers. Le temps comme l'espace se construisent socialement car les lieux de mémoire sont aussi la mémoire des lieux. Souvent, nos souvenirs sont étroitement liés à des lieux (*topoi, loci*), à un espace ou à un emplacement précis (le territoire national (*homeland, heimat*), le paysage) chargé de sens ou à l'endroit où l'événement « a eu lieu »[39]. C'est ainsi que se construisent une histoire et une géographie (*Heimatkunde*) patriotiques.

Dans l'étude de la topographie légendaire du christianisme, par exemple, fixée dans les lieux de culte (le lac de Tibériade, la colline de

---

39. Joan Nogué donne des définitions des termes « lieu », « territoire » et « paysage ». *Lieu* : « Portion de l'espace concret chargée de symbologie qui agit comme centre de transmission des messages culturels ». *Territoire* : « Espace délimité (par des limites ou des frontières) auquel un groupe d'hommes en particulier s'identifie, qu'il possède ou convoite et qu'il aspire à contrôler dans sa totalité ». *Paysage* : « Aspect visible et perceptif de l'espace [...]. Projection d'une société dans un espace déterminé. Dans ce sens, le paysage est rempli de lieux qui incarnent l'expérience et les aspirations des gens. Ce sont des sites qui deviennent des centres de sens, des symboles qui expriment des pensées, des idées et des émotions diverses ». À ce chapitre voir : Joan Nogué, *Nacionalismo y territorio*, Lleida, Editorial Milenio, 1998, p. 60 et 68.

Sion, le mont des Oliviers, le Golgotha, le Saint-Sépulcre, etc.), Maurice Halbwachs[40] a trouvé un élément clé sur lequel appuyer la croyance collective[41]. Nous créons ainsi de façon consciente ou inconsciente un lien entre nos souvenirs et les lieux considérés comme notables, dignes de vénération ou de pèlerinage[42]. Le processus de construction nationale de l'espace fonctionne sur le même schéma. « Le territoire, affirme James Anderson, est *un réceptacle du passé dans le présent.* L'exceptionnelle histoire de la nation se matérialise dans l'exception-nelle portion du territoire occupé par la nation. C'est la terre-mère, la terre primitive des ancêtres, plus ancienne que n'importe quel État ; cette même terre qui fut témoin des grands gestes, les origines mythiques. Le temps s'écoule mais l'espace est toujours là[43]. » Ainsi, dans la construction nationale, il existe en même temps un processus de territorialisation de l'histoire et d'historicité du territoire qui prend forme visuellement et symboliquement dans le paysage. La carto-graphie de la mémoire, en fin de compte, se projette aussi sur l'espace. Dans la topographie nationale catalane, par exemple, qui comprend des sites emblématiques comme Montserrat, le Canigou, Poblet, Ripoll, etc., on trouve aussi des « lieux de honte », de mort, d'humi-liation et de peine, reconquis ensuite symboliquement sous la forme de monuments dédiés à la vie. C'est le cas de la Ciutadella de Barcelone[44]

---

40. Maurice Halbwachs, *La topographie légendaire des Évangiles en Terre Sainte*, Paris, Les Presses Universitaires de France, 1941.

41. Commentaire intéressant sur la reconstruction multiple et simultanée de la topographie de Jérusalem conformément aux traditions hébraïque, musulmane et chrétienne décrites par Bettini. Voir : Maurizio Bettini, « Contra las raíces. Tradición, identidad, memoria », *Revista de Occidente*, n° 243, 2001, p. 79-97.

42. Nous soulignons, en fin de compte, le parallèle entre les stratégies qui permettent de forger les croyances nationales. Nora, par exemple, associe les principes fondateurs de la République française à une véritable religion civile accompagnée de ses dieux et dont les éléments sont propres à une épopée nécromantique : le Panthéon, le martyrologe, l'hagiographie. Pour une lecture complète voir : Pierre Nora, *Les lieux de mémoire, op. cit.*

43. Tel que cité par Joan Nogué, *op. cit.*

44. La Guerre de Succession espagnole (1705-1714) provoque la perte des droits et des institutions catalanes, rasées de force par le pouvoir central et la soumission

(forteresse défensive construite par les troupes castillanes des Bourbons après 1714 pour éviter la révolte des Catalans), transformée à la fin du 19ᵉ siècle par les Barcelonais en parc civique et peuplée de statues et de bustes représentant des personnalités et des Catalans célèbres. On trouve aussi l'exemple du château de Montjuïc (où le 15 octobre 1940, le président du Gouvernement autonome catalan, Lluís Companys, a été fusillé par les troupes de Franco) qui finira par accueillir le 27 octobre 1985 le Fossar de la Pedrera en souvenir de tous les Catalans morts exécutés sous Franco. Ou encore le Fossar de les Moreres, ancien cimetière paroissial où ont été enterrés les défenseurs de la ville de Barcelone en 1714, aujourd'hui transformé en symbole de la lutte pour l'indépendance de la Catalogne. Plus récemment encore, l'ancien marché du Born (construit entre 1873 et 1876), sous lequel on vient de découvrir huit mille mètres carrés de restes archéologiques de cette zone de la ville rasée au 18ᵉ siècle par les troupes de Philippe V. Certains de ces sites, en particulier l'emplacement de la statue dédiée à Rafael Casanova[45], constituent de véritables itinéraires de procession civique dans l'espace urbain barcelonais avec une forte connotation symbolique.

---

de la ville de Barcelone aux troupes des Bourbons. Le roi Philippe V de Bourbon signe en 1716 le Décret de Nova Planta [de nouvelle organisation] qui suppose la suppression du Parlement catalan, du Gouvernement autonome de Catalogne et du Conseil des Cents. Cette même année, il ordonne la construction à Barcelone de la citadelle la plus grande d'Europe (la Ciutadella) afin de pouvoir surveiller la ville. L'université disparaît et est transférée à Cervera. Pour construire la Ciutadella, il fait détruire le quartier de la Ribera. En 1716, on commence à construire les grandes fortifications payées par la ville. Au milieu du 19ᵉ siècle, pendant ladite Révolution de septembre, le général catalan Joan Prim décide de donner la Ciutadella à la ville et entre 1869 et 1888, il la fait détruire définitivement. Seuls ont été conservés le palais du gouverneur, la chapelle et l'arsenal. En 1888, pour l'Exposition universelle promue par le maire Rius i Taulet, un parc est construit sur les restes de l'ancienne Ciutadella.

45. Conseiller en chef de la ville de Barcelone et héros de sa défense pendant le siège des troupes des Bourbons en 1714.

Il est donc important de connaître les mécanismes complexes et la dynamique de la mémoire collective :

1. Les mécanismes de sélection et de mémorisation des souvenirs et le profil des responsables de cette sélection ;

2. Les mécanismes de réception, d'entretien, d'éducation et de transmission de la mémoire (remémoration[46], commémoration[47], répétition[48], ordre, stylisation, association ou enchaînement chronologique d'événements ou d'épisodes singuliers ou constitutifs) ;

3. Les mécanismes d'actualisation et de réinterprétation des souvenirs, d'apaisement et de réveil de la mémoire ; mais aussi

4. Les mécanismes et usages de l'oubli[49].

---

46. Remémoration : recherche ou effort actif du souvenir, action de souvenir continu.
47. Commémoration : type de remémoration d'événements ou d'épisodes du passé considérés comme constitutifs et particulièrement importants, basé sur la célébration solennelle (et patriotique) de cérémonies appropriées répondant à une économie symbolique fondée sur le devoir de mémoire et qui, par le biais de la mobilisation émotionnelle, renforcent le sentiment d'appartenance à une communauté.
48. Répétition : retour organisé de dates historiques dans le calendrier des commémorations.
49. D'un point de vue plus concret, qu'il applique à la ville de Barcelone de la fin du 19e siècle, Michonneau formule quatre questions qui structurent l'étude des sociétés commémoratives : 1) Qui sont les entrepreneurs de la mémoire ? Qui sont les promoteurs de mémoire qui définissent de façon légitime ce qu'il vaut la peine de se rappeler et ce qu'il vaut mieux oublier ? Quelles sont leurs positions sociales respectives ? 2) Quelle est la valeur sociale de la commémoration ? Que signifie cette obligation de souvenir d'un point de vue politique et social ? 3) Quelle valeur opérationnelle la commémoration a-t-elle en tant que rite social ? 4) Quels sont les rapports entre mémoire et espace ? Est-il possible de faire la cartographie de la mémoire projetée dans l'espace urbain ? Voir : Stéphane Michonneau, « Politicas de memoria en Barcelona al final del siglo XIX », dans Anna Maria Garcia Rovira (dir.), *España, ¿nación de naciones?, op. cit.*, p. 101-120.

Tous ces éléments contribuent à la construction de la mémoire collective, à la réécriture du récit qui : a) donne de la continuité aux souvenirs partagés par la nation ; b) crée des liens sentimentaux d'identification, de filiation, de loyauté et d'inclusion ; et c) délimite ses lignes de différenciation culturelle face à d'autres nations.

En grande partie, la mémoire collective est la composante centrale et celle qui donne de la continuité à l'identité nationale et qui permet la (re)construction nationale, surtout parce qu'elle favorise la familiarisation progressive avec le passé à travers un véritable parcours initiatique d'acculturation qui passe par les récits reçus au moyen d'un lien transgénérationnel constitué du noyau familial, des réseaux de parenté, des groupes primaires et sociaux, etc. jusqu'à l'accès à la mémoire des anciens, la mémoire ancestrale. Ces groupes ont une influence, par un processus d'intériorisation, sur la constitution de la conscience collective jusqu'au point d'apporter des mémoires affectivement marquées. On assiste en fin de compte à la construction, grâce à la dimension déclarative de la mémoire, du pont qui permet de passer de la mémoire vécue par nous à la mémoire historique entretenue et transmise par les générations passées jusqu'à atteindre une mémoire intégrale réunissant la mémoire individuelle, la mémoire collective et la mémoire historique. Le passé, le présent, l'espace des expériences et l'horizon des expectatives sont ainsi reliés entre eux. C'est l'un des éléments qui favorisera en même temps, sur le plan symbolique, le sentiment de lien de filiation nationale[50]. Une fois ce processus terminé, l'identité nationale se transformera en

---

50. Pour cette raison, Émile Durkheim, comme Renan, associe davantage la nation à une *communauté de mémoires historiques* qu'à une *communauté de culture*. (La Suisse par exemple, peut être considérée comme une nation sans besoin de partager une communauté de culture.) À notre avis, Durkheim identifiait trop la communauté de culture à la langue. Dans notre acception non restreinte, la mémoire historique, en tant que système symbolique, fait aussi partie de la culture nationale. Pour plus de détails voir : Émile Durkheim, *Textes*, Paris, Éditions de Minuit, III, 1975, p. 220-224 ; Josep R. Llobera, *La teoria del nacionalisme a França*, Valence, Afers, 2003.

projet révolutionnaire capable de convertir une «population» en «peuple» et de faire de ce peuple un sujet collectif autonome.

La dimension imaginée de la mémoire collective

Les systèmes symboliques dont nous parlons sont donc des formations discursives ou des mécanismes narratifs dynamiques de construction nationale. Comme nous l'avons déjà dit, tout récit national comprend une certaine interprétation, sélection, adaptation et manipulation de la mémoire historique et une certaine intégration ou assimilation de nouveaux traits culturels du présent. Dans le système symbolique de toute communauté nationale, il existe donc toujours une partie de continuité historique et une composante, comme le dit Anderson, construite ou imaginée[51]. D'après Bernard Lewis[52], il existe toujours une histoire «rappelée» (la mémoire collective d'une communauté), une histoire «retrouvée» (redécouverte par les historiens et servant d'outil de reconstruction nationale) et, dans certains cas, une histoire «inventée» qui, à cause de la manipulation et de l'abus, peut finir par s'imposer à travers les récits institutionnels ou scolaires transformés en histoire «autorisée» ou à travers les commémorations «officielles». Comme nous le verrons plus loin, il n'est pas étonnant que la tentation de «fermeture identitaire ou de contrôle de la mémoire» ou que les tentatives d'imposer ou de patrimonialiser un modèle mémorialiste provoquent des batailles culturelles ou la construction de nouvelles mémoires parmi les membres d'une même nation.

Toutefois, la dimension imaginée ou inventée de la mémoire collective ne doit pas forcément être évaluée de façon négative ou faussée de l'expérience vécue, mais aussi et surtout comme une composante

---

51. Benedict Anderson, *op. cit.*
52. Bernard Lewis, *La historia recordada, rescatada, inventada*, Mexico, Fundo de cultura economica, 1979.

réflexive nécessaire dans l'acte de représentation du souvenir. Ce problème a déjà été observé par Cornelius Castoriadis lorsque, en définissant le concept d'imaginaire collectif, il a avancé deux acceptions différentes : 1) celle d'une histoire absolument inventée et 2) celle d'un déplacement de sens attribué à des symboles disponibles, c'est-à-dire la capacité d'un groupe de personnes de redonner du sens à un symbole apparemment banal pour les autres[53]. C'est ce deuxième sens de l'imagination que nous souhaitons maintenant souligner car les facteurs essentiels qui déterminent l'existence d'une nation ne sont pas ses caractéristiques tangibles (toujours susceptibles de transformations substantielles), mais l'image que ses membres se font d'eux-mêmes[54].

Il n'existe pas d'identité sans mémoire et pas de mémoire sans intelligence, c'est-à-dire sans travail de conscience[55]. Mémoire et conscience sont une seule et même chose. L'appartenance à une culture nationale implique l'appropriation, l'intériorisation et le partage d'un univers symbolique et culturel précis, c'est-à-dire un ensemble ou un noyau de base de représentations sociales caractéristiques et surtout la détention de la clé interprétative du sens de ces représentations[56]. Ce ne sont pas tous les contenus de la culture nationale qu'il est important de retenir, mais bien le système de liens qui organise ces contenus. Sans participation au réseau symbolique du collectif, l'attribution d'un sens aux actions (passées ou présentes) du groupe est impossible ou incorrecte : nous ne saurions pas lire, comprendre

---

53. Cornelius Castoriadis, *La institución imaginaria de la sociedad*, vol. II : *El imaginario social y la sociedad*, Barcelone, Tusquets Editores, 1989.

54. Walker Connor, *Etnonacionalismo*, Madrid, Trama, 1998.

55. Maurice Halbwachs, *La mémoire collective, op. cit.*

56. Denise Jodelet définit le concept de « représentation sociale » comme une forme de connaissance socialement élaborée et partagée, orientée vers la pratique, et qui contribue à la construction d'une réalité commune à un ensemble social. Les représentations sociales servent de cadre de perception et d'interprétation de la réalité et de guide du comportement et de situation des agents sociaux. Voir : Gilberto Giménez, « Materiales para una teoria de las identidades sociales », dans J. M. Valenzuela Arce (dir.), *Decadencia y auge de las identidades, op. cit.*

ou évaluer les faits. Se souvenir, dans le sens où nous l'utilisons, signifie aussi imaginer; c'est rendre présent à l'esprit, dans une trame symbolique partagée précise, une image de ce qui n'existe plus; c'est tenter de remplir notre intelligence d'un système complexe de représentations. L'absence dans la réalité (du fait rappelé), nous la remplaçons par la présence dans notre esprit. La chaîne conceptuelle du discours de la mémoire passe, nécessairement, au moins par ces trois maillons : la présence, l'absence et la représentation. La mémoire est donc toujours une mémoire réflexive. Elle doit relier absence et présence, distance et actualité; elle doit réussir, par l'effort intellectuel, à faire passer d'une représentation schématique à une représentation remplie d'images. Lorsque nous nous souvenons ou que nous ima- ginons, nous ne présentons pas (et nous inventons encore moins) mais nous re-présentons, nous transformons l'empreinte mentale en récit[57]. En transformant la représentation en récit, la dimension déclarative de la mémoire se charge d'interprétations immanentes au récit lui-même. Dans le cas de la mémoire collective, chaque sujet doit être capable de lier le processus personnalisé de représentation à la version ou aux versions socialement acceptées des souvenirs partagés (ce que Margalit[58] appelait la « version canonique »). Loin de reposer sur une simple « récupération » du passé, les identités sont les différentes façons dans lesquelles nous sommes placés et dans lesquelles on nous place dans les narrations du passé[59], des formes discursivement construites avec une capacité de configurer un sujet national. Pour cette raison, la réalité des identités nationales est mieux perçue par l'analyse des récits et les images de ceux qui représentent la communauté imaginée aux autres[60], c'est-à-dire les représentations que les sujets ont d'eux-mêmes.

---

57. D'après Ricœur, on pourrait assister à la création d'une chaîne séquentielle de la mémoire qui passe par l'empreinte, le signe, l'indice, le témoignage, le récit évocateur, jusqu'au document et au monument (deux des éléments que Nora considère comme des lieux de mémoire par excellence).

58. Avishai Margalit, *op. cit.*

59. Joshua A. Fishman, *Llengua i identitat*, Alzira, Bromera, 2001.

60. Anthony D. Smith, *op. cit.*

Par conséquent, la communauté nationale, dans la mesure où elle (ré)actualise et donne de la continuité au passé, est une communauté politique imaginée[61]. Toutefois, et nous insistons sur ce point, imaginer ne signifie pas nécessairement inventer des nations là où il n'en existe pas[62], créer une fiction ou falsifier[63], ou comme le dit Hobsbawm, pratiquer de la part des classes dirigeantes et de la bourgeoisie un exercice délibéré d'ingénierie sociale[64]. Les communautés nationales sont imaginées mais pas imaginaires. Toute forme d'identité culturelle (pas seulement l'identité nationale) implique une façon concrète d'imaginer, une façon d'utiliser les ressources intersubjectives du langage et de nous représenter culturellement. Anderson[65] caractérise la nation comme une communauté politique imaginée parce que les membres de la nation « ne connaîtront jamais la majorité de leurs compatriotes, ne les verront pas et n'entendront même pas parler d'eux. Toutefois, dans l'esprit de chacun, vit l'image de leur communion[66]. » Le collectif national est une abstraction de laquelle ses membres se font un concept (ou une image) et à laquelle ils s'identifient. De ce point de vue, la nationalité n'est rien d'autre qu'un mécanisme symbolique et communicatif autour duquel les individus peuvent s'imaginer comme une unité et s'identifier à leurs voisins[67]. Ce que nous faisons n'est rien d'autre que de nous construire discursivement à partir de ces descriptions de nous-mêmes auxquelles nous avons l'habitude de nous identifier. Nous sommes et nous nous décrivons grâce

---

61. Benedict Anderson, *op. cit.*
62. Ernest Gellner, *Naciones y nacionalismo*, Madrid, Alianza, 1994.
63. Elie Kedourie, *Nacionalismo*, Madrid, Centro de Estudios Constitucionales, 1988.
64. Eric J. Hobsbawm et Terence Ranger, *La invenció de la tradició*, Vic, Eumo, 1988.
65. D'après Anderson, ce qui, dans un sens positif, a rendu les nouvelles communautés « imaginables », c'est « une interaction plus ou moins fortuite mais explosive entre une forme de production et les rapports de production (capitalisme), une technologie des communications (empreinte) et la fatalité de la diversité linguistique humaine » qui favorise le monoglotisme. Pour une lecture détaillée, voir : Benedict Anderson, *op. cit.*, p. 63 et suivantes.
66. Benedict Anderson, *op. cit.*, p. 23.
67. Chris Barker, *Televisión, globalización e identidades culturales*, Barcelone, Paidós, 2003.

au langage : dans le langage et à travers lui. L'identité (nationale) finit par devenir une représentation ou une auto-image (ou un ensemble de représentations partagées) à laquelle nous nous identifions. (C'est pourquoi, dans la société actuelle de l'information, les combats politiques pour les identités se terminent souvent en batailles (narratives, culturelles) pour capter les identifications, pour avoir du pouvoir et produire ainsi le nous national et obtenir de l'autorité sémantique sur un groupe en particulier.)

Lorsque l'on associe mémoire personnelle, mémoire collective et mémoire historique, on représente narrativement une certaine herméneutique de la nation. La conscience d'appartenance et de continuité nationale donne lieu à la nécessité du récit de l'identité propre, dans la sélection soignée d'un ensemble de significations du langage susceptibles d'évoluer. Ce schéma dynamique du processus constitutif de l'identité nationale se complète avec l'idée gadamérienne de « fusion des horizons » dans laquelle, d'après le philosophe allemand, dans toutes les situations herméneutiques, trois horizons de base sont toujours présents : 1) l'horizon historique et culturel dans lequel les interprètes se situent ; 2) l'horizon du phénomène passé que les interprètes essaient de comprendre dans le présent (interprétation verticale) ; et 3) l'horizon extra-culturel avec lequel les interprètes entrent en contact (interprétation horizontale). Le schéma gadamérien permet de mieux comprendre les changements progressifs de signification de l'identité nationale dérivés de la constante interaction entre divers horizons[68]. C'est pourquoi Nora dit que la mémoire « est en évolution permanente, ouverte à la dialectique du souvenir et de l'amnésie, inconsciente de ses déformations successives, vulnérable à toutes les utilisations et manipulations, susceptible de longues latences et de soudaines revitalisations[69] ». Les narrations sont polysémiques et le

---

68. Dimitrios Karmis, « Pluralisme et identité(s) nationale(s) dans le Québec contemporain : clarifications conceptuelles, typologie et analyse du discours », dans Alain-G. Gagnon (dir.), *Québec. État et société*, tome 2, Montréal, Québec Amérique, collection « Débats », 2003, p. 85-116.

69. Pierre Nora, *Les lieux de mémoire, op. cit.*, p. XIX.

travail de réinterprétation est constant car nous projetons sur elles nos attentes et nos anticipations. La mémoire continue existante est une mémoire vivante dans la mesure où elle conserve la capacité d'inter-pellation, d'influence sur le présent, de maintien, grâce à ses nouvelles relectures, d'un niveau de signification nationale. La mémoire reste vivante dans la mesure où non seulement nous la reproduisons dans sa signification textuelle, mais également dans la mesure où elle finit par devenir une production des acteurs politiques du présent.

Les dangers de la mémoire

Le thème de la mémoire et de l'oubli collectifs (déjà référencés chez Renan[70]) et de ses dangers ou « maladies » comporte déjà plus d'une dimension. Nous pourrions en citer quatre vraiment valables dans la contemporanéité et qui affectent les sujets de façon très différente. On trouve, d'une part :

1. Les « assassins de la mémoire » (Yosef Haym Yerushalmi *dixit*), ceux qui ont prétendu ou prétendent toujours nier, aujourd'hui encore, l'existence du génocide juif (la Shoah), par exemple. Essayer d'effacer la mémoire, c'est inaugurer l'entrée dans l'inhu-manité ; et

2. Les « manipulateurs de la mémoire » (collective), ceux qui ont voulu l'instrumentaliser idéologiquement, surtout lors de la fonda-tion des États, lorsque certaines agressions et certains actes de conquête et de violence originaux sont légitimés plus tard par un État de droit précaire[71]. C'est, en fin de compte, l'histoire classique écrite par les vainqueurs.

3. D'autre part, il y a : Les « opprimés par les souvenirs », en d'autres termes cette oppression traumatique du souvenir (ou mémoire blessée) qui comporte trois sens :

---

70. Ernest Renan, *op. cit.*, p. 119-130.
71. Paul Ricœur, *La memoria, la historia, el olvido, op. cit.*

a) l'oppression des survivants de l'Holocauste, comme Yehuda Elkana, qui ont demandé à « apprendre à oublier », « éradiquer de nos vies l'oppression du souvenir[72] » ;

b) une oppression comprise comme un « excès de mémoire », comme un abus de mémoire ou une obsession du souvenir des humiliations subies qui finissent par déboucher malheureusement sur une remémoration autodestructrice (c'est le cas des guerres des Balkans ou des conflits en Irlande du Nord ou au Proche-Orient)[73] ;

c) l'oppression de ceux qui défendent la force critique et le témoignage interpellateur de la souffrance des victimes (*memoria passionis* : mémoire des vaincus, de la souffrance lointaine) comme impératif moral, comme orientation de base ou intention pratique pour toute action liée à la liberté de l'homme (c'est le cas de Walter Benjamin, Johannes Baptist Metz ou Reyes Mate). La mémoire des victimes devient une catégorie herméneutique centrale de toutes les théories et pratiques humaines libératrices : une mémoire morale qui transforme le souvenir de la douleur en nouvel impératif catégorique. Sont ainsi liés penser et peser, réflexion et souffrance, passion et compassion.

4. On compte enfin les « réprimés par les souvenirs », c'est-à-dire ceux qui fuient le passé, qui pratiquent « l'excès d'oubli », qui ont inhibé leur histoire par peur d'en assumer la responsabilité, ceux qui semblent craindre les contenus subversifs du souvenir, ceux qui vivent dans la prison mortifiante du souvenir sans être capables d'expliquer leur récit. Avishai Margalit[74] et Paul Ricœur[75] décrivent par exemple comment la population française,

---

72. Voir : Paolo Rossi, *El pasado, la memoria, el olvido*, Buenos Aires, Nueva Visión, 2001.
73. Paul Ricœur, « Le pardon peut-il guérir ? », *Esprit*, mars 1995, n° 210, p. 77-82 ; Paul Ricœur, *La memoria, la historia, el olvido*, *op. cit.*
74. Avishai Margalit, *op. cit.*
75. Paul Ricœur, « Le pardon peut-il guérir ? », *op. cit.*

dans ses efforts visant à protéger le prestige de la France face aux pénibles souvenirs de Vichy ou de la guerre d'Algérie, a réprimé ces derniers avec l'aide de de Gaulle, en les faisant disparaître de la place publique[76].

L'étude approfondie de ces exemples et d'autres encore nous permettrait de développer au moins quatre façons générales et différentes de traiter le passé : 1) celle du souvenir et de la mémoire ; 2) celle du silence et de l'oubli ; 3) celle de l'altération ou de la tergiversation ; et 4) celle du refus de le prendre en compte, de la volonté d'ignorer le passé[77].

Ce que nous souhaitons maintenant commenter et clarifier, c'est pourquoi la mémoire (collective) est si souvent accusée de pratiquer arbitrairement la manipulation.

---

76. Dans son dernier livre, W.G. Sebald présente un cas partiellement semblable à celui du peuple allemand : comment est-il possible de justifier, demande-t-il, que les Allemands aient imposé un réseau de silence sur les dommages provoqués par les bombes alliées (qui ont entraîné la destruction massive de villes comme Hambourg, Cologne ou Berlin) comme si, accrochés à leur désir de surmonter le passé, « nous étions un peuple étonnamment aveugle face à l'histoire » ? Voir : Winfried Georg Sebald, *Sobre la historia natural de la destrucción*, Barcelone, Anagrama, 2003. La Commission Vérité et réconciliation d'Afrique du Sud, menée par l'évêque Desmond Tutu, a justement essayé d'éclaircir et de rendre ces souvenirs traumatiques et réprimés conscients avec l'espoir que la révélation de la vérité sur le passé aboutirait à la réconciliation. Margalit propose que la communauté japonaise fasse la même chose avec les « femmes de réconfort », ces Coréennes obligées de se prostituer pendant la Deuxième Guerre mondiale. « Incorporer aussi ces femmes au souvenir partagé du Japon signifierait « leur donner la vie » en reconnaissant leur souffrance, faire un premier pas vers le repentir. » Voir : Avishai Margalit, *op. cit.*, p. 70.
    Il n'échappera à personne que cette conception narrativiste de la mémoire collective est influencée par la psychanalyse de Freud, qui affirme le besoin humain de raconter et de donner de la cohérence à nos histoires non exprimées et ce besoin de les rendre acceptables, de pouvoir donner de la voix à ce qui avait été rendu muet. Voir à ce sujet : Paul Ricœur, *Tiempo y narración I*, Mexico, Siglo XXI, 1985 ; et Mariano Rodríguez González, *El problema de la identidad personal*, Madrid, Biblioteca Nueva, 2003. Pour Freud, la douleur du récit contenu, du souvenir réprimé, disparaîtra avec la parole.
77. Antoni Defez, « Memoria, identidad y nación », dans A.M. Faerna et Mercedes Torrevejano (dir.), *Identidad, individuo e historia*, Valence, Pre-Textos, 2003, p. 287-300.

L'une des causes de l'attribution, parfois de façon erronée, du danger de fiction ou de manipulation de la mémoire, réside à mon avis dans la façon de comprendre comment se produit le processus de perception d'un vécu significatif pour un groupe qui entraînera ensuite le même acte de sélection des souvenirs. Il faut ici savoir que, comme nous l'avons vu dans le cas de l'identité personnelle, dans les processus d'identification, nous ne réalisons jamais une réception passive ou aseptique des impacts reçus ou des faits survenus (c'est-à-dire que nous ne tenons pas seulement compte de la production de l'affection); il existe toujours une réception active et adaptée à nos contextes de vie particuliers (ce que nous pourrions appeler les conditions subjectives de réception). Nous sélectionnons (c'est-à-dire que nous en retenons certains et nous en ignorons d'autres) et nous interprétons en même temps les éléments qui sont importants (positivement ou négativement) pour nous et, dans la mesure où ils déterminent des jalons sur notre parcours, nous persistons dans la volonté de les préserver et de nous en souvenir. Nous ne nions pas l'existence de certains événements, mais d'autres semblent exclus car ils ne sont pas suffisamment importants dans l'histoire que la nation se raconte[78]. C'est la raison pour laquelle certains (les Irlandais du Nord ou les Catalans) n'ont jamais oublié des événements précis[79] et d'autres (les Anglais ou les Espagnols par

---

78. David Miller, *op. cit.*
79. «En Ulster, en particulier, une bonne partie des tensions remonte au XVIIe siècle. Après une nouvelle série d'affrontements contre les catholiques irlandais, les Britanniques ont encouragé des Anglais et des Écossais à venir s'établir en Irlande du Nord pour apprivoiser les natifs. La population d'origine catholique a dès lors détesté les envahisseurs protestants, pas seulement parce qu'ils étaient protestants, mais aussi parce qu'ils étaient des étrangers avec des coutumes différentes et davantage de privilèges. À cette époque, comme aujourd'hui, les frictions étaient sociales et religieuses.» Au sujet de la célébration de la Fête nationale en Catalogne, le 11 septembre, l'historien Josep M. Ainaud de Lasarte signale que cette date «a été commémorée tout au long de l'histoire non comme la célébration d'une défaite (la chute de la ville de Barcelone aux mains des Armées françaises et castillanes de Philippe V)

exemple) n'ont jamais rien fait pour s'en souvenir ou pour les interpréter de la même façon. On attribue à l'évêque nord-américain Fulton Sheen la phrase suivante : «Les Anglais ne s'en souviennent pas, les Irlandais ne l'oublient pas[80].» L'oubli social et surtout institutionnel de la violence primitive fondatrice participe à la création de la plupart des États-nations. Pour cette raison, si la nation est une communauté de mémoire, on peut aussi dire que c'est en partie une communauté d'oubli[81]; mieux encore, c'est une communauté qui a besoin d'oublier l'oubli[82].

La devise inscrite sur les plaques d'immatriculation des voitures au Québec, «*Je me souviens*», joue avec le devoir de mémoire (la déroute des Plaines d'Abraham) en 1759, que le reste du Canada anglophone souhaiterait bien oublier[83]. Tzvetan Todorov a restitué récemment le

---

mais comme celle d'un peuple qui avait des libertés et des institutions auxquelles il n'a jamais renoncé et qu'il a toujours revendiquées» (Voir : Walker Connor, *op. cit.* p. 48; Luis Busquets et Carles Bastons, *Castilla y Catalunya frente a frente*, Barcelone, Ediciones B, 2003.)

80. Les défilés orangistes en Irlande du Nord, qui commémorent la défaite des catholiques par Guillaume d'Orange, constituent une preuve de provocation qui vient confirmer le fait que les identités nationales sont entretenues par les récits de défaite (Québec, Irlande du Nord, Catalogne) mais aussi, évidemment, par les récits de victoire.

81. Elías Palti, *La nación como problema. Los historiadores y la «cuestión nacional»*, Mexico, Fundo de cultura economica, 2003.

82. «Pour qu'une communauté existe, il est nécessaire d'oublier non seulement les antinomies du passé mais également (contrairement à ce qu'affirme Anderson) cet oubli. L'oubli (le «devoir d'oublier») implique une décision collective de ne former qu'un à partir de beaucoup; l'oubli de l'oubli (l'«avoir oublié») est, en revanche, le mécanisme spontané par lequel un sens d'identité est constitué. C'est dans ce deuxième oubli qu'est mise en évidence l'existence d'un authentique sujet national.» Sur cette même ligne, Stéphane Michonneau affirme que le «travail social de mémoire implique nécessairement le travail social de l'oubli : l'oubli n'est pas une absence de mémoire, ce n'est pas une non-mémoire mais «une mémoire à l'envers», une déconstruction de la mémoire inséparable du souvenir, comme le recto et le verso d'une même question.» (Stéphane Michonneau, *op. cit.*, p. 104). Pour plus de détails consulter : Elías Palti, *op. cit.*, p. 77-78.

83. «Le Québec est un pays de rêve pour un historien de la mémoire. Dans cette province dont la devise repose sur le culte du souvenir, nous retrouvons toute la panoplie des déterminations historiques qui condamnent une communauté

cas d'une étude réalisée en 1995 par l'historien nord-américain John Dower[84] sur les différentes méthodes utilisées aux États-Unis et au Japon pour se souvenir des événements liés à la bombe atomique lancée sur Hiroshima. Dower a démontré que la mémoire n'est pas neutre du point de vue de la morale. Ces événements ainsi qu'une sélection et une combinaison de ces informations ont laissé place à deux versions complètement différentes : « Hiroshima synonyme de victimisation » (Japon) et « Hiroshima synonyme de triomphe » (États-Unis). Les deux pays, de plus, avaient choisi des lieux de mémoire différents et les avaient mis en valeur dans leurs musées respectifs. Le *Smithsonian National Museum of Air and Space* de Washington avait choisi l'Enola Gay, l'avion qui a largué la bombe atomique sur Hiroshima et qui a mis fin à la Deuxième Guerre mondiale. Le musée d'Hiroshima, en revanche, avait choisi la gamelle d'un enfant de douze ans mort pendant le bombardement, retrouvée avec le riz et les haricots roussis par l'explosion atomique. Le Smithsonian a dû annuler une exposition sur le thème montrant la gamelle japonaise car les anciens héros nord-américains la considéraient comme une « offense à la mémoire[85] ».

Ce processus de perception et de sélection va au-delà de la tentation réelle et souvent abusive de falsification ou de manipulation de la mémoire historique. Il existe donc une certaine confusion entre le

---

menacée à ce que le poète Paul Éluard appelait le « dur désir de durer ». On retrouve une priorité attribuée obligatoirement à l'histoire comme volonté d'enracinement, comme continuité de la même chose, comme fidélité au passé [...]. Pour vous, la mémoire est l'expression d'une conquête. » Allocution de Pierre Nora le 23 juin 1999 à l'Université Laval à l'occasion de son doctorat *honoris causa*. Pour plus de détails, voir : Pierre Nora, « La perte et la conquête » http://www.ulaval.ca/scom/Au.fil.des.evenements/1999/06.23/nora.html (site consulté le 19 mai 2004). Voir aussi : Jocelyn Maclure, « Récits et contre-récits identitaires au Québec », dans Alain-G. Gagnon (dir.), *Québec : État et société*, tome I, Montréal, Québec Amérique, 1994, p. 45-64.

84. Toutes les informations et réactions relatives à cette étude de John Dower sont disponibles sur le site http://www.lclark.edu/~history/HIROSHIMA/dirc hi st.html.

85. Tzvetan Todorov, « La fiambrera y la bomba », *La Vanguardia*, 6 août 2003.

rôle joué par la mémoire dans la formation des nations et de l'identification nationale et la prétention scientifique de l'historien. «Oublier,
et j'ose le dire, mal interpréter l'histoire elle-même, sont des facteurs
essentiels dans la formation d'une nation», d'après Renan[86]. La phrase
peut être valable à condition de ne pas confondre le travail d'interprétation et d'évaluation des vécus significatifs pour nous (en tant
que membres d'une même nation) avec l'aspiration omnicompréhensive, analytique et critique des historiens. Notre vécu et notre
perception et estimation du vécu, transformés ultérieurement en
mémoire partagée, croyance et tradition, n'ont pas grand-chose à
voir avec l'essai scientifique, abstrait, externe et soi-disant neutre de
reconstruction historique des faits[87]. Ce qui est important dans la
mémoire nationale du passé n'est pas la vérité mais sa signification.
Ce n'est pas l'histoire rigoureusement écrite mais la perception
subjective des épisodes vécus ou émotionnellement transmis qui
finit par être importante dans la formation et la continuation des
nations[88]. Dans ce sens, pour la mémoire collective, l'authenticité

---

86. Ernest Renan, *op. cit.*, p. 121.
87. Nous pourrions étendre le commentaire aux géographes et à la topographie des
mémoires. Les géographes étudient l'espace vital (le territoire), là où les personnes
vivent. Un commentaire brillant sur le thème est disponible chez : Josep Gifreu, *El
meu país : Narratives i combats per la identitat,* Lleida, Pagès Editor, 2001.
88. Il n'empêche que l'une des tâches les plus importantes des historiens et des médias
actuels est précisément de récupérer des faits ou des épisodes importants du passé au
niveau national. En Catalogne, par exemple, plusieurs séries documentaires ou dramatisées ont été réalisées récemment et ont connu une forte audience, par exemple
La memòria dels Cargols (écrite par Lluís Arcarazo et Francesc Orteu entre autres et
interprétée par Dagoll Dagom), *Historias de Cataluña* (réalisée par Joan Gallifa et
Antoni Tortajada), *Tiempo de silencio* (d'après le scénario d'Enric Gomà, mise en scène
et réalisée par Xavier Borrell) ou les documentaires historiques mis en scène par Maria
Dolors Genovès, comme *Sumarísimo 477* ou *Cambó*. Consulter à ce sujet le dossier
sur « Las narraciones de la historia» publié dans *L'Avenç* (DDAA 2003). Soulignons
également la série documentaire en 16 chapitres *Dies de transició* (à la fin de la
période du franquisme et au retour de la démocratie en Espagne) réalisée par Francesc
Escribano, actuellement diffusée par Televisió de Catalunya S.A. et l'ensemble des
documentaires de Televisió de Catalunya S.A. de la collection «*La nostra memòria*»
publiés par *El Periódico de Catalunya* (à partir du 9 mai 2004). La collection comprend
les titres suivants : « Els nens perduts del franquisme» (I et II), «El convoi dels 927 »,

historique de la commémoration des croyances est secondaire, pour ne pas dire totalement inutile. Ce n'est pas la plus grande objectivité ou subjectivité du référent identitaire qui détermine son importance en tant qu'élément constitutif de l'identité collective mais son auto et son hétéro-appropriation symbolique[89]. Au sujet des croyances qui composent une identité collective, nous pouvons dire si elles sont plus ou moins efficaces, mais cela n'a aucun sens de vouloir évaluer leur vérité ou leur fausseté scientifique. Dans tous les cas, « le discours disqualifiant d'une identité collective réalisé à partir de la science est un discours de plus parmi ceux qui jouent à (qui luttent pour) dominer d'un point de vue social[90] ». J'ose dire que le pouvoir de la tradition, de chaque tradition, peut réussir à être tellement fort qu'il nous obligerait même à nous poser véritablement la question de savoir si les historiens ou les scientifiques sociaux peuvent se situer à l'extérieur ou au-dessus des groupes, surtout parce qu'eux-mêmes ont été formés par la mémoire et que le registre de leur regard est « situé », c'est-à-dire qu'ils partagent habituellement les représentations sociales de leur collectif d'appartenance ou de référence[91].

Les autres motifs de plainte de manipulation, de distorsion ou d'invention résident habituellement dans la violation des marges

---

« Operació Nikolai », « Els últims morts de Franco », « L'or de Moscou », « El Born, un vincle amb el passat », « Cuba, sempre fidelíssima », « Les fosses del silenci » (I et II).

89. Manuel José Valenzuela Arce (dir.), *Decadencia y auge de las identidades, op. cit.*

90. Alfonso Pérez Agote, « La identidad colectiva : una reflexión abierta desde la sociología » *Revista de Occidente*, n° 56, 1986, p. 76-90.

91. On trouve un exemple de ce que nous disons dans certains articles du dossier publié en 2001 par la *Revista de Occidente* intitulé justement « La Cataluña real ». Les auteurs, après avoir annoncé que tout nationalisme invente la nation (Miquel Porta Perales) ou présente une vision arbitraire (Antoni Puigverd) et qu'en Catalogne les intellectuels de la *Renaixença* et leurs héritiers ont construit une Catalogne idéale, prétendent ensuite présenter l'authentique « Catalogne réelle », c'est-à-dire la Catalogne non inventée. Pis encore, peu après ces affirmations, Porta Perales réussit à écrire que l'Espagne n'est pas une réalité politique « artificielle ». Pour plus de détails, voir : Miquel Porta Perales, « De la identidad a la ciudadanía », *ABC*, 22 août 2003. Comme l'affirme Ferran Sàez, « déconstruire est généralement un acte hygiénique d'un point de vue conceptuel. Déconstruire à la carte, *ad hoc*, c'est une preuve de

raisonnables de réinterprétation de la mémoire. Ce que Halbwachs appelait «les cadres sociaux de la mémoire» ne sont que les instruments utilisés par les individus conscients pour recomposer une image ou des ensembles d'images du passé afin qu'elles cadrent avec leurs besoins du présent[92]. Pour cela, ces redéfinitions de la tradition et de la mémoire «ne devraient pas être considérées simplement comme une invention ou une création des intellectuels car ce sont des tentatives d'unification de la compréhension des processus occidentaux de formation de nations» avec la redécouverte ou la réinterprétation du passé[93]. À partir des défis du présent, la mémoire collective assure en même temps la (volonté et le devoir de) pérennité du souvenir et de sa transformation. C'est la preuve aveuglante du caractère ouvert des identités nationales, c'est-à-dire qu'elles se transforment au fur et à mesure qu'elles sont liées à l'ensemble des médiations avec lesquelles elles interviennent historiquement. Dans la dimension ou prétention «véritative» de la mémoire on trouve, de façon inévitable, une certaine

---

frivolité intellectuelle et de manque d'honnêteté» (Ferran Sàez, *Què (ens) passa? Subjecte, identitat i cultura en l'era de la simulació*, Barcelone, Proa, 2003, p. 180). En d'autres termes, il n'existe rien de plus arbitraire d'un point de vue conceptuel que de considérer les identités nationales comme fictives puis de considérer les nationalités d'État comme non fictives. Au bout du compte, il semblerait que le caractère *inventé* de *toute* attribution collective soit valable uniquement pour *certaines nationalités*. Ce type de situation a également été expliqué par le phénomène que certains ont appelé «*la nature transparente du nationalisme accompli*» (Antoni Defez, «Memoria, identidad y nacion», dans A.M. Faerna et M. Torrevejano (dir.), *Identidad, individuo e historia, op. cit.*, p. 296), selon lequel les membres d'un nationalisme hégémonique ou institué (d'État) identifient seulement (ou disqualifient) comme des nationalistes ceux qui appartiennent à un nationalisme émergeant mais eux-mêmes ne se considèrent pas comme tels. Prenons l'exemple de José M. Aznar lorsqu'il déclare : «Je ne suis pas un nationaliste espagnol. Je suis juste un Espagnol convaincu!» (*Le Monde*, 10 mars 1999.)

92. Dans son étude sur la mémoire collective dans le christianisme, Halbwachs démontre comment, sur des périodes historiques différentes, l'apparence attribuée à des lieux sacrés change selon les espoirs et les besoins des groupes chrétiens qui décrivaient ces lieux. Voir : Maurice Halbwachs, *op. cit.*

93. Anthony D. Smith, *La identidad nacional, op. cit.*

dialectique entre l'exigence de fidélité aux faits, à l'évaluation de l'expérience du passé et de l'adaptation au présent. Les lieux de mémoire, pour continuer avec l'expression de Pierre Nora, peuvent augmenter ou diminuer en termes d'importance ou de signification en fonction des besoins présents des groupes nationaux.

Pour les nations donc, la mémoire devient une affirmation de son identité, une expression plus ou moins réussie de sa volonté de durer dans le temps et de combattre les tentatives d'effacement du souvenir (la mémoire empêchée, la mémoire obligée, la mémoire manipulée). C'est ce qui, en fin de compte, peut transformer la mémoire en projet[94].

Quelques situations de crise: conflit d'identités et identités en conflit

Nous souhaitons commenter, enfin, trois situations qui mettent en crise le maintien des identités nationales actuelles.

a) *La perception négative de l'identité collective elle-même*

Pour diverses raisons historiques, politiques et culturelles, plusieurs identités nationales entrent en crise en projetant sur elles-mêmes un sentiment contradictoire de désidentification et de perte d'estime de soi. C'est une perception qui crée de la frustration, source de démo-ralisation, de complexe d'infériorité ou d'auto-haine.

La Catalogne et le Québec, par exemple, ont vécu un processus semblable et parallèle de ce que Jocelyn Maclure appelle le « natio-nalisme mélancolique », fruit de la mémoire traumatique habituée à devoir lutter entre le long purgatoire de la « survie » et la menace cons-tante d'assimilation et de colonisation mentale[95].

Ce processus de minorisation dérivée de la défaite qui s'étend tout au long des derniers siècles (depuis 1714 en Catalogne et depuis 1759 au Québec) aurait favorisé le développement d'un ensemble de

---

94. Àngel Castiñeira, *Catalunya com a projecte*, Barcelone, Pórtic, 2001.
95. Jocelyn Maclure, *op. cit.*, p. 45-64.

traits pathologiques propres à la névrose identitaire ou à une profonde blessure dans la capacité d'autoreprésentation (comme l'autopunition, le masochisme, le mépris autoréférentiel, la dépression, le manque d'enthousiasme ou la fatigue culturelle) qui aboutiraient à la perte d'estime de soi, au complexe d'infériorité chronique et à une progressive aliénation nationale qui se manifesterait en une ambiguïté identitaire et politique, caractéristique en Catalogne et au Québec.

Maclure, en suivant les réflexions de Fernand Dumont, parle, en ce qui concerne le Québec, d'une identité problématique et confuse qui prend, depuis sa naissance, « la forme d'un avortement, d'une conquête, d'une subordination multidimensionnelle, de la lente mais progressive assimilation du regard dégradant de l'autre, de la constitution d'une conscience de soi fondée sur les sédiments du mépris et de la honte, et d'une ambiguïté, c'est-à-dire, d'une pusillanimité politique légendaire[96] ». En faisant un mauvais jeu de mots, nous pourrions dire qu'en partie également l'alié-nation catalane est le résultat d'une hiber-nation désespérante.

Il convient cependant de préciser que la perception négative de l'identité collective elle-même ne débouche pas nécessairement sur l'auto-haine ou l'apathie de la mémoire. Aleida Assmann[97], dans une étude généalogique sur la construction de la mémoire nationale et culturelle allemande (la *Bildung*), affirme que les souvenirs douloureux partagés d'Auschwitz constituent la catastrophe nationale qui a fait voler en éclats la mémoire culturelle des Allemands. Et cela, au lieu de transformer la mémoire des Allemands en mémoire apathique, a stimulé un intérêt aigu et critique pour la fonction complexe de la mémoire dans l'histoire de leur pays. Si, comme le dit Assmann, « après une destruction aussi fanatique que systématique de l'esprit communautaire, l'Allemagne se trouve, après son apocalypse, au niveau zéro

---

96. *Ibid.*, p. 52.
97. Aleida Assmann, *Construction de la mémoire nationale. Une brève histoire de l'idée allemande de Bildung*, Paris, Maison des sciences de l'homme, 1994.

pointé de la mémoire culturelle[98]», la question que les Allemands doivent se poser est bien de savoir de quelles traditions peuvent-ils encore se sentir les héritiers?

> L'idée de progrès et de continuité associée à la *Bildung* a été détruite de façon encore plus radicale par l'expérience du génocide des juifs organisé par l'État hitlérien allemand. Face à cette irruption de l'horreur dans l'histoire allemande, la *Bildung* reste muette. Elle ne peut être héritière comme une tradition mais elle doit rester comme un souvenir de l'histoire allemande[99].

L'identité nationale espagnole a aussi vécu une situation semblable en partie à cause de la longue série d'échecs historiquement exceptionnels qui l'avaient éloignée des mouvements bourgeois, industriels et des Européens instruits, et surtout de l'héritage du franquisme et du poids de la mémoire récente. Dans ce dernier cas, la tentative d'imposer une idée excluante et intolérante de l'Espagne qui identifiait de plus la langue espagnole à l'idéologie propre au régime autoritaire franquiste, a fait en sorte que la nouvelle démocratie espagnole se construit sur la base d'un sentiment national faible, complexé et souvent honteux et à partir de l'abandon apparent du message nationaliste. L'identification du nationalisme espagnol contemporain au franquisme et à ses caractérisations et connotations négatives (le national-catholicisme et ses axiomes (Espagne «brochoir d'hérétiques, lumière de Trento, épée de Rome, berceau de San Ignacio»), l'essentialisme, l'intégrisme, le traditionalisme, l'extrême-droite, le castillanisme, le militarisme institutionnel, l'antieuropéanisme et le centralisme uniformiste constituent la raison clé de sa délégitimation et de son refus au moins jusqu'aux années 1990).

C'est à partir de cette date, qui correspond à la projection publique de l'image d'une Espagne «normalisée, homologuée, réconciliée, démocratisée, détraditionalisée, européanisée et moderne» que l'on

---

98. *Ibid.*, p. 84.
99. *Ibid.*, p. 104.

semble être passé, en un peu plus de vingt ans, « de l'arrière-garde à l'avant-garde[100] », pour reprendre les termes utilisés par Emilio Lamo de Espinosa[101], que différents analystes ont détecté une tentative de récupération du patriotisme espagnol et de renouvellement du discours nationaliste de la droite comme de la gauche espagnoles[102].

Comme nous le disions, ce nouveau scénario, que certains historiens espagnols (comme Santos Julià, David Ringrose ou Isabel Burdiel) appellent « la fin du mythe de l'échec » et qui projette une autoperception complaisante et optimiste de la part de la population espagnole, est très lié au renouvellement du nationalisme espagnol. D'après Xosé Manoel Núñez, la droite libérale conservatrice essaie de s'alimenter et appelle à l'héritage historique du nationalisme libéral démocratique d'avant-guerre en redécouvrant les figures d'Azaña, de Madariaga et

---

100. Emilio Lamo de Espinosa, « La normalización de España », dans A. Morales Moya (dir.), *Nacionalismos e imagen de España*, Madrid, Sociedad Estatal España Nuevo Milenio, 2001, p. 155 et suivantes.
101. « C'est en 1998, 20 ans après la Constitution, que nous, les Espagnols, nous sommes rendus compte que nous avions consommé un grand projet politique national, le projet de modernisation et d'européanisation de l'Espagne [...]. Pour une génération comme la mienne, qui a été éduquée complexée par la singularité historique de l'Espagne, qui n'avait pas fait la révolution bourgeoise, qui n'avait pas fait la révolution industrielle, qui n'avait pas été intégrée à la science moderne, qui n'avait pas de patronat, qui n'avait pas été capable de mettre en place une économie capitaliste ou une démocratie, c'est un véritable soulagement de constater que tout cela s'est dissipé. Les Pyrénées ne sont en rien une frontière, nous n'avons pas de raison d'avoir honte et nous sommes normaux. » (Lamo de Espinosa, *op. cit.*, p. 177 et 184). Consultez le bilan similaire fait par Montserrat Guibernau, « Catalunya : comunitat política en l'era global », *Idees*, n° 6, avril-juin, 2000, p. 97-103. Pour Lamo, le véritable représentant de ce projet national est la victoire du PSOE en 1982, remportée par « une jeune génération d'Espagnols qui seront bientôt qualifiés de nationalistes, porteurs d'un projet de transformation nationale basé sur trois idées simples : changer (plutôt que conserver), moderniser (plutôt que traditionaliser) et européaniser (plutôt qu'espagnoliser). » (Lamo de Espinosa, *op. cit.*, p. 178.)
102. Voir : Xosé Manoel Núñez Seixas, *Los nacionalismos en la España contemporánea (siglos XIX y XX)*, Barcelone, Hipótesis, 1999 ; Juan Sisinio Pérez Garzón *et al.*, *La gestión de la memoria : La historia de España al servicio del poder*, Barcelone, Crítica, 2000.

d'Ortega y Gasset alors que la gauche appelle au régénérationisme, à l'européanisme et à la reprise d'un nationalisme républicaniste[103].

b) *Le manque de cohésion interne ou de capacité d'actualisation de l'identité nationale*

La crise de la mémoire collective peut provenir également d'une série de facteurs nouveaux :

1) La fin des paysans (la fin de la ruralité), la perte des lieux de mémoire, le vieillissement ou la non-signification de certains lieux de mémoire, la dégradation ou la limitation de la durée de vie des symboles. Les monuments, conçus au départ pour durer, deviennent irrémédiablement des témoins de l'éphémère.

2) Le développement de batailles culturelles internes (l'existence sur un même territoire de mémoires historiques collectives qui luttent pour interpréter différemment les événements et les personnes qu'ils prennent pour référence (voir la note 24)) ou de luttes symboliques entre des identités collectives en concurrence : des processus concurrentiels de construction identitaire.

3) La réaction à une sacralisation ou à une patrimonialisation abusive de la mémoire (officielle).

c) *La déstabilisation de la mémoire comme conséquence des processus de modernisation culturelle*

D'après moi, l'autre raison des crises des identités nationales est liée à certaines conséquences dérivées de la constitution du moi moderne basé sur le «fait d'assumer de façon volontaire une identité précise».

Pour l'usage moderne de la raison critique, il a toujours été difficile d'accepter, à la suite d'un choix relativement libre, une identité jamais débattue. Le sujet moderne se construit en partie à partir du

---

103. Xosé Manoel Núñez Seixas, *op. cit.*

contraste entre l'identité basée sur la tradition et imposée par elle. Cela a permis d'accentuer l'individualisme. Cependant, ce n'est pas tant la modernité en elle-même mais quelques-unes de ses conséquences ou déviations qui renforcent une certaine tendance individualiste. Charles Taylor appelle cela « Le malaise de la modernité », dont l'une des tendances (l'individualisme) repose sur l'idéologie des formes plus égocentriques d'autoréalisation[104], formes qui débouchent inévitablement sur l'atomisme social[105]. L'abandon des trois vertus inhérentes à la constitution du moi moderne (que Taylor appelle la dégradation de l'idéal moral de l'authenticité : la volonté, la liberté et la responsabilité) finira par contribuer au développement d'une identité narcissique, égocentrique et mystifiée, c'est-à-dire à certaines des pires formes de subjectivisme : l'identité banale-triviale, l'identité simulée.

Ferran Sàez décrit la contemporanéité à partir d'un double phénomène apparemment contradictoire, l'inflammation du moi et la dissolution du sujet ; l'exaltation simultanée et l'érosion du moi[106]. La conséquence, en ce qui concerne le fil argumentaire, est la fissure des appartenances collectives. La multiplication des voix du moi dans la modernité avancée rend plus difficile la poursuite du moi mais aussi la continuité d'un nous. La *struggle for self* est aussi un *struggle for us*. L'exaltation banale du moi contribue à la dissolution du nous. Une pseudolibération du moi paie le prix de la désinsertion sociale.

Le résultat, d'après Taylor, est la fragmentation, « un peuple de moins en moins capable de se fixer des objectifs communs et de les atteindre ». « Une société fragmentée est une société dont les membres ont de plus en plus de mal à s'identifier à leur société politique en tant que communauté[107]. »

---

104. Il suit en cela la ligne des auteurs comme Daniel Bell qui parle d'hédonisme, de Christopher Lasch qui parle de narcissisme, d'Allan Bloom qui parle d'égocentrisme, de Michel Foucault qui parle d'esthétisation du moi ou de Gilles Lipovetsky qui essaie de décrire les formes actuelles de l'individualisme postmoderne.
105. Charles Taylor, *op. cit.*
106. Ferran Sàez, *op. cit.*
107. Charles Taylor, *op. cit.*, p. 138.

En fin de compte, les processus de modernisation culturelle déstabilisent de façon accélérée la continuité des mémoires historiques en assouplissant et en restructurant davantage encore ses noyaux sémantiques. Le temps soi-disant homogène du récit national serait désarticulé. Des auteurs comme Raymond Williams et Néstor García Canclini ont parfois annoncé la possibilité d'une fracture entre ce qu'ils appellent une «identité (nationale) résiduelle» (entretenue par les membres d'une nation qui imaginent à partir du passé, rêvent toujours de la possibilité de rétablir cette unité imaginée et à ce que persiste un héritage historique des traditions) et une «identité émergente» postmoderne dont les défenseurs ne craignent plus de passer de la communauté imaginée à la communauté imaginaire, projetée dans un futur possible. Pour ces derniers, l'identité ne peut actuellement pas être donnée autrement que de façon contingente, partielle et fragmentée, ce qui implique aussi que la communauté principale d'identification (imaginée ou imaginaire) n'est plus la nation mais la minorité, les sujets marginaux, le groupe de jeunes, la tribu urbaine, le quartier, voire d'autres formes de communautés déterritorialisées véhiculant des micro-contre-récits capables d'articuler de nouvelles constructions discursives constituées d'identités anti-essentialistes, aléatoires.

La complexité et la multiplication de répertoires à portée identitaire, l'élargissement des cercles d'appartenance, la pluralisation des mondes de la vie et la nouvelle apparition, grâce aux médias, de formes d'assignation identitaire inédites (il faut dire au passage qu'Internet et les médias renforcent encore plus l'idée selon laquelle toute identité collective est une identité imaginée) : reterritorialisation, hybridation, interculturalité, cosmopolitisation d'expériences. Des éléments qui, dans la vision la plus pessimiste, rendent difficile la constitution d'une base cohérente et unitaire d'enracinement pour les sujets et, dans la vision la plus optimiste (à la Jürgen Habermas), protègent un sujet avec une capacité relative de discrimination, de sélection et d'assignation identitaire. Ce que l'on définit sous le concept d'identité posttraditionnelle.

CHAPITRE 3

« Où suis-je ? »
Exploration du champ des possibles et des moyens de la (re) composition du « vivre ensemble », préalable à toute construction nationale majoritaire

Louis Dupont

« Où suis-je ? » Question triviale ! Après tout, l'être rationnel normalement constitué ne possède-t-il pas la capacité de déterminer où il se trouve dans l'espace euclidien et de s'orienter en conséquence ? D'évidence, ce n'est pas dans ce sens que la question est posée. Ce *où suis-je ?* renvoie plutôt à l'espace sensible, comme lorsque, voyageur ou explorateur, on cherche des repères dans un lieu ou un milieu que l'on ne connaît pas ou ne reconnaît plus. Quasi instinctive, posée à part soi, la question est révélatrice de notre rapport à l'espace et au monde[1]. Elle dénote un besoin de se rassurer et un désir de connaître ce monde qui nous trouble ou éveille la curiosité. Pour le chercheur, j'y vois un point de départ méthodologique, un regard à partir duquel commencent l'exploration puis l'analyse du monde moderne et, plus particulièrement ici, les possibles et les moyens de la composition du « vivre ensemble ».

---

1. Le rapport de l'Homme à l'espace relève de la condition humaine du simple fait de ce que Merleau-Ponty appelait la « corporéité ». Les liens entre la pensée philosophique (ou religieuse) et la géographie ont fait l'objet d'une attention particulière de la part des géographes de la *Humanistic Geography*, notamment la phénoménologie et l'existentialisme. Voir : Edward S. Casey, « Between Geography and Philosophy : What Does it Mean to be in the Place-World », *Annals of the Association of American Geographers*, vol. 91, n° 4, 2001, p. 683-693. En français, voir les travaux d'Augustin Berque, notamment : *Être humains sur la terre*, Paris, Gallimard – le débat, 1996.

Pour Kant, l'espace est une représentation nécessaire *a priori* qui sert de fondement à toutes les intuitions externes. Il pose que si l'on peut imaginer un espace vide, il est impossible de se figurer une chose sans l'espace[2]. De même, il est impossible de se représenter une société sans son espace sensible, et donc sans processus de structuration du sens et sans significations. Considérons d'emblée le multiculturalisme. Ce dernier n'existe en réalité nulle part sur la planète, il s'agit d'un moyen parmi d'autres de donner un sens à la pluralité culturelle qui, elle, est manifeste dans presque toutes les régions du globe. Partant, on dira que le Canada n'est pas un pays plus multiculturel qu'un autre, par contre la majorité a choisi en 1971 de nommer autrement ce qu'elle appelait jusque-là la diversité culturelle, de lui donner un sens précis, puis de l'inscrire dans un cadre politique et un discours national, et d'en faire une pierre angulaire de l'identité canadienne postbritannique. Aux États-Unis, le multiculturalisme prend un tout autre sens, il est le discours dominant de la gauche progressiste pour lutter contre les discriminations dont des citoyens américains sont l'objet à cause de caractéristiques culturelles, raciales, sexuelles, etc. En France, le mot soulève généralement un rejet tant dans les cercles politiques qu'universitaires. Le *où suis-je?* interpelle ces espaces de significations.

Le texte qui suit est un mélange : théorique, anecdotique, analytique. Il s'inscrit dans l'objectif plus large de l'étude du projet de la modernité et de ses transformations, d'où je tente de saisir pourquoi les mondes résonnent, et les individus qui y habitent raisonnent, différemment, à l'égard des tensions culturelles et politiques engendrées par la modernité. J'aime y voir un rapport d'exploration, un va-et-vient entre des idées et des mondes qu'elles interpellent, mais dans lesquels elles n'ont pas la même résonance. Ce projet est indissociable de choix conceptuels, mais aussi de l'observation et de l'expérience de

---

2. Voir Emmanuel Kant, *Leçons de géographie*, Paris, Aubier, Bibliothèque philosophique, 1999. Il s'agit de la traduction des notes de cours de géographie du philosophe.

trois sociétés modernes : états-unienne, française et québécoise-canadienne[3]. Le texte est divisé en deux parties. Dans la première, je me penche sur les difficultés que posent les conceptions essentialistes des lieux et des groupes[4]. Une problématique des limites, conçues non plus comme un «jusque-là» de la substance (des essences, des identités), mais comme élément structurant des essences, sera à terme proposée. Dans la seconde, je me penche sur trois types de compositions du « vivre ensemble » dans le contexte de nations particulières, que j'analyse en termes de limites. Je discuterai enfin des conditions qui président à la (re)composition du « vivre ensemble » dans un contexte postnational. J'insiste sur trois points : le rôle de la majorité, les conditions de l'ordre et de la concorde, et le droit à l'indifférence.

Espace et essence

L'histoire étudie le temps des hommes. En phase avec la physique qui pose que le temps est linéaire et irréversible, la pensée historique se fonde épistémologiquement sur la continuité. L'historien divise le temps en périodes et se penche en détail sur des événements qu'il doit ensuite interpréter en les replaçant dans la séquence historique[5]. À

---

3. Je conçois que dans la réalité comme dans l'analyse, il est impossible de discuter de l'une (la société québécoise) sans évoquer l'autre (la société anglo-canadienne), ne serait-ce que pour ensuite les considérer distinctement dans leurs singularités. Du reste, sans qu'il s'agisse du même genre d'association, l'on ne peut non plus aujourd'hui parler de la France sans évoquer l'Europe, ou même du Canada et du Québec, sans parler des États-Unis ou de l'Amérique.

4. À ce stade du texte, je m'en tiens sciemment à l'expression générique «groupes», plutôt que «communautés», «ethnies», «cultures», qui sont fortement connotées dans certaines sociétés ou discours.

5. Le problème auquel fait face la pensée historique est que l'on ne connaît de l'Histoire que ce qu'en écrivent les historiens et les historiennes. Que leurs sources d'informations et leurs méthodes soient irréprochables ne change pas la nature du problème : l'Histoire qui se fait se confond avec l'histoire qui s'écrit. Pour se dégager de cette impasse épistémologique, les historiens ont recours à l'historiographie, soit l'analyse et l'étude de l'histoire des historiens. De cette façon, les écrits sont replacés dans leur contexte social et même personnel de production.

l'opposé, la pensée géographique est fondée sur la discontinuité, c'est-à-dire que la géographie existe comme discipline du savoir parce que l'espace n'est pas homogène ; il y a un « ici », un « là-bas » et des « ailleurs ».

Que ce soit en France avec l'analyse régionale ou en Allemagne avec la *Landschaftgeography*, les géographes ont d'abord cherché à répertorier et à décrire les différences sociales et culturelles, puis à les expliquer sur la base du rapport Homme/Nature. On expliquait les différences sociales et culturelles par la variété des moyens développés par les hommes et les femmes pour exploiter et transformer la nature. À la question *où suis-je ?*, la géographie, comme d'autres sciences sociales, a fini par répondre en essentialisant ses catégories d'analyse, soit les régions et les groupes humains qui les habitent. Je ne parle pas des stéréotypes, qui constituent la forme la plus simpliste de la pensée essentialiste. Je ne parle pas non plus du déterminisme, par lequel les différences culturelles découlent de facteurs naturels (le climat, par exemple). Le déterminisme a été en sciences sociales la plus répandue et peut-être la plus funeste des façons de fixer des « caractères nationaux », des « mentalités », ainsi que de réifier des territoires et des régions. L'archéologie de la pensée essentialiste est plus importante et ne se limite pas, loin s'en faut, à la géographie. En Occident, elle vient d'Aristote pour qui l'Homme et le *topos* (traduit communément en français par « lieu », mais qui peut aussi signifier « espace ») sont préalablement séparés et irréductibles ; le premier relève de la substance (l'être substantiel avec une identité préétablie), le second de l'apparence, du lieu réceptacle accessoire qui donne une forme relative à l'être substantiel. En découlent deux approches. Avec la première, l'attention porte d'abord sur la substance (l'identité pure, réelle, vraie, authentique et généralement prémoderne), que je cherche à définir et à délimiter : en clair, c'est ceci et non cela. Le regard se tourne ensuite vers les lieux où la forme qu'a prise la substance est plus ou moins conforme à la substance préalablement définie. Par exemple, je définis l'identité multiculturelle canadienne, puis je cherche dans la réalité historique et géographique ses manifestations les plus éclatantes. De cette façon, on peut arriver à dire que la diversité naturelle du territoire ne pouvait que produire de la diversité culturelle, et que cette dernière existait déjà chez les groupes amérindiens. Par contre, les inadéquations entre la substance préalable et la réalité apparente sont, au choix, passées sous silence, présentées comme un accident ou posées comme un obstacle ou un défi. Avec la seconde approche, je focalise d'abord sur l'apparence et j'en déduis la substance. Dans ce cas, soit je limite négativement la substance à ce qui est là, du genre « les Indiens sont irresponsables… » ou « les Canadiens français sont inaptes aux affaires…», soit je projette un au-delà de l'apparence dans une substance idéalisée, souvent en référence à une authenticité perdue ou à une substance transcendante et éternelle.

Dans son univers religieux, l'Europe chrétienne va faire de Dieu la seule substance et établir, hors du paradis terrestre perdu, un rapport de soumission de la nature à l'Homme. Sens et ordre viennent au Moyen Âge des Saintes Écritures et surtout de leurs exégètes. Pour beaucoup son héritier, le monde moderne – version classique, fin 19e siècle – proposera une variante humaniste de la substance où l'universel prime sur le singulier, et favorisera un contrôle des forces de la nature par la science et les technologies (la modernisation) : « Homme d'abord, Français par accident », disait-on à la fin du 19e siècle. En échange de la protection de ses droits fondamentaux par l'État moderne, on concevait que l'individu, transformé en citoyen, devait *a minima* adhérer à des valeurs communes et suffisamment partagées sur un territoire donné. Ce qui va se traduire dans la réalité par l'assimilation à une culture, « accidentelle » peut-être, mais préalablement définie. Dans la modernité avancée[6], l'intégrité de l'individu passerait aujourd'hui par la reconnaissance sociale de sa différence

---

6. Suivant l'analyse, la modernité des pays occidentaux est qualifiée de « modernité avancée », « post-modernité », « sur-modernité », ou encore « hyper-modernité ». Il existe des différences notables entre chaque notion, j'ai choisi « modernité avancée » parce que l'expression me semble moins connotée que « post-modernité ».

culturelle, posée comme un droit garantissant une citoyenneté pleine et entière. La culture est alors conçue comme un ensemble délimité de traits et de valeurs qui singularisent un groupe d'individus et conditionnent leur rapport au monde. Dans tous ces cas de figure, l'on sort difficilement d'une pensée des essences, y compris dans les sciences sociales où des modèles préétablis servent à qualifier les sociétés[7].

Or les essences enferment, elles faussent le jugement et l'exercice de la raison, notamment en ce qui a trait au concept général de nation et à la composition du « vivre ensemble ». Elles nous enferment dans des batailles d'essences qui nous font perdre de vue le rôle que l'individu et les groupes jouent dans la construction de la culture, à partir des transactions sociales. Il importe de s'en dégager[8].

Penser les limites

Il n'est pas nécessaire de recourir à la philosophie pour se rendre compte par l'expérience que nous éprouvons beaucoup de difficultés à ne pas essentialiser les lieux et les groupes. Cause ou effet, les mots et la langue verrouillent la pensée : « Les Canadiens sont… » ; « La Normandie est… » ; « Les femmes sont… » ; « Les gays sont… ». C'est commode et on s'en accommode trop souvent. La faute n'en revient peut-être pas à Aristote et à ses épigones. L'Homme a horreur du vide, partout où il est et où il va, les choses doivent avoir un sens, et s'il n'y en a pas, il se charge d'en trouver. Peut-on faire l'économie des essences ? Difficilement, pour les raisons que je viens d'évoquer. Par contre, il est possible d'éviter les enfermements en se penchant sur

---

7. Notamment avec les modèles qui, tout en permettant l'analyse et la comparaison, sont des moyens de caractériser les sociétés et les cultures. La pensée peut s'y enfermer comme dans les essences. Historiquement, quand elle ne produisait pas elle-même les essences, la science sociale a souvent contribué à l'élaboration de discours essentialistes. Voir entre autres : Benno Werlen, « Géographie culturelle et tournant culturel », *Géographie et cultures*, numéro spécial *Vu d'Allemagne*, n° 47, automne 2003, p. 7-44.

8. Voir Marco Martiniello, *Sortir des ghettos culturels*, Paris, La Bibliothèque du Citoyen, Presses de Sciences Po, 1997.

le rôle structurant des limites. En effet, plutôt que de partir de l'essence et de considérer son étendue «jusqu'à une limite», c'est-à-dire là où l'étendue cesse, il convient de concevoir les limites comme ce qui révèle l'essence et, surtout, ce par quoi les essences sont constituées et les groupes existent. Si j'affirme que «les Québécois sont pacifistes…», ne le fais-je pas en fonction d'une limite abstraite qui me permet d'exclure *a priori* les caractéristiques qui en feraient un peuple guerrier? Les Québécois sont-ils pour autant pacifistes de nature (de substance)? Ou le sont-ils par accident? Si j'affirme que «les Allemands sont pacifistes… », je le dirai avec assurance parce que je constate qu'ils ne sont plus guerriers. Étaient-ils auparavant guerriers par nature? L'étaient-ils par accident? Auraient-ils maintenant retrouvé leur «vraie» nature? Impasse. En fait, les Allemands ont choisi depuis 1945 de s'imposer une limite, «plus jamais la guerre», et ils se sont forgé une essence pacifiste et agissent par rapport à elle.

Dans le quotidien, l'expérience des limites me révèle les essences et me place devant des choix. Supposons que je sois invité à une soirée dans un lieu prestigieux où il est exigé d'avoir une tenue soignée. S'agissant de l'habillement, j'assume qu'il existe plusieurs façons (un champ des possibles) de répondre aux exigences selon ses goûts, son style et ses moyens. Je choisis de m'y présenter en jeans troués et t-shirt, mal rasé de surcroît. Est-ce que je dépasse les limites? On me le fera savoir en me refusant peut-être l'entrée ou, s'il n'y a pas de contrôle à la porte (l'équivalent de la loi), les gens se trouvant à l'intérieur qui se sont conformés (l'équivalent de la norme) me feront sentir que ma tenue est «déplacée» («*out of place*»). Que je pose ce geste en guise de protestation n'y change rien, au contraire, j'ai intentionnellement transgressé les limites pour contester une substance que préalablement je connais ou perçois. À l'inverse, si je me conforme, je suis «en place» («*in place*»), de la bonne façon au bon emplacement[9]. De

---

9. Les expressions anglaises «*in place / out of place*» rendent encore mieux compte de cette pratique des lieux et des limites (Tim Creswell, *In Place/Out of Place, Geography, Ideology and Transgression*, Minneapolis, University of Minnesota Press, 1996).

telles expériences sont constantes dans tous les secteurs de la vie sociale. Nous allons d'un lieu délimité et qualifié à un autre, d'un groupe défini à un autre. La pratique d'une société nous apprend ou nous fait sentir ces limites, que parfois nous respectons, instinctivement ou intentionnellement, que plus rarement nous nions ou transgressons, en en assumant les conséquences, ou que parfois nous ignorons totalement[10]. Une problématique des limites offre l'avantage de ne pas nier la nécessité présumée du sens et des essences, tout en supposant un rapport dynamique entre l'individu et les essences.

Est-il pour autant concevable de penser en termes de limites un système ouvert comme la modernité? En réalité, la modernité est un système ouvert parce que son espace de projection n'a pas de limites préalables, alors que dans les espaces sensibles de réalisation, des limites ont été constamment imposées, puis transgressées, ou repoussées. Considérons l'égalité, une valeur universelle. L'égalité est un horizon sans limite pour l'Homme, son application dans l'espace sensible des sociétés n'en fut pas moins constamment restreinte. Le droit de vote par exemple ne fut d'abord réservé en France et aux États-Unis qu'à un petit groupe de « citoyens éclairés », ceux qui possédaient des titres de propriétés. Il fut ensuite étendu à tous les hommes de trente, vingt-cinq, vingt et un, puis dix-huit ans et plus; certains aimeraient aujourd'hui abaisser cette limite à seize ans. Non sans difficultés, le droit de vote fut progressivement donné à toutes les femmes, aux Noirs, aux Juifs, aux Autochtones, etc. Certains écologistes parlent, métaphoriquement je l'espère, de faire voter les arbres et les animaux... À ces limites juridiques s'ajoutent

---

10. Dans un autre registre, le cas des îles, limite naturelle, est révélateur. À la réalisation qu'ils vivaient sur un territoire limité naturellement, les Anglais ont structuré le sens de ce qu'ils étaient, leur essence, autour de la notion d'«*insularity*», qui peut signifier une distinction, une distanciation et, certainement, le sentiment d'une complétude. Par ailleurs, les Anglais se sont constamment projetés hors de leur île, parfois avec un mal-être, parfois en contestant la petitesse (*petty*) de la mentalité insulaire tournée sur soi, parfois pour conquérir d'autres territoires. Cette tension, *inward/outward*, est au cœur de la culture et de la société anglaises.

d'autres restrictions imposées par la force ou par le système normatif du groupe dominant.

Cet exemple montre qu'il existe deux types de limites. Le premier est l'équivalent de la ligne d'horizon. Quand on regarde au loin, il y a toujours une ligne qui sépare un « ici », c'est-à-dire là où je suis, soit l'espace de réalisation, d'un « au-delà », où je peux me projeter (l'espace de projection)[11]. Ces deux espaces sont liés dans un rapport complexe. La ligne d'horizon révèle dans la modernité une tension entre l'horizon des valeurs universelles et la culture nationale. Le second type comprend les limites qu'une société se donne arbitrairement à l'intérieur de l'espace de réalisation. Elles montrent le rapport existant entre l'espace sensible et l'espace citoyen à travers la tension identité/citoyenneté.

« Vivre ensemble » et modernité

Dans la modernité classique, discuter du « vivre ensemble », c'est parler de la nation. Ce n'est plus le cas aujourd'hui dans la modernité avancée. Pour de nombreux observateurs, notamment dans l'anglosphère, la nation serait inapte à présider à la composition du « vivre ensemble » dans une société pluriculturelle (autrement appelée multiculturelle). Après avoir souffert de son détournement sous la forme du nationalisme, la nation apparaît dépassée face à la montée de deux faisceaux de forces. D'une part, les processus de globalisation, d'internationalisation et de mondialisation laissent penser que le monde s'uniformise inéluctablement. La mondialisation rapproche les pays et les cultures au point où les êtres humains des sociétés modernes avancées se projettent dans un monde sans frontières,

---

11. Platon appelait cet espace la *chôra*, elle induit un rapport à l'espace différent du *topos* aristotélicien. Il admet pour l'Homme un monde de l'absolu, accessible seulement par la pensée parce que sans lieu, utopique, et un monde sensible, seule réalité possible parce que consubstantielle des lieux où le monde advient. Voir : Augustin Berque, « Lieux substantiels, milieu existentiel : l'espace écouménal », communication au colloque *Les espaces de l'Homme*, Collège de France, 14 et 15 octobre 2003.

sans nations. Un nouvel horizon se dessine : «Citoyen du monde», clame-t-on dans les cercles progressistes de modernité avancée où les nations sont depuis longtemps confirmées[12]. D'autre part, on assiste à une montée des revendications sur la base de l'appartenance à un groupe culturel ou ethnique avant tout autre. Le «nous» est alors l'expression du partage de traits culturels, de valeurs et d'un sentiment d'exclusion, il ne renvoie plus à la nation et à son territoire, mais aux groupes par lesquels s'expriment les revendications sociales. Vue d'Europe et surtout de France, l'absence de valeurs communes nationales est une invitation à la dérive communautaire et à la dissolution du principe de l'intérêt général, ainsi que la réduction du citoyen en consommateur. L'opposition entre les deux thèses prend d'autres formes : nation culturelle contre nation civique ; nation monoculturelle contre nation multiculturelle ; culture nationale contre multiculturalisme. Or ce procès intenté à la nation n'est crédible que parce que l'on ne fait pas toujours la distinction entre le concept général de nation, qui fournit les paramètres pour composer le «vivre ensemble», et les nations particulières, là où pour de multiples raisons des compositions ont été incapables d'aller au-delà de leurs limites, arbitraires et souvent imposées[13].

---

12. J'ai assisté en 2001 à Londres à une conférence intitulée «The Deepening Integration of the Americas», organisée par le University College de Londres. Deux Britanniques sont venus entretenir les participants de leur «citoyenneté» mondiale. La réponse des Sud-Américains ne s'est pas fait attendre : «*Tear off your passport*» («Déchirez votre passeport») ; plus sérieusement, ils ont fait valoir qu'ils seraient prêts aussi à être citoyens du monde le jour où leur pays respectif serait aussi riche et stable politiquement que la Grande-Bretagne.

13. Une bonne illustration se trouve dans le texte principal de «Political Geography Debates, n° 6 : The Meaning of Nation : Quebec and Canada», écrit par Jan Penrose dans *Political Geography*, vol. 13, n° 2, mars 1994, p. 161-181. J'ai écrit une des trois répliques. L'hypothèse que défend Penrose est que la faillite des nations particulières invalide le concept général de nation ; je défends l'hypothèse inverse.

« Vivre ensemble » et concept général de nation

Le concept général de nation a d'abord permis de penser la nation comme le moyen idéal pour donner sens et ordre à des sociétés modernes. En quels termes? L'homme n'étant pas le bon sauvage de Rousseau, il porte en lui une part d'agressivité susceptible de s'exercer négativement contre les autres humains. Lorsqu'elle prend des formes violentes dans un territoire donné, l'agressivité envers l'autre est destructrice du lien social. Dans un espace débordant les frontières des États, elle est destructrice de l'unité de l'humanité. La fonction première de toute société consiste à contenir ce travers inextinguible de la nature humaine afin de remplir deux missions : empêcher sa destruction par elle-même, et empêcher sa destruction par d'autres, c'est-à-dire assumer la cohésion à l'intérieur et la sécurité extérieure, la concorde sociale et la paix avec les autres. Pour ce faire, il lui faut diffuser en son sein un sens du « vivre ensemble » et faire en sorte que les habitants vivant sur un territoire commun placent au-dessus des intérêts particuliers le sens du bien commun. L'intérêt général qui découle du sens du bien commun est à l'origine de l'espace citoyen, différent mais inséparable du champ des valeurs et de l'identité (l'espace sensible). Ce qui veut dire concrètement que suivant le concept général de nation, la nation est toujours civique et culturelle. Ce qui veut dire aussi que dans les nations particulières, il y a toujours une tension entre la part culturelle (identitaire) et la part civique.

Qu'est-ce que le « vivre ensemble »? Une manière de concilier le rapport citoyenneté/identité dans un espace de réalisation et par rapport à l'horizon des valeurs universelles de la modernité. Une composition sociale s'articulant autour de l'idée que des valeurs suffisamment partagées sont nécessaires pour qu'émerge et s'impose, dans l'espace sensible, un intérêt général, fondateur de l'espace citoyen, sans lequel le fonctionnement de la société moderne et démocratique est impossible. Parmi toutes les compositions possibles, une seule constante : l'existence d'une dynamique impulsée par un groupe, généralement majoritaire ou dominant (ou les deux). Je propose de revisiter ces compositions du « vivre ensemble » dans des nations confirmées à partir : 1) du rapport entre l'horizon des valeurs universelles de l'espace de projection et l'espace de réalisation des cultures nationales ; et 2) du rapport entre l'espace sensible et l'espace citoyen, où les tensions entre identité et citoyenneté doivent être conciliées.

1. Nation et nationalité

Sur le continent européen, la modernité a historiquement pris place dans des espaces sensibles de cultures territorialisées à l'horizon bien défini. Au cours du Moyen Âge, l'espace de projection de l'Homme européen oscille entre les promesses du ciel et la recherche du paradis terrestre perdu[14]. Selon l'endroit où l'on se trouve, ces cultures traditionnelles avaient déjà été plus ou moins altérées par le processus de modernisation qui précède l'avènement de la modernité. En effet, modernité et modernisation renvoient à deux processus qui ne sont pas nécessairement concomitants. La modernité relève d'une idée de l'Homme basée sur un système de valeurs au cœur duquel se trouve la raison ; la modernisation est l'application de la raison, au moyen de la science et de la technologie, à la transformation du monde matériel. Ainsi, bien avant que les penseurs modernes européens s'en prennent aux monarchies, les sociétés européennes étaient engagées, comme l'a montré Fernand Braudel[15], dans un processus lent de modernisation par la transformation des techniques et des modes de production, ainsi que par le développement du marché[16]. D'aucuns

---

14. Ce paradis terrestre perdu prendra la forme d'une recherche d'un ailleurs meilleur. Pour les historiens, la fin du Moyen Âge correspond à la découverte de l'Amérique, qui deviendra cet ailleurs meilleur de l'Europe. Les Européens ont en fait inventé et rêvé l'Amérique, les colons européens vont la réaliser. Et ce sont les États-Unis qui vont l'incarner, ils vont universaliser ce rêve européen. Pour ceux et celles qui sont restés en Europe, la recherche d'un ailleurs meilleur va passer par la contestation de l'ordre social féodal.

15. Fernand Braudel, *La dynamique du capitalisme,* Paris, Arthaud, 1985 ; et *L'identité de la France,* (3 vol.), Paris, Arthaud, 1986.

16. De même, aujourd'hui, des sociétés sont engagées dans un processus de modernisation, sans que la modernité ne bouleverse la culture et le système politique en

affirment au demeurant que ceci, la modernisation, explique cela, l'avènement de la modernité[17]. En Europe, on fait état d'un gradient est-ouest suivant lequel plus on va à l'est, moins ce processus avait affecté les cultures traditionnelles. Quoi qu'il en soit, la modernité va bouleverser le monde traditionnel en superposant un espace de projection basé sur les valeurs universelles à la singularité des cultures. La modernité perturbe de même le « vivre ensemble » traditionnel car elle offre à l'individu la possibilité de se libérer de l'emprise du local et de l'arbitraire de la culture traditionnelle. Facteur de désordre, ce processus de libération ne dégage pas pour autant l'Homme du besoin de raviver ou de recréer des mondes signifiants et ordonnés. C'est par la nation que la recomposition va être pensée. De Napoléon à la Grande Guerre, non sans l'aide du président Wilson, pour le meilleur et pour le pire, la tendance dominante en Europe a été de chercher à faire correspondre un territoire avec une « nationalité », de façon à favoriser l'émergence d'un intérêt général à partir du système normatif d'une nationalité unique ou dominante. On misait ainsi sur la capacité des nationalités d'arrimer dans la stabilité l'horizon des valeurs universelles de la modernité. Cependant, avec cette composition l'espace citoyen est intimement lié, dépendant même, de l'appartenance culturelle au groupe culturellement homogène. En bref, la citoyenneté dépend de l'identité. La nation se moule à la nationalité, qui ce faisant devient culture nationale. La nationalité, concept résiduel, va elle se confondre avec la

---

place. On pense à l'Arabie Saoudite, mais aussi à la Chine et à bien d'autres pays dits en voie de développement ou émergents.

17. Dans sa croisade pour sauver la République, attaquée de toutes parts par les Monarchies, Napoléon disait vouloir libérer les peuples des Empires de façon à ce qu'ils puissent devenir des nations. Ces peuples étaient appelés des nationalités, c'est-à-dire des peuples sans nations, dont le droit à l'autodétermination allait permettre de devenir des nations. L'usage de ce mot s'est perdu, justement parce que ces nationalités sont devenues des nations ; en langue française, la nationalité se confond aujourd'hui avec la citoyenneté, alors qu'en anglais on utilisera plus facilement « citizenship ».

citoyenneté. Avec cette composition, les minorités culturelles seront contraintes de s'assimiler ou de négocier une entente, légale ou tacite, qui se traduit généralement par un confinement géographique et un accès limité à l'espace citoyen. Dans le pire des cas, le nationalisme devient l'outil privilégié pour limiter l'exercice de la citoyenneté aux individus n'appartenant pas au groupe majoritaire ou dominant. Dans sa forme extrême, l'espace de projection de la modernité est réduit à celui du groupe dominant[18].

2. Nation et universalité

Le deuxième type de composition concerne la France et les États-Unis, les deux nations qui se sont le plus approchées de l'idéal de la nation moderne tel que le conçoit le concept général de nation. Il n'y a jamais eu d'ethnie ou de nationalité française préexistant à la nation, pas plus qu'il n'existe d'ethnie américaine. Existe cependant aux États-Unis un groupe anglo-protestant dominant et majoritaire, fondateur de la nation. En France, la Révolution, relayée par l'État républicain, a mis plus de cent ans, non sans difficultés et parfois de façon répressive, à réaliser la fusion des cultures locales territorialisées (normande, bretonne, vendéenne, aquitaine, alsacienne, etc.), qui va servir de creuset à l'assimilation des vagues d'immigrants d'origine européenne et généralement catholique (italienne, portugaise, espagnole, polonaise, etc.). En ressortira une culture nationale, républicaine, à vocation universelle. Aux États-Unis, le groupe fondateur mettra le même temps à fusionner les immigrants d'origine européenne qui constituent la très grande majorité des arrivants au 19e siècle. Les seules cultures territorialisées amérindiennes sont éliminées ou repoussées au fur et à mesure que se fait la conquête du territoire. Dans

---

18. Sur un territoire donné, un groupe minoritaire peut être dominant, mais au prix d'une limitation répressive de l'espace citoyen pour le groupe majoritaire. C'était le cas en Algérie française où l'espace citoyen était réservé à la minorité franco-européenne ; c'était aussi le cas en Irak où la minorité sunnite contrôlait l'État avec un espace citoyen presque nul, même pour la minorité, à l'exception de quelques clans.

ces deux pays, l'horizon des droits universels et les idéaux de la modernité ont servi de moteurs à la formation de la nation, au point où elle se conçoit tout entière en référence à l'horizon. On peut les qualifier de nations universelles. Au 19ᵉ siècle, la France, la « Grande Nation », s'autoproclame « Patrie des droits de l'Homme », autrement dit, le pays où l'espace citoyen est en principe accessible à toute personne de par sa qualité d'être humain. La phrase célèbre, « Ne rien donner aux Juifs en tant que Juifs, mais tout donner aux Juifs en tant que citoyens », illustre la portée universelle de la nation française. Les États-Unis, la « Grande Société », surpassent aujourd'hui la France dans cette prétention : universelles, la liberté et l'égalité sont ainsi devenues dans les discours présidentiels des valeurs américaines.

L'assimilation à la culture nationale est sans conteste la seule option concevable au 19ᵉ siècle. En fait, l'assimilation est le moyen de se libérer de son « accident » de naissance, de sa « différence culturelle », dirait-on aujourd'hui. Elle offre la possibilité d'être un citoyen, libre et égal à tout autre. En France, l'assimilation passe par l'école obligatoire laïque et un système normatif omnipuissant élaboré autour du prestige de la langue française et de la puissance de l'État, garant de l'intérêt général ; suivant la formule de Rousseau, il faut si nécessaire forcer les gens à être libres ! Aux États-Unis, l'assimilation passe avant tout par la ville et le marché où, plus vite on maîtrise la langue et les codes culturels, plus grandes sont les chances de succès[19]. L'État américain n'a jamais mis en place un quelconque système

---

19. La comparaison des listes d'étudiants et d'étudiantes à Paris et à New York est intéressante. Si on s'en tient à la fusion réalisée au 19ᵉ siècle, on remarque une symétrie presque parfaite du noyau central : d'un côté, des Dupont, Lemarchand, Rouillard, avec quelques Schirmer (nom allemand d'Alsace), Vermeesch (nom flamand du nord) et Poullouec (breton), auxquels s'ajoutent des Porto, des Gomez, des Santinelli, des Jashkevitch, etc., aujourd'hui tous plus français les uns que les autres ; de l'autre, on retrouve un noyau central de Smith, Thacker, Compton, McTavish, avec quelques noms à consonance allemande (Bush, Schwartzenegger, Eisenhower), auxquels s'ajoutent des Gonzales, Manuelli, Van Lent, etc., aujourd'hui tout aussi américains les uns que les autres.

facilitant ou imposant l'assimilation ; cette dernière se réalise, pour ainsi dire, par la force des choses. L'assimilation repose sur le rêve de la réussite individuelle dans un État garant des idéaux de liberté et d'égalité.

Néanmoins, au-delà de l'idéal inspiré du concept général de nation, ces nations particulières ont dû composer dans leur espace de réalisation avec des limites normatives et légales qui ont diminué ou bloqué l'accessibilité de certains individus à l'espace citoyen. Après sa défaite contre la Prusse de Bismarck en 1871, la « Grande Nation » française, humiliée, va se forger, grâce entre autres aux travaux des historiens et des géographes, une « culture nationale » en récupérant la diversité régionale et les cultures locales résiduelles que la République avait voulu écraser[20]. Matées, les différences culturelles régionales deviennent des variations originales d'une culture nationale transcendante. Une ligne d'horizon distingue maintenant l'espace de réalisation de la culture nationale et la nation universelle, avec pour conséquence un rapport plus tendu entre l'espace citoyen et l'espace sensible dominé par le système normatif de la culture nationale. Moins attractive, la culture nationale française éprouve aujourd'hui des difficultés à intégrer, et encore plus à assimiler, les immigrants et les enfants d'immigrants dont la culture et le profil racial ne cadrent pas avec la norme nationale. L'accès à l'espace citoyen est en conséquence limité. À bien des égards, le caractère exclusif de la culture nationale s'apparente parfois à celui de nations homogènes. Soit par aveuglement, soit parce qu'on privilégie le repli sur la culture nationale ou qu'on continue de croire à l'idéal de la nation, on accepte mal ou pas du tout que le système normatif de la culture nationale limite l'accès à l'espace citoyen. Malgré les bavures et les tensions permanentes, l'État français, garant de l'intérêt général, continue de penser

---

20. Dans le même temps, fort de sa victoire, Bismarck, Chancelier de l'Empire, lutte pour forger un État homogène en réduisant les particularismes culturels (*Kulturkampf*) et en forçant l'assimilation des minorités à une culture allemande nationale d'inspiration prussienne.

et d'agir en fonction de l'assimilation et des promesses d'un espace citoyen universel. Il est par exemple interdit en France de produire d'une quelconque façon des statistiques faisant état de la « différence culturelle »; il n'y a que des citoyens, des étrangers (immigrants) avec papiers et des étrangers sans papiers[21]. La loi limitant les signes religieux ostensibles à l'école de la république (en clair, le port du voile) est un exemple de cette volonté politique de forcer l'adhésion à la liberté et l'assimilation à la culture nationale. La « différence culturelle » relève du privé, elle ne trouve grâce aux yeux de personne comme base de revendications dans l'espace citoyen. Jusqu'à quel point le système normatif de la culture nationale peut-il changer? A-t-il atteint une limite infranchissable? Une limite qui obligerait la France à penser autrement la différence culturelle et à concevoir le « vivre ensemble » sur la base d'un rapport majorité/minorités? S'ajoute à cette difficulté le fait que la nation française n'est plus la seule responsable de l'espace citoyen, dont la responsabilité est partagée avec l'Europe. J'y reviendrai.

Aux États-Unis, ce n'est qu'au début du 20e siècle que l'État fédéral commence à tenir un discours identitaire autour de l'idée de *melting pot*, c'est-à-dire au moment où celui-ci est achevé. L'histoire des États-Unis au 19e siècle est au contraire une suite de tensions et d'affrontements entre des groupes d'immigrants et la majorité anglo-protestante qui, malgré l'horizon dessiné par la déclaration d'Indépendance et le *Bill of Rights*, avait dans la pratique une définition limitée de l'identité culturelle de la nation. À l'exception notable des catholiques du Maryland pendant la période coloniale, les Pères fondateurs d'origine britannique et protestante n'imaginaient pas autre chose qu'une nation où la citoyenneté était réservée aux descendants des

---

21. Un contraste inouï avec le recensement américain, où tout groupe culturel et ethnie sur terre semble s'y retrouver. Au grand étonnement des Français d'ailleurs, médusés de se voir ainsi ethnicisés et même divisés dans la catégorie « *ethnic origin* », devenue en 1990, « *ethnic heritage* », entre « *French Basques* », « *French non-Basques* », et « *French (others)* »; ce dernier sous-groupe regroupant les « *French Canadians, Acadians, Cadjuns, Caribbeans* », mais aussi les Belges.

colons et immigrants britanniques et protestants. Au cours du 19ᵉ siècle, il n'est fait aucun cas de la « différence culturelle ». Les catholiques irlandais, puis les Canadiens français, furent parmi les premiers à faire les frais d'une nation définie par et pour la majorité protestante. Il faudra d'ailleurs attendre l'élection de John F. Kennedy en 1960 pour que le doute sur la substance catholique disparaisse complètement de l'esprit des électeurs de la majorité. Kennedy dut faire un discours pour affirmer qu'il gérerait la nation par rapport à l'intérêt général et non par rapport aux vœux du Saint-Siège. Après les catholiques, les différences culturelles de toute nature des immigrants de l'Europe du Sud, puis de l'Est, vont constamment pousser les limites imposées par le système normatif de la majorité. Ces tensions culturelles et l'horizon universel de la « Grande Société » vont néanmoins radicalement transformer la nation anglo-protestante du 18ᵉ siècle. Avec le *melting pot*, l'État fédéral célèbre l'avènement d'une culture nationale résultant de la fusion des différences culturelles européennes. Cette dernière est célébrée parce qu'essentiellement parlant elle a disparu; ne demeurent acceptables que les signes et les traces non menaçants pour la culture nationale.

La limite du *melting pot,* la race, révèle son essence : *the official state identity* n'est plus anglo-protestante, mais blanche, chrétienne, d'origine européenne et anglophone. Dans l'espace de réalisation, l'exclusion raciale place *de facto* la culture nationale dominante dans un rapport majorité/minorités. Malgré l'horizon des valeurs universelles et américaines, jusqu'au milieu du 20ᵉ siècle les Noirs, les Amérindiens et les Asiatiques (Chinois) vivent en effet géographiquement et culturellement à la périphérie de la majorité et tous sont relativement tenus à l'écart de l'espace citoyen. Le mouvement des droits civiques va s'attaquer à cette exclusion qui s'appuyait autant sur le système normatif que sur la loi et la répression. Comme son nom l'indique, l'objectif du mouvement n'était pas à l'origine la reconnaissance de la différence culturelle, mais bien l'accès à l'espace citoyen pour les individus d'origine africaine descendants d'esclaves.

Le mouvement prendra cependant deux directions que vont incarner les deux leaders, Martin Luther King et Malcolm X. Leur parcours est riche d'enseignements sur le rapport entre espace sensible et espace citoyen. Au sortir, la différence culturelle va prendre un sens totalement différent.

King tient un discours moderne et citoyen qui repose sur une mythologie chrétienne tout à fait conforme au système normatif américain. Rien de ce qu'il raconte n'est étranger à la majorité des citoyens. Il veut l'égalité, il exige que tous les citoyens états-uniens soient jugés au mérite et non sur la couleur de leur peau. King ne demande rien d'autre que l'État fédéral agisse pour que les promesses de l'horizon d'égalité et de liberté s'appliquent à tous. Le pasteur méthodiste dénonce le racisme mais ne tient pas à s'aliéner la majorité ; par contre il s'en prend sans ménagement aux failles d'un système judiciaire que nourrit et renforce le racisme. Pas seulement dans le Sud où une loi d'apartheid est en vigueur, mais dans l'ensemble de la société américaine. D'inspiration anglaise, le système juridique états-unien n'a pas de code civil, au sens français du terme. Des droits civiques seront ajoutés graduellement à la Constitution qui, à l'origine, n'en contenait aucun. Cette situation démontre les limites effectives d'une société libérale dont la concorde sociale est basée uniquement sur les droits fondamentaux de l'individu abstrait. Par exemple, le droit à la propriété privée garanti par la Constitution donne le droit à un individu de refuser en toute légalité une chambre d'hôtel (cas le plus connu) ou un appartement à un Noir. En l'absence de droit civique, l'arbitraire et la norme font loi. King demandait à l'État fédéral d'agir dans le sens de l'intérêt général, et non du groupe majoritaire, en démantelant l'apartheid dans les États du Sud, et en adoptant une série de droits civiques qui contrecarreraient les excès du système normatif de la majorité. Ces droits civiques devaient donner aux Noirs les moyens nécessaires pour accéder de plain-pied à l'espace citoyen.

Malcolm X doutait quant à lui que la culture dominante puisse changer, il ne croyait pas que l'État ou la majorité pouvait assurer l'égalité aux « citoyens de couleurs ». Dans un discours mémorable, *The ballot or the bullet*, moins célébré que celui de King, Malcolm X proposait aux Noirs de prendre en main leur destinée afin de créer un rapport de force qui obligerait l'État et la majorité à leur assurer l'exercice plein et entier de la citoyenneté. Il s'attaque plus particulièrement dans ce discours au droit de vote. À l'époque, le droit de vote des Noirs était reconnu, mais la majorité utilisait toute sorte de subterfuges, légaux et répressifs, pour empêcher les Noirs de voter. Les bureaux d'enregistrement et de vote étaient par exemple situés dans des quartiers blancs qui leur étaient défendus ; s'ils s'y aventuraient, les Noirs risquaient d'être menacés physiquement, battus ou même tués. Malcolm X exigeait de l'État qu'il protège les citoyens de couleurs dans l'exercice de leurs droits, sinon ils devraient s'en charger eux-mêmes, d'où le *ballot*, le bulletin de vote, ou le *bullet*, la balle de fusil ! Tout aussi états-unien que King, le discours du leader de la *Nation of Islam* était bâti sur les grands textes révolutionnaires à l'origine de l'avènement de la république, y compris la déclaration d'Indépendance. La révolution ne s'attend pas, elle se fait.

Hormis cette volonté de s'opposer à la majorité par la force si nécessaire, Malcolm X inscrivait son action dans une vision assez juste de l'histoire du pays. Il avait compris que les immigrants de toute origine avaient été confrontés aux limites imposées par la majorité, puis s'étaient battus parfois violemment pour faire respecter leurs droits. Il constatait cependant que les Noirs étaient les seuls « immigrants » à ne pas avoir de culture ethnique, ou une solidarité ethnique, sur la base de laquelle ils pourraient se regrouper et rétablir le rapport de force. Les quartiers ethniques procuraient aux immigrants une sécurité relative, ils y trouvaient un milieu familier d'où ils pouvaient à leur rythme s'adapter à la société américaine, bref d'en apprendre la langue et les mœurs. L'idéal n'était pas de rester italien par exemple, mais de sortir à terme du quartier ou de la différence culturelle. Le projet social de la *Nation of Islam* était de renforcer les *black communities*, de leur permettre de s'enrichir en reprenant les commerces de quartier, de s'éduquer et de faire valoir leur différence. La différence culturelle devient alors quelque chose qu'il faut cultiver, une approche totalement différente de celle qui avait dominé jusque-là dans la société. Pour Nathan Glazer[22], c'est l'impossibilité de la société états-unienne à relever le défi de la race, doublée par la démarche de valorisation de la différence par les Noirs, qui est à l'origine de la pensée multiculturelle aux États-Unis. Dans la suite des mouvements de protestation contre la guerre du Viêt-nam, on assiste, d'une part, à une valorisation des *heritages* (ou origine ethnique) par des individus depuis longtemps assimilés à la culture dominante et, d'autre part, à l'affirmation des différences pour lutter contre la discrimination. Pour remplacer l'image conviée par le *melting pot*, de nouveaux termes apparaissent : « *clam chowder* », qui donne l'image d'une fusion partielle avec des morceaux irréductibles ; « *salad bowl* », qui évoque la cohabitation des différences dans un même ensemble social.

3. Nation et majorité

Après la France et les États-Unis, l'autre grande nation moderne de référence est la Grande-Bretagne où le « vivre ensemble » a été composé par et autour du groupe majoritaire et dominant, les Anglais. Sur le territoire de ce qu'on appelait les Îles britanniques, qui comprennent la Grande-Bretagne et l'Irlande, les Anglais ont d'abord réalisé une intégration des nationalités minoritaires en annexant, puis fusionnant partiellement, les trois nationalités minoritaires : ils conclurent une alliance avec les Écossais (en fait, les marchands écossais vont choisir la puissance de la Couronne anglaise et se placer au cœur de l'Empire) ; les Anglais vont s'imposer par la force aux Irlandais qui, même en résistant politiquement, n'en subirent pas moins l'attraction

---

22. Nathan Glazer, *We Are All Multiculturalist Now*, Cambridge, Harvard University Press, 1977.

de la culture anglaise dominante, au premier chef en adoptant la langue du conquérant ; quant aux Gallois, ils se sont progressivement fondus au groupe anglais, ne préservant aujourd'hui que des traits culturels non irritants. Contrairement aux Français, les Anglais ne se sont jamais souciés d'élaborer des mécanismes en vue de l'assimilation, la puissance de l'Empire et ses bénéfices ont suffi pour imposer la norme du groupe dominant. De la même façon, le « vivre ensemble » anglais n'exige pas des immigrants venus des colonies de devenir anglais, au sens culturel du terme, mais de s'intégrer adéquatement dans le système social hiérarchique et dans le marché. Les immigrants furent invités à s'inventer une culture ethnique et à vivre en satellite de la planète anglaise majoritaire qui, si les règles du jeu sont respectées, fait montre d'une grande tolérance à leur égard. Dans l'espace de réalisation britannique, l'espace sensible se situe complètement dans l'espace citoyen, mais dans une configuration où une planète anglaise domine des satellites rapprochés, les nationalités fusionnées, et des satellites plus éloignés, les cultures ethniques. Si l'on aime dire que le Royaume-Uni est composé de quatre nationalités, il est intéressant de noter qu'il y a quatre ans le gouvernement britannique n'a créé que trois parlements régionaux ; comme au Canada, la majorité, contrôlant le parlement « national », n'a pas besoin de parlement régional. Ce qui veut dire que tant que le statut du groupe majoritaire n'est pas remis en question, « l'autre » obtient avec sa différence culturelle un accès complet à l'espace citoyen. Le système s'appuie sur une cooptation des élites de chaque groupe, une minorité qui obtient le privilège de devenir anglais, et qui sert de relais entre la société majoritaire et les groupes minoritaires. L'universalité de la culture anglaise commande l'imitation, pas la fusion. Influencé par le paradigme dominant dans l'anglosphère, le premier ministre Tony Blair parle aujourd'hui de la société britannique comme d'une société multiculturelle. Il a raison, cependant en Grande-Bretagne, contrairement aux États-Unis, la différence culturelle n'a jamais été à la base de revendications sociales. Par ailleurs, plus nombreux que jamais, les groupes culturels exercent une pression de plus en plus grande sur le « vivre ensemble » composé par le groupe majoritaire et dominant. Les règles du jeu changeant, la tolérance légendaire des Anglais est mise à l'épreuve, comme le démontrent parfois les éruptions de violence urbaine dans plusieurs grandes agglomérations.

Que conclure de ces trois compositions du « vivre ensemble » national ? Premièrement, que du point de vue du concept général de nation, il n'y a pas de différences fondamentales. Dans chaque cas, quelle que soit sa composition, un groupe majoritaire dominant ou une culture nationale a présidé à la composition du « vivre ensemble ». Chaque fois, un aménagement entre l'espace de projection et l'espace de réalisation a été réalisé. Enfin, dans l'espace de réalisation, des tensions sont apparues entre l'espace sensible dominé par le groupe majoritaire et l'espace citoyen. Des limites ont été imposées, puis dépassées. D'autres apparaissent aujourd'hui infranchissables et remettent en question la composition du « vivre ensemble ». Deuxièmement, que dans les nations particulières, des différences notables existent dans les moyens et les possibles pour gérer les tensions résultant de l'arrimage particulier de l'espace de projection et l'espace de réalisation, et des limites imposées dans l'espace de réalisation.

Recomposition du « vivre ensemble » et pluralisme culturel

Dans la deuxième moitié du 20e siècle, les sociétés occidentales ont subi de profondes mutations qui remettent en cause les compositions nationales du « vivre ensemble ». Inutile d'insister sur les événements historiques : Deuxième Guerre mondiale, décolonisation, Guerre froide, chute du mur de Berlin. Le fait majeur qui nous intéresse est l'arrivée dans ces pays, et particulièrement aux États-Unis, de millions d'immigrants d'origine autre qu'européenne qui vont modifier considérablement la composition de la population. La donne a changé. Le « vivre ensemble » doit être recomposé sur la base d'un nouvel aménagement entre l'espace sensible et l'espace citoyen. Dans cette tâche, le concept général de multiculturalisme s'est imposé comme le nouveau paradigme.

J'ai participé il y a quatre ans à un ouvrage collectif avec des collègues états-uniens intitulé : *Comparative Perspectives on Ethnicity, Race, and Nation*[23]. Le livre rassemble un groupe multidisciplinaire d'auteurs qui analysent « comment les tensions se déploient entre l'État et les différents groupes ethniques, raciaux ou culturels qui le composent[24] », dans huit pays et sur cinq continents. Le livre est sérieux et les analyses sont solides. Il en ressort que les frontières des cultures et des pays sont arbitraires, que des phénomènes d'hybridité sont partout en cours au-delà des frontières concrètes et abstraites qui sont imposées, qu'enfin presque partout dans le monde le multiculturalisme est la norme : « La " multiculturalité " n'est pas un monopole états-unien ; pas plus que le multiculturalisme n'est le serviteur de la politique états-unienne de l'identité. Presque tous les pays et régions sont multiculturels[25]. » En conséquence, le multiculturalisme est une manière de penser le monde : « …il peut être utilisé comme mécanisme heuristique et point de comparaison pour la plupart des pays [...] Le terme " multiculturel " plutôt que " multiethnique " ou " multiracial " a un actif et un passif mais il est devenu courant en Amérique du Nord, et le reste du monde se l'est approprié[26]. »

L'introduction de mes collègues m'a laissé pantois. Entre 1990 et 1995, j'ai participé aux groupes de recherche et de discussion à l'origine de l'ouvrage ; mon texte a été écrit en France où je demeurais depuis trois ans. J'avais soudainement l'impression d'avoir vécu sur deux planètes, si semblables et si différentes. À un monde global, pensée globale ! D'une part, le discours multiculturaliste aurait été approprié

---

23. Louis Dupont et Nathalie Lemarchand, « Official Multiculturalism in Canada : Between Virtue and Politics », dans *Global Multiculturalism : Comparative Perspectives on Ethnicity, Race, and Nation*, Cornwell, Grant et Eve Stoddard, New York, Rowman and Littlefield, 2001.
24. *Ibid.*, p. ix ; traduction libre.
25. *Ibid.*, p. 1 ; traduction libre.
26. *Ibid.*, p. 2 ; traduction libre.

partout dans le monde ; de l'autre, le multiculturalisme constitue la réalité de tous les pays et régions du monde. On voit l'énorme problème épistémologique que posent ces affirmations : le monde était-il multiculturel avant que le discours multiculturaliste n'émerge comme paradigme dominant[27]? Force est de constater que dans tous les pays où il est présent, le multiculturalisme est la solution du groupe majoritaire (avec des variantes canadiennes, états-uniennes, australiennes, etc.) pour recomposer un « vivre ensemble ». À ce titre, le concept général de multiculturalisme ne diffère pas du concept général de nation, il force par contre les nations particulières à repenser le rapport identité/citoyenneté. Le groupe majoritaire (et peut-être dominant) demeure le maître d'œuvre du « vivre ensemble » dans la société pluriculturelle mondialisée. Le principal changement qu'apporte la société pluriculturelle est que le groupe majoritaire ne peut plus s'imposer, comme on l'a vu plus haut dans l'examen de certaines nations. Le groupe majoritaire doit négocier. Qu'est-ce qu'il doit négocier? Trois choses : l'intérêt général, le droit à l'indifférence et la concorde sociale.

1. L'intérêt général

La particularité des sociétés pluriculturelles est qu'elles doivent faire émerger un intérêt général à partir de valeurs communes ou de valeurs

---

27. Ce qui explique peut-être que l'on s'accommode de curieux paradoxes. Exemple. Le discours multiculturaliste a été utilisé pour justifier l'intervention armée en Serbie : les Serbes, renouant avec un nationalisme rétrograde, s'attaquaient à la réalité pluriculturelle des territoires de l'ex-Yougoslavie. Le comble a été atteint à Sarajevo où les Serbes cherchaient effectivement à détruire le tissu pluriculturel de la société. Paradoxalement, les Accords de Dayton pour la Serbie reprennent la recette wilsonienne de l'adéquation entre territoire-nationalité-État, à la différence cette fois que l'objectif est à terme de créer un État confédéral. La leçon de *realpolitik*: pas d'ordre sans nation dont le vivre ensemble repose sur un groupe dominant (nationalité ou ethnie). Sarajevo était-elle multiculturelle? Il n'y avait du moins pas de « vivre ensemble multiculturel ». Les groupes culturels vivaient côte à côte et les individus interagissaient sur la base de leur appartenance : il n'y avait aucun autre possible dans une société communiste où la mobilité de la population était inexistante.

partagées par les groupes culturels minoritaires (et peut-être dominés). Et la négociation ne se passe pas uniquement entre citoyens d'un même horizon culturel, mais implique des groupes culturels. Dans l'espace sensible, le groupe majoritaire doit tenir compte du fait que le système normatif qu'il impose, ne serait-ce qu'en vertu du nombre, ou la culture nationale qu'il domine, peut limiter l'accès de l'Autre à l'espace citoyen. En contrepartie, négocier l'intérêt général l'oblige de même à imposer des limites aux revendications particulières des groupes culturels, ou à édicter des conditions à leur acceptation. Dans les sociétés modernes, il s'agit *a minima* de la liberté, de l'égalité et du règne du droit issu du processus démocratique et d'un gouvernement représentatif. Mais il peut s'agir aussi de certaines caractéristiques culturelles de la majorité.

Aux États-Unis, depuis Lincoln les présidents répètent inlassablement à leurs concitoyens que « quelles que soient nos différences, il y a plus de choses qui nous rassemblent que de choses qui nous séparent ». C'est plus qu'un discours, c'est le texte fondateur de la pensée états-unienne par rapport à la différence. L'idée est simple et pour cette raison adaptable à tous les pays et presque toutes les situations. Elle contient une bonne dose d'universalité qui ne se comprend que dans le contexte états-unien, ailleurs elle tombe souvent à plat car elle réduit la compréhension des problèmes politiques. Ce que nous dit ce discours est que toute différence est acceptable et respectable, à la condition d'accepter que l'intérêt général l'emporte sur les particularismes. La principale difficulté que pose cette pensée est que le groupe majoritaire discute rarement de son identité, il est plus préoccupé de savoir « jusqu'où peut aller l'autre » dans sa différence. Le minoritaire a quant à lui l'obligation de s'expliquer et de faire la preuve de ce qu'il avance.

2. Le droit à l'indifférence

La différence culturelle dont on parle tant n'est pas un droit *stricto sensu* ; il s'agit d'une revendication devenue légitime dans les nations effectives pour lutter contre les discriminations – les limitations arbitraires – dont sont l'objet des individus sur la base de traits culturels, raciaux, linguistiques, sexuels, etc. Le droit à la différence est une étape, pas une fin ; sa contrepartie possible est le droit à l'indifférence. Sans droit à l'indifférence, le droit à la différence enferme le regard porté sur l'Autre dans un *a priori* le reliant à son appartenance, et en conséquence fausse la connaissance de l'Autre. En revanche, le droit à l'indifférence donne à tout individu le droit d'être regardé simplement comme un citoyen : il assure ainsi la liberté et l'égalité de la personne humaine au-delà de sa différence, lui permettant de déployer une fraternité ouverte sans idées préconçues.

Dans le meilleur des cas, on considérera que l'individu est libre d'adhérer ou non à un « nous », il pourrait même en changer, mais peut-il cependant choisir de n'appartenir à aucun « nous » ? Dans un système social où le droit à la différence est à la base des revendications, l'individu sans essence affichée ne devient-il pas un marginal social ? Du reste, sans qu'on lui demande généralement son avis, la donne sociale lui assigne un groupe ou une culture. La culture de la différence culturelle peut être alors un enfermement, une essence dont l'individu voudra se libérer, ou encore un refuge, prétexte à l'irresponsabilité personnelle[28]. Le caractère pluriel de toute identité authentique signifie le refus de s'enfermer dans une représentation unique, par exemple dans un seul drapeau ou blason ; l'identité ne trouve son équilibre que dans une pluralité de représentations.

3. Ordre et désordre

Le troisième point est la concorde sociale. Il est vain de clamer le droit à la différence et le respect des autres si ne sont pas revues les conditions qui ont tenu socialement et culturellement l'Autre en situation relative de domination. Partout, les nations effectives actuelles

---

28. Citons la formulation de Condoleezza Rice, originaire de Birmingham, en Alabama, « l'une des villes où la ségrégation atteignait une sorte de sommet dans l'ignominie » : « Je préfère être ignorée que prise en charge », *Le Monde*, 4 janvier 2002, p. 9.

existent parce qu'un groupe a pu imposer un ordre ou une mise en ordre social des individus et des groupes culturels sur un territoire donné. Une limite imposée, qu'elle soit normative, constitutionnelle ou répressive, est une menace à la viabilité du « vivre ensemble ». C'est un facteur de désordre. Les hommes et les femmes libres qui n'acceptent pas qu'une limite existe sans être négociée au préalable chercheront à la transgresser. Le fédéralisme offre en principe la possibilité de faire coexister différentes compositions du « vivre ensemble » dans un même espace politique. Dans ce cas, obligation est faite aussi de négocier les conditions de la coexistence, qui ne doit pas reproduire la situation relative de domination préexistante.

Conclusion

Les excès du nationalisme et les difficultés des nations particulières n'invalident pas le concept général de nation. Il demeure le moyen privilégié pour composer ou recomposer le « vivre ensemble » dans les sociétés modernes et démocratiques. Le pluralisme culturel pose cependant un défi aux nations. La transformation rapide de la composition de la population de certains pays n'explique pas seule les difficultés des nations à intégrer, voire assimiler, les minorités culturelles. Des nations existent parce qu'elles ont pu imposer des limites assurant la concorde sociale et l'émergence d'un intérêt général. Aujourd'hui, les groupes majoritaires doivent aménager la pluralité des cultures en négociant avec l'Autre ce qu'hier ils pouvaient imposer. Le droit à l'indifférence m'apparaît particulièrement important. Si le droit à la différence permet à des individus de se distinguer et de faire valoir leurs revendications, le droit à l'indifférence permet de sortir des ghettos, d'être un citoyen. Le droit à l'indifférence rétablit l'équilibre entre identité et citoyenneté, notamment dans les sociétés dont le « vivre ensemble » est qualifié de multiculturel.

En terminant, on ne peut qu'être inquiet de la situation des pays d'Europe centrale et de l'Est. Devenus ou redevenus souverains, ces pays doivent dans le contexte actuel composer un « vivre ensemble » en consolidant une nation autour d'une nationalité majoritaire, tout en répondant aux exigences internationales en ce qui a trait aux minorités culturelles et au pluralisme. De plus, leur situation économique n'est pas favorable. À ce compte, il aurait été impossible pour beaucoup de nations confirmées d'exister ! Plus riche, la société québécoise oscille entre deux « vivre ensemble ». Un dont elle ne peut plus négocier les conditions et l'autre pour lequel elle n'a pas tous les moyens de la mise en œuvre. Le multiculturalisme canadien ne tolère pas qu'une autre forme de « vivre ensemble » pluriculturelle puisse coexister sur le territoire canadien.

CHAPITRE 4

Les majorités nationales dans les nouveaux États : relever le défi de la diversité

Jouer à la sage-femme lors de la naissance d'un nouvel État est une entreprise redoutable même pour la plus audacieuse des élites révolutionnaires, mais créer une nouvelle nation est un défi encore plus exigeant. Pour faire référence à une observation maintes fois citée de l'écrivain nationaliste et ancien premier ministre piémontais, Massimo d'Azeglio : « L'Italie est faite, il nous faut maintenant faire les Italiens[2]. » À plusieurs égards, cette formule ressemblait au défi qu'un nouvel empire plus au nord s'apprêtait à relever : comment transformer les Bavarois, les Saxons, les Prussiens et les autres en vrais Allemands. Cela ressemblait aussi au processus, moins spectaculaire mais non moins signifiant, qui était en cours plus à l'ouest : le processus qui visait à transformer les « paysans en Français[3] », pour utiliser le titre évocateur du livre d'Eugen Weber, ou à « forger la nation[4] » des *Britons*, pour reprendre le titre métaphorique de l'ouvrage de Linda Colley[5].

---

1. L'auteur aimerait remercier Zdenek David pour les commentaires et les conseils formulés à la suite de la lecture d'une version préliminaire de ce texte.
2. Christopher Seton-Watson, *Italy from Liberalism to Fascism 1870-1925*, Londres, Methuen, 1967, p. 13.
3. Eugen Weber, *Peasants into Frenchmen : The Modernisation of Rural France, 1870-1914*, Stanford, CA, Stanford University Press, 1976.
4. Linda Colley, *Britons : Forging the Nation, 1707-1837*, New Haven, Yale University Press, 1992.
5. Le grand débat sur les distinctions entre « national », « ethnique » et « ethnonational » dépasse le cadre de ce texte.

Ces processus peuvent fort bien avoir été universels tout au cours de l'ère de la construction des nations depuis le 19ᵉ siècle. Si de nouveaux États ont été créés par suite des vagues de révolutions politiques, de nouvelles nations ont également vu le jour en tant que partie prenante d'un processus de régénération socioculturelle. Pourtant, il est probablement juste de dire que, dans aucun des cas, ce processus n'a entièrement réussi à garantir l'émergence d'une « nation » monoculturelle loyale envers l'État dont elle est le partenaire. Dans tous les cas, des fragments non assimilés sont restés et ceux-ci représentent, à divers degrés, un défi pour les autorités étatiques[6].

Le but de ce chapitre est d'explorer l'éventail des perspectives qui ont été (et qui continuent à être) adoptées par les leaders de la population démographiquement dominante ou de la « nation » dans de tels cas. Dans certaines situations, ce projet est facilité par la rhétorique du groupe national dominant. Les leaders de certains mouvements nationalistes ont opéré une distinction entre l'État et la communauté majoritaire ou « nation », et se sont consciemment efforcés de mobiliser cette dernière en vue d'accroître son pouvoir au sein de l'État et de limiter celui-ci à ce qu'elle définit comme « la volonté de la nation ». Telle fut la position du mouvement nazi en Allemagne et du mouvement fasciste en Italie ; chacun d'eux reposait sur un mélange idéologique de nationalisme radical antilibéral et de socialisme antimatérialiste[7]. Ce qui a été décrit comme « un curieux phénomène de communautés ethniques numériquement dominantes qui manifestent un « complexe de minorité » » a aussi été observé ailleurs dans le monde : le nationalisme du bouddhisme sinhala au Sri Lanka, le mouvement hindutva en Inde et le bhumiputraisme parmi les Malais de Malaisie

6. Pour un exposé saisissant portant sur la relation entre l'État et la nation, voir : Michael Keating, « So Many Nations, so Few States : Territory and Nationalism in the Global Era », dans Alain-G. Gagnon et James Tully (dir.), *Multinational Democracies*, Cambridge, Cambridge University Press, 2001, p. 39-64.
7. Zeev Sternhell, Mario Sznajder et Maia Asheri, *The Birth of Fascist Ideology : From Cultural Rebellion to Political Revolution*, traduit par David Maisel, Princeton, NJ, Princeton University Press, 1994, p. 9-14.

en constituent des exemples[8]. Ironiquement, même si le nationalisme majoritaire se fixe typiquement pour objectif de renforcer l'État avec lequel il s'identifie fortement, son programme a habituellement l'effet contraire et pousse les minorités à envisager la quête d'une plus grande autonomie, voire même de la sécession. Des exemples de ce phénomène ont été relevés dans l'ancienne Yougoslavie[9] et au Canada[10].

Pourtant, il est plus commun de connaître des difficultés considérables lorsqu'on tente d'isoler la perspective d'une communauté « majoritaire » de celle de l'État lui-même. Le fait que le mariage État et nation soit consommé dans tellement de sociétés contemporaines signifie que les chefs d'État sont généralement aussi les principaux représentants de la nation majoritaire et vice versa. Bien que la distinction entre l'État et la nation majoritaire soit conceptuellement claire, il est beaucoup plus difficile de maintenir une telle clarté au niveau de l'analyse idéologique : les deux catégories tendent à être coextensives et leurs positions et priorités idéologiques respectives sur la question des minorités nationales peuvent être difficiles à délier. Pour cette raison, nous sommes habituellement obligés de limiter notre attention aux politiques adoptées par l'État lui-même et à la position idéologique dans laquelle elles sont ancrées, et d'utiliser ces éléments pour déduire le point de vue des élites au sein de la population majoritaire. Cela étant, nous sommes aidés par le fait que les politiques particulières

---

8. Joanna Pfaff-Czarnecka et Darini Rajasingham-Senayake, « Introduction », dans Joanna Pfaff-Czarnecka, Darini Rajasingham-Senayake, Ashis Nandy et Edmund Terence Gomez (dir.), *Ethnic Futures : The State and Identity Politics in Asia*, New Delhi, Sage, 1999, p. 13.

9. Daniele Conversi, « The Dissolution of Yugoslavia : Secession by the Centre ? », dans John Coakley (dir.), *The Territorial Management of Ethnic Conflict*, 2ᵉ édition, Londres, Frank Cass, 2003, p. 264-292.

10. Alain-G. Gagnon, « Undermining Federalism and Feeding Minority Nationalism : The Impact of Majority Nationalism in Canada », dans Alain-G. Gagnon, Montserrat Guibernau et François Rocher (dir.), *The Conditions of Diversity in Multinational Democracies*, Montréal, Institut de recherche en politiques publiques, 2003, p. 295-312.

suivies par les États ainsi que leur justification idéologique tendent à être concrètes et faciles à reconnaître, en plus d'avoir été scrutées de près par l'analyse universitaire[11].

Toutefois, notre intérêt premier ici concerne d'abord la culture politique plus diffuse de la majorité ethnique dont les politiques étatiques reflètent les valeurs et les priorités. Pour aborder le sujet, nous pouvons débuter avec une typologie familière. Comme on le sait, les analystes distinguent habituellement deux modèles de nationalisme qui ont des implications radicalement différentes quant aux attitudes envers les minorités : le nationalisme « civique » et le nationalisme « ethnique »[12]. Cette dichotomie est analytiquement utile à condition que nous ne supposions pas que tous les mouvements nationalistes se situent dans l'une ou l'autre de ces catégories. Il serait en fait plus plausible d'affirmer qu'aucun mouvement nationaliste ne se situe clairement dans l'une de ces catégories, car même dans le plus « civique » des mouvements nationalistes, nous retrouverons certains éléments de chauvinisme ethnique, et même dans les mouvements apparemment ethniquement définis, nous retrouverons au moins quelques voix qui militent en faveur d'une approche plus ouverte. De plus, nous devons être prudents à l'égard du biais eurocentriste implicite et souvent bien commode de cette dichotomie. Comme Michael

---

11. Sur les politiques étatiques, voir, par exemple : Sammy Smooha et Theodor Hanf, « The Diverse Modes of Conflict-Regulation in Deeply Divided Societies », *International Journal of Comparative Sociology*, vol. 33, n° 1-2, 1992, p. 26-47 ; John Coakley, « The Resolution of Ethnic Conflict : Towards a Typology », *International Political Science Review*, vol. 13, n° 4, 1992, p. 343-358 ; John McGarry et Brendan O'Leary, « Introduction : The Macro-Political Regulation of Ethnic Conflict », dans John McGarry et Brendan O'Leary (dir.), *The Politics of Ethnic Conflict Regulation*, Londres, Routledge, 1993, p. 1-40 ; John McGarry et Brendan O'Leary, « The Political Regulation of National and Ethnic Conflict », *Parliamentary Affairs*, vol. 47, n° 1, 1994, p. 94-115 ; Ulrich Schneckener et Dreter Senghaas, « In Quest of Peaceful Coexistence – Strategies in Regulating Ethnic Conflict », dans Farimah Daftary et Stefan Troebst (dir.), *Radical Ethnic Movements in Contemporary Europe*, Oxford, Berghahn, 2003, p. 165-200.

12. Anthony D. Smith, *Nations and Nationalism in a Global Era*, Cambridge, Polity Press, 1995, p. 97-102.

Hechter l'indique de manière colorée, et non sans raison, la plupart des classifications des mouvements nationalistes «distinguent les nationalismes libéraux et culturellement inclusifs (la Belle au Bois Dormant), caractéristiques de l'Europe occidentale, des nationalismes non libéraux, culturellement exclusifs (le monstre de Frankenstein) que l'on retrouve généralement ailleurs[13]».

Dissimulées sous cette simple dichotomie civique-ethnique, nous pouvons retracer toutefois deux dimensions plutôt qu'une seule. La première est essentiellement analytique ou interprétative : l'on conçoit la société selon une perspective centrée soit sur l'individu, soit sur le groupe. Le processus politique peut être vu comme impliquant des citoyens pris individuellement en tant qu'acteurs sociaux et politiques décisifs, sinon les seuls, ou reconnaître le rôle d'autres collectivités, tels que les groupes sociaux ou ethniques – soit en sus du rôle des individus, soit, dans des variantes plus conservatrices, comme alternatives à ceux-ci. La deuxième dimension est une perspective prescriptive ou normative, relative à l'étendue de la communauté politique qui peut désigner l'ensemble des acteurs potentiels ou être circonscrite à un groupe plus restreint. La position la plus inclusive sur ce plan comporte l'incorporation de tous les individus et groupes ; sinon, un critère plus sélectif peut être utilisé comme filtre.

Interpréter ces dimensions comme des catégories dichotomiques est, bien entendu, une simplification excessive, mais nécessaire aux fins de la typologie. Si nous croisons les deux dimensions, tel qu'illustré dans le tableau 1, nous obtenons quatre positions idéales-types d'importance assez inégale. L'une d'elles – qui combine la non-reconnaissance des groupes avec leur exclusion de la participation politique – est contradictoire et incompatible avec le contexte des sociétés modernes et démocratiques ; elle ne sera pas abordée

---

13. Michael Hechter, *Containing Nationalism*, Oxford, Oxford University Press, 2000, p. 15. Un dualisme similaire a été formulé à l'égard de l'attitude envers les immigrants. Voir : Gershon Shafir, *Immigrants and Nationalists : Ethnic Conflict and Accommodation in Catalonia, the Basque Country, Latvia, and Estonia*, Albany, NY, State University of New York Press, 1995, p. 5-6.

davantage ici (car elle se confond avec une forme de règne de l'élite). Cependant, les trois autres formes constituent un cadre utile pour explorer les approches communément adoptées par les majorités nationales en réponse à la présence de minorités en leur sein. Premièrement, la reconnaissance explicite de l'existence des minorités est une importante condition préalable à l'inclusion de celles-ci dans le cadre constitutionnel, comme c'est le cas dans le quadrant droit au bas du tableau 1. Mais une telle reconnaissance est également compatible avec une seconde approche plutôt différente : l'élimination des minorités du processus politique exige de les reconnaître, dans un premier temps (tel que représenté dans le quadrant droit en haut du tableau 1). Troisièmement, enfin, l'incapacité à reconnaître les minorités en tant que telles n'a pas à comporter leur exclusion des structures étatiques : leurs membres peuvent, en tant qu'individus, être pleinement incorporés à la constitution sur la base de l'égalité de tous, bien que leur statut en tant que groupe ne soit pas reconnu – une approche compatible avec l'assimilation des minorités (le quadrant gauche en bas du tableau 1).

Tableau 1

Les approches de la majorité envers les minorités : une typologie

		Niveau de reconnaissance des groupes	
		bas	*élevé*
Stratégie politique générale	*exclusive*	règne de l'élite	élimination
	inclusive	assimilation	incorporation

Cette nouvelle classification nous éloigne de la Belle au Bois Dormant et du monstre de Frankenstein. En fait, il serait plus approprié de remplacer la princesse enchantée par un duo moins attrayant, Dr. Jekyll et Mr. Hyde : il y a de bonnes raisons de remplacer le stéréotype de la version occidentale «inclusive» du nationalisme, bénigne dans son apparence, par une image à deux faces qui est disposée, d'une part, à protéger les minorités nationales et, de l'autre, à les détruire[14]. De plus, il y a lieu de remplacer la création grotesque du Dr. Frankenstein par un monstre plus diaboliquement calculateur, le comte Dracula, afin d'illustrer le modèle ethnique exclusif du nationalisme.

Les trois perspectives abordées plus haut constituent la base des trois prochaines sections dont chacune débutera par les propos d'un auteur classique. La juxtaposition de personnages de science-fiction avec des tenants bien connus d'approches particulières peut apparaître comme une anomalie, et ce, particulièrement dans un des cas. Le laboratoire dans lequel Dr. Jekyll cherche à réaliser ses bonnes actions est décrit dans l'œuvre de l'historien britannique catholique et gentleman, John Acton ; le paysage urbain qui forme l'arrière-plan des crimes de Mr. Hyde est présenté, de façon déconcertante, dans les travaux du philosophe et économiste politique anglais John Stuart Mill, contemporain d'Acton, et l'endroit où Dracula poursuit ses victimes est présenté à travers l'œuvre de l'historien allemand et professeur berlinois, Heinrich von Treitschke. Alors que le contexte politique du 19e siècle et que l'apparente réification des groupes nationaux qui marquent l'œuvre de ces auteurs donnent à leur propos un aspect vieilli, leur réputation à titre de tenants de positions semblables aux trois qui sont présentées ici est suffisamment établie pour garantir leur pertinence à cette fin (bien que Mill cadre plus ou

---

14. La description historique des multiples « visages » du nationalisme par Boyd Shafer (1972) a été réduite de façon perspicace par Tom Nairn (1975) à un seul phénomène à deux visages qui regardent simultanément dans des directions opposées, tel Janus : vers l'avant dans une poursuite effrénée du progrès, et vers l'arrière, dans l'entretien et la justification, tout aussi nécessaires, de leur passé. Mais comme Nairn l'affirma plus tard, « il y a hélas davantage que deux « visages » qui se confondent dans le grand dilemme permanent » (Tom Nairn, *Faces of Nationalism : Janus Revisited*, Londres, Verso, 1997, p. 72). La dualité Jekyll-Hyde abordée ici doit être distinguée du phénomène du Janus à deux faces évoqué par Nairn : elle renvoie à deux perspectives sur le présent plutôt qu'à une double vision du passé et du futur.

moins bien dans la catégorie qu'on lui attribue ici comme nous le démontrerons). Le chapitre se termine par une courte section spéculative qui se penche sur ce qui devient, dès lors, une question importante : quels facteurs ou quelles circonstances encouragent ou favorisent la préséance de l'une de ces approches sur les autres dans des sociétés particulières ?

Incorporer les minorités

La notion d'un État multiculturel ou multinational en tant que fin louable en elle-même a, pendant plus d'un siècle, été associée à la pensée de lord Acton. Pour lui, l'idée que plusieurs groupes nationaux puissent partager le même État était « de tous les possibles agencements le plus favorable pour l'établissement d'un système de liberté hautement développé[15] ». Comme il l'affirme :

> La coexistence de plusieurs nations sous un même État est un défi en même temps que la meilleure garantie de sa liberté. C'est aussi l'un des principaux instruments de la civilisation et, en tant que tel, il participe de l'ordre naturel et providentiel et fait état d'un plus grand avancement que l'idéal d'unité nationale du libéralisme moderne. La combinaison de différentes nations dans un État est aussi nécessaire dans la vie civilisée que la combinaison des hommes dans la société. Les races inférieures s'élèvent en vivant dans une association politique avec des races intellectuellement supérieures. Les nations exténuées et décadentes revivent au contact d'une vitalité plus jeune. Les nations dans lesquelles les éléments d'organisation et la capacité de se gouverner ont été perdus [...] sont restaurées et éduquées à nouveau sous la discipline d'une race plus forte et moins corrompue[16].

---

15. Lord Acton [John Dalberg-Acton], « Nationality », dans *The History of Freedom and Other Essays*, Freeport, NY, Books for Libraries Press, 1907, p. 270-300 (essai publié initialement en 1862).
16. *Ibid.*, p. 290.

L'histoire a composé difficilement avec les prescriptions d'Acton, alors que les États qui se définissaient consciemment comme multi-nationaux – de l'Autriche-Hongrie au début du 20ᵉ siècle à l'Union soviétique à la fin de celui-ci – sont devenus les victimes de formes moins inclusives de nationalisme. Néanmoins, les majorités natio-nales, particulièrement lorsque leur majorité a été précaire, se sont montrées disposées dans certaines circonstances à reconnaître institu-tionnellement le statut d'autres groupes nationaux. La reconnais-sance par la communauté majoritaire du fait que l'État est partagé avec une ou plusieurs minorités a des conséquences variables sur le degré de reconnaissance institutionnelle qui est octroyée. Au mini-mum, une stratégie inclusive comporte la reconnaissance des droits culturels des minorités dans des domaines tels que l'éducation et éventuellement la langue et la religion. Mais par delà l'ensemble des politiques habituellement connues sous le nom de « multicultu-ralisme », l'incorporation des minorités peut se voir accorder une expression politique et institutionnelle importante. De manière générale, il y a deux approches, et celles-ci ne sont pas mutuellement exclusives. Le pouvoir peut être divisé entre différents paliers de gouvernement ou bien il peut se partager à un même niveau.

La forme de division du pouvoir la plus typique entre différents paliers de gouvernement est, bien entendu, le fédéralisme. Mais bien souvent la question de savoir si la structure d'un État est ou non fédérale est une question de degré, plutôt qu'un problème de clas-sification catégorielle ; et la mesure dans laquelle les systèmes fédéraux sont de véritables tentatives d'accorder la reconnaissance aux minorités est tout aussi variable. Comme on le sait, l'équilibre du pouvoir entre un État fédéral et ses États-membres peut varier consi-dérablement en théorie et encore plus en pratique ; et le pouvoir n'a pas à être distribué symétriquement entre ses composantes. De plus, ces entités ne correspondent pas nécessairement aux groupes ethno-nationaux qui divisent la population. La forme la plus « généreuse » de fédéralisme (mais peut-être aussi la plus imprudente du point de vue des intégrationnistes au sein de la communauté majoritaire) est celle qui fait correspondre le plus possible les frontières des parties constituantes à celles des minorités culturelles, et qui leur donne un maximum de pouvoir. La moins généreuse est celle où les frontières sont établies d'une manière telle qu'elles traversent le territoire des communautés minoritaires et regroupent celles-ci avec d'autres communautés – particulièrement dans des circonstances où le degré de pouvoir accordé aux parties constituantes frôle le minimum concevable en regard de la définition du fédéralisme.

L'ancienne Union soviétique, la Tchécoslovaquie et, dans une certaine mesure, la Yougoslavie sont des exemples de fédéralisme ethnique qui se sont rapprochés de la forme « généreuse » sur l'échiquier. L'utilisation du passé illustre cependant précisément à quel point de telles fédérations peuvent être instables. En réalité, elles étaient maintenues ensemble par un parti communiste relativement centralisé dont l'intégrité organisationnelle supplantait les structures plus lâches de l'État ; mais l'effondrement de l'autorité du parti a conduit à la dissolution de l'État. La Belgique et l'Inde représentent deux autres cas de pays dont les unités territoriales ont, par le passé, ignoré les frontières linguistiques ou ethnonationales, mais qui ont entrepris de devenir des fédérations ethniques. Des tendances similaires peuvent être décelées en Espagne alors que ce pays se dirige vers l'application d'un fédéralisme plutôt asymétrique. L'Espagne, toutefois, a en commun avec certaines autres sociétés multiculturelles, telles que la Suisse et le Canada, le fait que sa structure fédérale n'a pas été conçue pour correspondre aux frontières des communautés « majoritaire » et « minoritaire » ; en particulier, le territoire de la « majorité » est dans ces trois cas divisé en plusieurs parties[17].

17. En Espagne, les Catalans sont aussi divisés tout en étant dotés d'une communauté autonome, comme le seront les Basques si la revendication basque sur la Navarre est acceptée. En Suisse, il n'est pas approprié de considérer les principaux groupes linguistiques comme des groupes ethnonationaux, mais il est bon de savoir que la Suisse francophone est divisée en six cantons. Sur les questions plus générales soulevées par de tels cas, voir : John Coakley (dir.), *The Territorial Management of Ethnic Conflict*, 2e édition, Londres, Frank Cass, 2003.

Bien que la division territoriale du pouvoir entre deux paliers ou plus soit la forme la plus typique de partage du pouvoir, ce n'est pas la seule[18]. Le pouvoir peut aussi être divisé entre le centre et les communautés minoritaires sur une base non territoriale. Cependant, puisque le pouvoir exige généralement la capacité de contraindre et que la coercition exige habituellement la définition d'une juridiction territoriale, l'étendue des pouvoirs qui peuvent s'exercer ainsi est limitée. Nous pouvons trouver des exemples dans le monde médiéval et à l'aube du monde moderne (comme dans le système de *millets* dans l'Empire ottoman qui accordait aux minorités non musulmanes une bonne marge d'autonomie ; dans les arrangements similaires offerts aux Juifs dans le Commonwealth polonais ; et dans la représentation séparée des groupes « nationaux » reconnus dans la Transylvanie d'avant 1867). En tant que mécanisme moderne de résolution des conflits ethniques, cette approche est particulièrement associée à l'œuvre des théoriciens sociaux-démocrates « austro-marxistes », Karl Renner et Otto Bauer, au cours des dernières années de la monarchie des Habsbourg. Témoins de l'inextricable entremêlement des groupes ethniques et linguistiques dans certaines parties de la monarchie, ils ont proposé qu'en plus du système fédéral existant, une forme d'« autonomie culturelle nationale » soit instituée. Cela entraînerait la reconnaissance formelle des groupes nationaux qui se verraient accorder certains droits – incluant les droits de représentation politique – sans égard au lieu où ils vivent[19].

Il est difficile de trouver des exemples modernes de cette forme d'autonomie. Les idées des « austro-marxistes » furent implantées en Moravie en 1905, par la création de listes électorales séparées pour les

---

18. Voir : Kenneth McRae, « The Principle of Territoriality and the Principle of Personality in Multilingual States », *Linguistics*, vol. 158, 1975, p. 33-54.

19. Voir : John Coakley, « Approaches to the Resolution of Ethnic Conflict : The Strategy of Non-territorial Autonomy », *International Political Science Review*, vol. 15, n° 3, 1994, p. 309-326 ; et Ephraim Nimni (dir.), *National Cultural Autonomy and its Contemporary Critics*, Londres, Routledge, 2005.

Tchèques et les Allemands, et elles connurent un certain succès dans l'Estonie de l'entre-deux-guerres où, sous la chape de la Loi sur l'autonomie culturelle de 1925, les minorités allemande et juive dispersées furent autorisées à établir leurs propres conseils culturels autonomes. Plus récemment, à partir de 1970, la Belgique a commencé à faire l'expérience de ce modèle : en sus de la division du pays en trois régions (Flandre, Wallonie et Bruxelles) qui a acquis au fil du temps des caractéristiques de type fédéral, la division de la population en deux communautés culturelles (néerlandophone et francophone) a été reconnue. Cette expérience illustre une des réalités de la dévolution non territoriale : pour être viable, elle doit reposer sur une population qui est dispersée sur le territoire. Le Conseil culturel de la Communauté néerlandaise de Belgique a réalisé très rapidement que sa zone de juridiction était pratiquement identique à celle du Conseil régional flamand ; les deux entités furent fusionnées pour former une entité essentiellement territoriale. (La même logique n'a pas eu cours du côté francophone en raison de l'identité géographique distincte de la grande communauté francophone de Bruxelles.) Certains peuples « indigènes » tels que les Maoris en Nouvelle-Zélande et les Lapons en Norvège présentent des cas intéressants de cette forme d'autonomie. Particulièrement – mais pas exclusivement – lorsque les groupes ethnonationaux sont entremêlés, la stratégie de partage plutôt que de division du pouvoir peut être adoptée. Cela repose sur une approche assez particulière de formation du gouvernement et de la prise de décision collective, approche qui a été synthétisée notamment dans le cadre du débat sur la démocratie consociationnelle[20] ou encore dans le contexte du concept plus large de « démocratie consensuelle »[21]. Bien

---

20. Voir, par exemple, Arend Lijphart, *Democracy in Plural Societies : A Comparative Exploration*, New Haven, CT, Yale University Press, 1977 ; et Kenneth McRae (dir.), *Consociational Democracy : Political Accommodation in Divided Societies*, Toronto, McClelland and Stewart, 1974.
21. Arend Lijphart, *Democracies : Patterns of Majoritarian and Consensus Government in Twenty One Countries*, New Haven, CT, Yale University Press, 1984.

qu'elle ait été développée à l'origine pour décrire une formule institutionnelle conçue pour résoudre les problèmes de gouvernement dans les « sociétés segmentées » (où le fondement de la segmentation est lié particulièrement aux valeurs religieuses), on peut soutenir que cette approche est encore plus pertinente pour les sociétés ethniquement divisées. Ses éléments centraux incluent l'idée de gouvernements qui représentent tous les segments sociaux importants, le partage proportionnel des postes dans le secteur public et des ressources entre les segments, et un processus décisionnel fondé sur le consensus plutôt que sur la règle de la majorité[22].

Le débat passionné sur la démocratie consociationnelle porte non seulement sur des enjeux théoriques, mais aussi sur des enjeux empiriques (tels que la question de savoir si les cas types choisis comme exemples satisfont aux critères) et des questions normatives (telles que la question de savoir si la démocratie consociationnelle peut créer un gouvernement juste et stable). Arend Lijphart cite l'Autriche, la Suisse, la Belgique et les Pays-Bas comme des cas exemplaires de ce type de gouvernement jusqu'à la fin des années 1960, bien que dans chacun de ces cas, le critère de cohésion segmentale fût idéologico-religieux et non ethnonational. Les critiques de ce modèle de gouvernement mentionnent les échecs de 1963 à Chypre, de 1974 en Irlande du Nord et de 1975 au Liban pour illustrer son instabilité intrinsèque. Il est pourtant clair que, dans chacun de ces cas, l'autre volet de l'alternative n'était pas une autre forme stable de gouvernement mais bien des troubles civils qui ont provoqué des milliers de morts ; et il est frappant de constater que les efforts récents pour trouver une solution aux divisions de ces sociétés (les accords de Taëf de 1989 au Liban, l'accord du Vendredi saint de 1998 en Irlande du Nord, le plan Annan de 2003 pour Chypre) participaient tous d'une approche essentiellement consociationnelle.

---

22. Une quatrième caractéristique, l'autonomie segmentale, a déjà été abordée plus haut.

Cette discussion peut ressembler à un menu des approches que les élites politiques, à l'intérieur des États, peuvent adopter lorsqu'elles cherchent à surmonter les divisions ethniques. Mais elle sert ici à mettre en lumière un enjeu plus subtil : la perspective de la communauté majoritaire, ou à tout le moins de ses dirigeants, quant à la façon de composer avec les minorités. Ces approches que nous discutons ici comportent les caractéristiques suivantes chez la communauté majoritaire (ou, pour être plus précis, chez la communauté qui a traditionnellement été dominante, car elle n'est pas toujours une majorité sur le plan démographique).

– La reconnaissance du fait que la culture dominante n'est pas la seule qui existe et qu'une reconnaissance appropriée devrait être accordée aux cultures minoritaires.

– Une acceptation de la logique voulant que puisque la société est divisée, la formule d'un État centralisé gouverné par de simples majorités politiques est inappropriée et que des compromis institutionnels devraient être aménagés pour impliquer les minorités en tant que telles dans le processus gouvernemental.

– Une disposition permettant de confirmer ces principes sur des bases de *Realpolitik*, amenée peut-être par une pression nationale ou internationale plutôt que par une conviction personnelle collective (en d'autres mots, la majorité est disposée à accepter ces compromis plutôt que de les saluer nécessairement comme la solution idéale au problème des relations entre majorité et minorité).

À certains égards, ces conclusions sont inversées à l'intérieur du prochain ensemble d'approches, ce sur quoi nous nous penchons maintenant.

Exclure les minorités

Le plus souvent les minorités ne sont pas vues comme une richesse culturelle additionnelle, mais plutôt comme une menace à la nation majoritaire. Il serait aisé de trouver des critiques de l'approche inclusive d'Acton à l'égard des minorités nationales, mais l'une des plus frappantes est celle de son quasi-contemporain et collègue historien, Treitschke. Pour ce dernier, la formule de négociation avec les minorités est plus brutale : le groupe dominant doit l'emporter.

> Lorsque plusieurs nations sont unies sous un même État, la relation la plus simple est que celle qui exerce l'autorité doit aussi être supérieure en civilisation. Les choses peuvent dès lors se développer de manière relativement pacifique et lorsque le mélange est complété, on le ressent comme ayant été inévitable, bien qu'il ne puisse jamais être accompli sans une douleur infinie pour la race dominée. La plus remarquable fusion de ce genre eut lieu dans les colonies du Nord-Est de l'Allemagne. Il s'agissait de l'élimination d'un peuple, cela ne peut être nié, mais après que la fusion a été achevée cela devint un bienfait. En quoi les Prussiens[23] auraient-ils pu contribuer à l'histoire ? Les Allemands leur étaient infiniment supérieurs de sorte qu'être germanisé fut pour eux une chance aussi grande que pour les Wendes[24].

Cette logique s'étend aux groupes qui, dans l'optique de Treitschke, ne pouvaient être assimilés – les Juifs, par exemple. Selon lui, l'intégrité de la nation majoritaire doit être protégée : le peuple allemand doit être éveillé afin que « cela devienne une seconde nature que de repousser involontairement tout ce qui est étranger à la nature germanique ». Plus spécifiquement, « aussitôt qu'il verra sa vie souillée par la saleté du judaïsme, l'Allemand doit se détourner de lui et apprendre à parler effrontément à son propos[25] ». Il y a, bien entendu, un mince écart

---

23. Ce n'est pas une référence à la population (germanique) du royaume de Prusse, mais aux anciens Prusses d'origine balte qui parlaient une langue balte apparentée au letton et au lituanien, mais qui ont été presque entièrement assimilés à la culture allemande au 18e siècle. Les Wendes auxquels on fait référence dans cet extrait étaient une population slave qui a également été en grande partie assimilée à la culture allemande, mais de laquelle ont survécu des fragments autour de Bautzen et Cottbus dans l'Est de l'Allemagne où ils sont connus en tant que Sorabes.

24. Heinrich von Treitschke, *Politics*, vol. 1, New York, MacMillan, 1916, p. 282-283 (publié initialement en allemand à titre posthume en 1897).

25. *Ibid.*, p. 302.

entre cela et le message plus politiquement explicite des descendants intellectuels de Treitschke et la tentative de « purification » de la nation allemande sous le gouvernement nazi.

Cette forme de nationalisme militant – qui rejoint communément, comme dans le cas allemand, le racisme – peut être associée à la mise en œuvre des politiques les plus barbares ; mais il peut aussi se dissimuler (parfois en surface, parfois profondément) derrière des façades nationalistes apparemment plus tolérantes. L'idée que l'État est la propriété dont a « hérité » la communauté majoritaire (ou, dans certains cas, une communauté qui constitue une minorité démographique) est profondément enracinée dans plusieurs sociétés. Cette idée peut mener à l'incapacité consciente ou inconsciente de reconnaître l'existence des minorités (une perspective abordée dans la prochaine section), mais elle peut aussi être associée à une politique de reconnaissance formelle des minorités qui vise à les marginaliser. Dans cette perspective, en d'autres mots, on peut composer avec la minorité ou l'« ennemi intérieur » seulement si son existence est d'abord acceptée.

Le point de départ de cette approche est que la majorité reconnaît l'existence d'une ou de plusieurs minorités et que cette réalité est malvenue. La question peut se résoudre par l'exclusion ou la disparition de la minorité. Dans certains cas, on réalise cela, au moins en partie, par le recours à des politiques d'assimilation forcée : les membres des communautés minoritaires se fondent à la majorité en acceptant les caractéristiques qui la définissent – en se convertissant à sa religion, notamment, ou en changeant de langue et de culture. Ainsi, après leur défaite lors de la bataille de la Montagne Blanche en 1620, plusieurs Tchèques se sont convertis au catholicisme, bien que ce pas vers l'assimilation ait été miné finalement par leur incapacité à passer à la langue et à la culture allemandes de l'administration centrale autrichienne. Malgré leur défaite dans une série de guerres au cours du 17e siècle, les Irlandais ne se sont pas pour autant convertis en masse au protestantisme et cela a miné en fin de compte les effets des efforts beaucoup mieux réussis par ailleurs, qui visaient à les faire passer à la langue et à la culture de l'État britannique. Mais beaucoup d'autres minorités ont disparu au cours de l'histoire précisément parce que de tels efforts de « conversion » religieuse ou linguistique ont été fructueux.

Communément, la stratégie d'assimilation forcée a pourtant suscité des résistances non seulement chez la minorité mais aussi chez la majorité, qui craint de voir sa pureté « raciale » ou culturelle menacée par l'apport de l'influence étrangère qui en résulte. Au lieu de cela, la minorité est exclue de l'État, soit sur le plan juridico-politique, soit sur le plan physique.

Retirer aux minorités les droits politiques était plus courant dans le passé que cela ne serait toléré par les principes contemporains de la représentation politique. En fait, cela pouvait être utilisé par de petits groupes dominants pour assurer leur règne même sur des groupes marginalisés fort nombreux. Ainsi, les régimes coloniaux européens en Afrique et en Asie ont pu réserver les droits politiques essentiellement aux colons minoritaires, privant ainsi les majorités indigènes du droit de vote. La survie du régime de l'apartheid en Afrique du Sud reposait de manière similaire sur un système constitutionnel qui réservait les pleins droits politiques aux Blancs. D'autres critères pouvaient aussi être utilisés dans la même optique, quoique de manière plus imparfaite. Ainsi, au Royaume-Uni, le fait de priver les catholiques du droit de siéger au Parlement (jusqu'en 1829) eut pour effet de retirer leurs droits politiques non seulement aux catholiques, mais aussi aux gens d'ascendance irlandaise. Dans les régions estoniennes et lituaniennes de l'Empire russe, le vieux système de représentation politique basé sur la propriété foncière réservait le pouvoir aux classes nobles, privant ainsi non seulement les paysans du droit de vote, mais aussi les Estoniens et les Lituaniens, au bénéfice de la minuscule minorité allemande. De même, l'imposition d'un test d'alphabétisation pour voter dans certains États du Sud des États-Unis a eu pour effet d'exclure non seulement les analphabètes, mais aussi les Noirs. Dans le monde contemporain, le faible niveau de tolérance au niveau

international eu égard à ce type de restrictions empêche la mise en œuvre de critères ouvertement exclusifs de participation politique ; mais
les États peuvent toujours exploiter les zones ambiguës : l'imposition
d'exigences strictes de résidence et les obstacles à l'acquisition de la
citoyenneté peuvent être utilisés afin de minimiser l'impact politique
des groupes minoritaires.

Plutôt que de lui retirer ses droits politiques, on peut aussi exclure
une minorité par des moyens politiques. La minorité peut se voir
allouer sa « patrie » et, de ce fait, elle peut être forcée d'y vivre. Cette
« patrie » peut se voir accorder l'autonomie ou même une forme
d'indépendance formelle reconnue au moins par l'État d'accueil d'origine. Cela permet le retrait de tout droit de participer aux affaires de
l'autorité qui règne *de facto*, puisque la « patrie » est dorénavant séparée
et que l'ancienne minorité peut y jouir de ses « droits ». Cette stratégie a été vigoureusement poursuivie par le gouvernement sud-
africain dans les dernières années de l'apartheid, quand les Africains
ont été classés par groupe ethnique et associés à une « patrie » ou à
des entités nommées de manière méprisante « bantoustan ». La politique israélienne actuelle laisse entendre que cette voie est considérée
comme un moyen de composer avec l'importante population pales-
tinienne sur le territoire appartenant *de facto* à Israël.

Les minorités peuvent aussi, bien entendu, être exclues par une
politique plus radicale d'expulsion physique qui peut modifier de
manière spectaculaire la composition ethnique d'un État. Trop
d'exemples peuvent être invoqués, mais celui de l'expulsion de
plusieurs millions d'Allemands d'une bonne partie de l'Europe centrale
et orientale (en particulier de la Tchécoslovaquie et de la Pologne)
immédiatement après la Deuxième Guerre mondiale est marquant.
Mais il y a beaucoup d'autres exemples, dont la fuite des Palestiniens
de ce qui est maintenant l'État d'Israël en 1948 et 1967, des Grecs et des
Turcs du nord et du sud de Chypre en 1974 et de différents groupes
dans l'ancienne Yougoslavie au cours des années 1990. Parfois, la

dure réalité de l'expulsion est maquillée par un langage euphémique, comme lorsqu'on décrit l'« échange » des populations grecque, turque et bulgare pendant les années 1920 ou le rapatriement (à l'initiative du gouvernement allemand) des Allemands baltes de l'Estonie et de la Lituanie en 1939. La forme ultime d'exclusion des minorités est, bien entendu, le génocide – un phénomène qui compte trop d'exemples au 20e siècle, la politique d'extermination systématique des populations juives et tziganes d'Europe durant la Deuxième Guerre mondiale en constituant l'exemple le plus notoire.

Une fois de plus, l'éventail des approches abordées plus haut nous en apprend davantage sur les priorités des politiciens et des administrateurs de l'État que sur la perspective générale de la communauté majoritaire dans les États qui ont été cités comme exemples – à tout le moins directement. Nous pouvons néanmoins tirer quelques conclusions quant aux schèmes vraisemblables de valeurs de la communauté majoritaire dans ces cas.

— Une insistance sur l'idée que la culture dominante est la seule qui soit appropriée à l'État et que les autres cultures ne devraient pas être tolérées dans la sphère publique (ou peut-être même dans la vie privée), conjuguée au rejet des minorités comme étrangères, un rejet communément exprimé par diverses formes de xénophobie.

— Une volonté d'exclure les minorités de la sphère publique étant donné qu'elles sont vues comme étrangères, déloyales et potentiellement menaçantes pour l'État, en raison soit du caractère inapproprié de leurs propres demandes, soit de leur alliance potentielle (et « traîtresse ») avec des groupes dont elles sont proches et qui sont établis dans d'autres États.

— Un engagement émotif et idéologiquement puissant envers cette approche, facilement manipulable par les élites, et une tendance à remettre en cause la loyauté de ceux qui s'en distancent.

Étant donné la mesure dans laquelle les formes de reconnaissance des minorités discutées dans la précédente section peuvent être inversées et utilisées contre les minorités, comme nous l'avons vu dans cette section, on peut penser que la reconnaissance formelle de la différence ethnique est une étape périlleuse. Cela peut effectivement être le cas ; mais comme le montrera la prochaine section, l'incapacité à reconnaître la différence peut aussi entraîner des conséquences fâcheuses pour certains groupes et peut servir d'alibi pour des politiques assez peu bienveillantes.

Ignorer les minorités

Les options abordées dans les deux sections précédentes, accommoder ou éliminer les minorités, ne sont pas les seules qui existent ; comme nous l'avons expliqué plus haut, il y a une troisième possibilité – ignorer les minorités. Les conséquences de cette approche sont soulignées par un théoricien social important auquel réagissait l'essai d'Acton cité plus haut. Mill renverse ce qu'Acton prescrit relativement à la liberté. Comme il l'affirme, « c'est généralement une condition nécessaire aux institutions libres que les frontières du gouvernement correspondent essentiellement à celles des nationalités[26] ». Mais qu'advient-il alors des minorités ? Selon Mill, il existe une solution convenable dans des circonstances appropriées :

> L'expérience montre qu'il est possible pour une nationalité de se fondre et d'être absorbée par une autre et que, lorsqu'elle était initialement inférieure et constituait une frange arriérée de la race humaine, cette absorption est grandement à son avantage. Personne ne peut soutenir qu'il n'est pas avantageux pour un Breton ou un Basque de la Navarre française d'entrer dans le courant d'idées et dans les sentiments d'un peuple hautement cultivé et civilisé – d'être un membre de la nationalité française, admis sur un pied d'égalité

---

26. John Stuart Mill, « Of Nationality, as Connected with Representative Government », dans *Considerations on Representative Government*, New York, Liberal Arts Press, 1958, p. 232-233 (publié initialement en 1861).

à tous les privilèges de la citoyenneté française – au lieu de sombrer sur ses propres rochers, reliques à moitié sauvages des temps passés, et de tournoyer sur sa propre petite orbite mentale sans participation ou intérêt pour le mouvement général du monde[27].

En se rapprochant de chez lui, Mill ajoute que «la même remarque s'applique aux Gallois ou aux *Highlanders* écossais en tant que membres de la nation britannique». Il est important de souligner que Mill n'est pas un porte-parole désigné pour ce qui deviendra plus tard le nationalisme jacobin. Bien que sa référence à l'intégration des Bretons par la nation française anticipe celle que fera Treitschke au sujet de l'intégration des anciens Prussiens par la nation allemande, l'omission significative de Mill en ce qui a trait à l'intégration des Irlandais par la nation britannique renvoie à un point de départ distinct : son appui à ce qui sera connu plus tard comme le «principe des nationalités», la notion voulant que chaque nation doive avoir, là où c'est possible, son propre État. C'était, selon lui, seulement là où les structures politiques existantes ne pouvaient davantage s'ajuster aux frontières de la nationalité que les nationalistes ou les minorités nationales devaient être assimilés par la nationalité dominante[28].

Il existe en fait une perspective importante selon laquelle l'idée de mettre en œuvre des politiques d'«aveuglement ethnique» est positive[29]. Les grandes forces progressistes de l'histoire ont communément défendu l'idée du «peuple», sans discrimination sur la base d'éléments

---

27. *Ibid.*, p. 233-234.
28. L'analyse classique de Mill a donné naissance à une vaste littérature, et elle est devenue une pierre d'assise de la pensée libérale sur la question nationale. David Miller (*On Nationality*, Oxford, Clarendon Press, 1995, p. 10) présente son ouvrage sur ce thème comme «marchant dans les pas (entre autres) de John Stuart Mill». Pour une analyse approfondie, voir : Georgios Varouxakis, *Mill on Nationality*, Londres, Routledge, 2002.
29. Voir : Pierre L. van den Berghe, «Protection of Ethnic Minorities : A Critical Appraisal», dans Robert G. Wirsing (dir.), *Protection of Ethnic Minorities : Comparative Perspectives*, Oxford, Pergamon, 1981, p. 343-355 ; et Donald L. Horowitz, *Ethnic Groups in Conflict*, Berkeley, CA, University of California Press, 2000.

ethniques, contre les privilèges établis de l'Ancien Régime. Plus spécifiquement, la Révolution française a explicitement cherché à remplacer la notion de gouvernement par les corporations (incluant les différents échelons de la noblesse et du clergé ainsi que les bourgeois privilégiés et les autres du « tiers état ») par la notion de gouvernement par « le peuple ». La grande et ultime bataille victorieuse des plus radicaux des révolutionnaires français, et de leurs homologues d'ailleurs, visait à obtenir les pleins droits politiques et civils pour tous les citoyens, sur la base de l'égalité fondamentale de tous.

Alors que les bastions du privilège succombaient à cette idéologie – un processus inachevé en Europe à la fin de la Première Guerre mondiale –, cette vision démocratique et égalitaire radicale semble avoir été canonisée par l'histoire, de même que sa position implicite sur la question nationale : l'ouverture de la civilisation de la majorité aux membres des groupes minoritaires et l'exigence implicite voulant que les minorités en bénéficient. Ce développement n'était pas sans ironie ; la logique qui le sous-tend a été critiquée comme « le cas étrange d'unité ethnique nationale, un idéal barbare, jamais parfaitement réalisé en Europe de l'Ouest, néanmoins embrassé avec enthousiasme au moment précis où les nations d'Europe de l'Ouest construisaient de grands empires mondiaux et où divers peuples se rencontraient et se mélangeaient à une échelle inégalée auparavant[30] ».

La conséquence de cette approche pour les minorités est claire : elles n'existent pas. L'idéologie est certainement inclusive et fondée sur une notion « civique » de la nation plutôt qu'une notion exclusive basée sur une notion « ethnique » de la nation. Mais les minorités sont considérées comme n'étant rien de plus que la somme de leurs parties : chaque membre d'une communauté « minoritaire » est avant tout un membre de la communauté « nationale », que cela lui plaise ou non. En fait, la conception jacobine de la nation ne fait pas de

---

30. William H. McNeill, *Polyethnicity and National Unity in World History : The Donald G. Creighton Lectures 1985*, Toronto, University of Toronto Press, 1986, p. 59.

distinction entre la nation et l'État : la nationalité et la citoyenneté sont une seule et même chose. Cela a d'importantes conséquences pour l'organisation politique. D'une part, le mécanisme approprié pour la prise de décision collective est le principe de la règle de majorité, sans concession pour les intérêts particuliers de la minorité (à moins que la majorité ne choisisse de faire une exception dans des circonstances particulières). D'autre part, il n'y a nul besoin de dévolution territoriale d'aucune sorte : le peuple doit être régi par le centre, typiquement par quelque système préfectoral.

La vision jacobine du monde comporte néanmoins une autre facette. Elle peut bien rejeter la notion d'une Église d'État, ou tout lien entre l'État et une communauté religieuse particulière, mais cela peut dissimuler une sympathie tacite, voire inconsciente, envers une orientation religieuse particulière[31]. L'État peut bien se garder de déclarer aucune langue comme officielle, comme dans le cas de la Constitution de la Belgique de 1831, mais il peut en être ainsi parce que la domination de la langue du centre est telle que l'enchâsser dans la Constitution devient entièrement superflu (même dans le cas de la Belgique, où la plupart des gens parlaient flamand ou néerlandais plutôt que la langue étatique *de facto*, le français). En effet, le «marché libre» de la culture caractéristique de la position jacobine – qui, dans les faits, privilégie une culture au détriment des autres – peut n'être que la couverture d'une politique d'assimilation. L'État, après tout, doit avoir une langue de communication générale et celle-ci doit être la langue du centre; le statut des autres langues est marginal et cela se reflète dans les institutions étatiques, particulièrement dans le système d'éducation.

---

31. Il n'est pas clair, par exemple, que l'interdiction de porter le voile islamique dans les écoles françaises représente une tentative de protéger les critères de neutralité au nom de la laïcité, et non une position de sympathie envers une tradition culturelle pour laquelle le port d'un tel voile est étranger. La coexistence d'une tradition politique plus ouverte aux minorités à côté de la perspective jacobine française est toutefois présentée par Véronique Dimier, «Unity in Diversity? Contending Conceptions of the French Nation and Republic», *West European Politics*, vol. 27, n° 5, 2004, p. 836-853.

À plusieurs égards, les principes qui sous-tendent cette approche ont une plus grande portée à l'intérieur de la communauté majoritaire que les possibilités présentées dans les deux dernières sections. Ils ne sont aucunement l'apanage des dirigeants politiques et des élites de la classe moyenne : ils semblent avoir été intériorisés par de grands pans de la population. De manière générale, ils incluent les éléments suivants :

– Une conviction implicite, mais profondément ancrée, selon laquelle la culture dominante est la seule qui soit appropriée pour l'État, mais une ouverture à l'idée d'intégrer les membres d'autres cultures dans celle-ci. Cette disposition à accueillir les autres dans la famille nationale peut, toutefois, représenter un appui implicite mais résolu aux politiques d'assimilation.

– Une combinaison de principes politiques centralisateurs et majoritaires qui se manifeste par une réticence à voir « l'État indivisible » miné par l'autonomie locale et qui s'exprime par une fidélité aux normes de la règle de majorité.

– Une défense idéologique de cette position qui la considère fondée sur des principes universels, qui est propagée, de manière caractéristique, par le système d'éducation et qui repose sur une conviction largement partagée voulant que cette approche soit juste, démocratique et en phase avec le sens du progrès historique.

L'approche jacobine peut représenter, dès lors, non pas tant un rejet progressiste des solutions centrées sur le groupe, mais plutôt une forme déguisée d'hégémonie ethnique.

Les facteurs qui déterminent les préférences de la majorité

Étant donné que les positions abordées ici sont des idéaux-types, nous ne devons pas nous attendre à en trouver des exemples purs. Il est hautement improbable qu'une « majorité nationale » quelconque se conforme entièrement à l'un des types : même si une perspective domine, les autres approches seront également présentes. En fait, nous devons nous attendre à des variations non seulement entre les individus, mais aussi à l'intérieur d'eux-mêmes, puisque les gens oscillent entre des perspectives, adoptant l'une ou l'autre selon un degré de conviction variable, à l'image du Dr. Jekyll transformé en Mr. Hyde et qui finalement prenait alternativement ces deux formes humaines très différentes.

Néanmoins, nous retrouverons généralement des majorités – ou à tout le moins leurs élites – rassemblées plus près de l'une de ces positions que des autres. Comment pouvons-nous expliquer cela ? Il peut valoir la peine de commencer avec des principes *a priori* pour ensuite voir quelles preuves existent de leur impact sur l'idéologie publique. De manière générale, il semble raisonnable de supposer que quatre ensembles de facteurs sont susceptibles d'être importants : les caractéristiques historiques de la majorité elle-même ; la relation multidimensionnelle entre la majorité et les minorités ; la tradition culturelle politique et constitutionnelle de l'État qui englobe celles-ci ; et l'environnement international changeant. Plusieurs des facteurs discutés dans ce qui suit sont extrêmement difficiles à mesurer, c'est pourquoi ces remarques se veulent spéculatives – en ce qu'elles soulèvent des questions dignes d'intérêt pour la recherche future – plutôt que définitives.

Les caractéristiques de la majorité

Bien qu'elle ne soit pas le trait le plus important, l'expérience historique de la majorité sera manifestement d'une grande importance dans l'élaboration de son attitude envers les minorités. Toutes choses étant égales par ailleurs, on pourrait s'attendre à ce que les majorités qui ont récemment acquis leur « propre » État soient les plus tolérantes envers les minorités, étant donné qu'elles devraient pouvoir faire preuve d'empathie par rapport aux enjeux importants pour les populations sans État [souverain]; on pourrait s'attendre à que les majorités dont l'État a été créé par un récent processus d'unification soient moins tolérantes, en raison de la mémoire fraîche de leur bataille pour l'établissement des frontières; et l'on pourrait s'attendre à ce que les majorités dans les États établis de longue date occupent une position intermédiaire.

Il serait toutefois difficile de fournir une preuve convaincante en faveur de cette généralisation. Bien que les exemples illustrant le premier cas de figure soient faciles à trouver, les contre-exemples sont encore plus frappants et indiquent que cette généralisation première est naïvement optimiste. Plusieurs mouvements nationaux qui se sont débarrassés des « oppresseurs » extérieurs, tels que les Irlandais et les Hongrois, se sont montrés relativement peu disposés à faire des concessions aux minorités qui se trouvaient sur leur territoire, rejetant pour leurs propres populations subordonnées les principes mêmes qu'ils avaient exigé de faire respecter par leurs anciens maîtres. La preuve est également floue en ce qui concerne les autres points. Bien que des mouvements nationalistes postunification, tels que ceux de l'Allemagne et de l'Italie, aient été effectivement caractérisés par des formes de nationalisme majoritaire militant, particulièrement dans l'entre-deux-guerres, d'autres, tels que celui de la Suisse, ne le furent pas (bien que ce cas soulève de difficiles questions d'interprétation, selon la définition de l'axe potentiel de conflit : les Suisses allemands contre les Suisses de langue française ou italienne, ou bien les Suisses contre les étrangers). Parmi les États établis de longue date, on peut en fait trouver plusieurs exemples de jacobinisme, mais aussi d'attitudes plus tolérantes envers les minorités, comme en Grande-Bretagne et dans l'ancienne Union soviétique (où, malgré le sort réservé à certaines minorités particulièrement sous Staline, plusieurs autres cultures ont survécu en raison d'une politique sur les nationalités relativement éclairée).

Par ailleurs, il peut y avoir certaines circonstances dans lesquelles les majorités voient des attraits positifs à l'existence des minorités, particulièrement si elles sont trop petites pour être menaçantes. Bien que la petite population de langue irlandaise (gaélique) d'Irlande ne corresponde pas aux caractéristiques classiques d'une minorité, son existence – combinée au fait que la population majoritaire de langue anglaise doive apprendre la langue irlandaise – offre un élément distinctif à une culture irlandaise qui devient, par ailleurs, de plus en plus anglaise. Pour les Canadiens, le statut du français comme langue officielle et l'étendue du bilinguisme dans le secteur public servent à définir plus clairement la frontière culturelle avec le système politique plus imposant qui se trouve au sud, et avec lequel la plupart des Canadiens partagent une langue commune. Dans ces circonstances, donc, il apparaît que le pragmatisme modifie les principes, dans la formation des attitudes de la majorité envers les minorités.

Les caractéristiques de la minorité

Plusieurs traits de toute minorité et de sa relation avec la communauté majoritaire peuvent influencer les perspectives de la majorité. Les trois plus évidentes sont la distance culturelle, la taille relative et la capacité de mobilisation des ressources. Une fois de plus, des contre-exemples peuvent être fournis, mais les exemples ci-dessous illustrent la forme la plus typique de ces relations.

Toutes choses étant égales par ailleurs, on pourrait s'attendre à ce que la majorité soit plus favorablement disposée envers les minorités dont la culture est proche qu'envers les minorités dont la culture est éloignée. Ainsi, dans la Tchécoslovaquie de l'entre-deux-guerres, il était plus facile pour les Tchèques de faire alliance avec les Slovaques qu'avec les Allemands (une attitude qui n'était pas nécessairement réciproque). En Grande-Bretagne, l'incorporation des Écossais et des Gallois s'est avérée moins exigeante que l'incorporation des vagues récentes d'immigrants de culture plus éloignée. En Espagne, les relations contrastées entre la majorité castillane et la minorité catalane, d'une part, et la minorité basque, d'autre part, peuvent être expliquées en partie par la distance culturelle de la dernière (une circonstance qui peut également être reliée aux formes d'expression beaucoup plus militantes du nationalisme basque).

Aussi, on pourrait s'attendre à ce que les majorités soient plus sympathiques à l'endroit des minorités petites ou en déclin qu'envers celles qui sont populeuses ou en expansion. Les minorités qui déclinent, telles que les locuteurs suédois en Finlande, ne représentent aucune menace, et la majorité peut se permettre d'être généreuse. Les minorités populeuses qui s'accroissent, telles que les catholiques d'Irlande du Nord, représentent un défi beaucoup plus grand pour le statut de la majorité et engendrent, par conséquent, de hauts niveaux d'hostilité. D'autre part, précisément en raison du fait qu'elle est importante et qu'elle grandit, une minorité peut jouir de ressources suffisantes pour forcer la majorité à faire des compromis, comme nous le verrons ci-dessous.

Finalement, on pourrait s'attendre à ce que les majorités soient plus hostiles, mais aussi plus conciliantes, envers les minorités qui possèdent des ressources économiques et politiques puissantes. Ces ressources comprennent, bien évidemment, la taille absolue et relative, et des alliés extérieurs potentiellement puissants. Mais elles comprennent aussi la possession d'un territoire démographiquement cohésif et qui, par conséquent, est propice à la sécession. La possession de ressources naturelles ou d'une richesse relative peut aussi être d'une grande importance. Toutefois, ces avantages ne se traduisent pas nécessairement en ressources politiques puissantes. L'Écosse et le pays de Galles peuvent bien posséder certaines de ces caractéristiques à l'intérieur même du Royaume-Uni, mais leur capacité à se mobiliser politiquement est compromise par l'incapacité des partis nationalistes à obtenir l'appui de la majorité, comme les résultats électoraux le montrent au fil des ans ; la plupart des électeurs dans ces régions continuent d'appuyer les partis du centre, et particulièrement le Parti travailliste.

La tradition étatique

La tradition étatique et la tradition de la majorité peuvent aisément être confondues, mais elles sont manifestement conceptuellement distinctes. Par tradition étatique, on désigne l'ensemble des normes constitutionnelles et juridiques qui structurent les relations entre les citoyens et les autorités centrales[32]. Ce cadre peut soit gêner, soit faciliter la reconnaissance des groupes formellement organisés à l'intérieur de l'État.

L'importance de cette tradition devient claire à la lumière du contraste entre les États successeurs des empires austro-hongrois et russe (avec leur coutume établie de reconnaissance des minorités ethniques) et, disons, l'Irlande qui a hérité d'un appareil constitutionnel essentiellement britannique. Dans les premiers cas, la reconnaissance des minorités ethniques a été, que la chose ait été un bien ou un mal, aisée et apparemment naturelle ; cela se reflète dans la richesse de l'information relative aux ethnies dans les recensements d'État et dans les autres statistiques officielles de ces pays au fil des décennies. Par contraste, en Irlande, aussi bien que dans le reste de l'Europe occidentale, l'identification des minorités – et *a fortiori* la mesure de leur taille – a été beaucoup plus difficile : l'idée d'un État centralisé et centré sur l'individu est plus profondément enracinée et les questions relatives à la langue, dans les recensements, concernent davantage la compétence linguistique (un enjeu éducationnel) que l'appartenance à une minorité linguistique (un enjeu ethnonational).

Le système international

Finalement, le système international a un impact important sur la politique d'État. Il est susceptible de se manifester non seulement par un ensemble de valeurs centrales largement partagées par la communauté

---

32. Pour une vue d'ensemble du modèle européen, voir : Kenneth Dyson, *The State Tradition in Western Europe*, Oxford, Martin Robertson, 1980.

internationale, mais aussi au travers de conventions et de traités internationaux particuliers[33]. Cet aspect peut être illustré avec éclat par la comparaison entre la Société des Nations et l'organisation qui lui a succédé, les Nations unies. Étant donné le climat propice à la création d'États-nations qui a marqué sa naissance, il n'est pas surprenant que la Société se soit particulièrement intéressée aux minorités nationales. En effet, certains des nouveaux États qui sont apparus après 1918 devaient en partie leur existence à un *quid pro quo* complexe en vertu duquel ils se sont vu octroyer l'indépendance tout en acceptant formellement, en même temps, de garantir le statut des minorités[34]. On doit supposer que la majorité en Pologne – dont le traité sur les minorités avec la Société a servi de modèle pour des traités similaires avec d'autres nouveaux États – était prête à accepter ce compromis, bien qu'avec réticence. Ce système garantissait aux minorités d'Europe centrale et orientale un ensemble de droits dont ne disposaient pas les minorités des pays non couverts par de tels traités, comme la minorité protestante dans l'État libre d'Irlande.

La position des Nations unies fut, toutefois, radicalement différente : un prétendu abus de la part de certaines minorités (notamment les Allemands) de la protection dont elles disposaient durant l'entre-deux-guerres avait discrédité le système de la Société des Nations aux yeux de plusieurs. On a alors mis l'accent sur les droits individuels plutôt que sur les droits collectifs, et le système des Nations unies a laissé aux majorités nationales une plus grande marge de manœuvre pour composer avec leurs minorités. Ce fut seulement au cours des années 1990, sous la pression notamment de la désintégration du *statu quo* géopolitique en Europe centrale et orientale, que des organisations

---

33. Voir : Inis L. Claude, *National Minorities : An International Problem*, Cambridge, MA, Harvard University Press, 1955 ; et Jean Laponce, *The Protection of Minorities*, Berkeley, CA, University of California Press, 1960.
34. Voir : Lucy P. Mair, *The Protection of Minorities : The Working and Scope of the Minorities Treaties Under the League of Nations*, Londres, Christophers, 1928 ; et Jószef Galánta, *Trianon and the Protection of Minorities*, Boulder, CO, Social Science Monographs, 1992.

telles que la Conférence sur la sécurité et la coopération en Europe (CSCE) et celle qui lui succéda, l'Organisation pour la sécurité et la coopération en Europe (OSCE), ont entrepris à nouveau de s'occuper de la question des minorités nationales en tant que problème systématique pour les concepteurs de politique, en cherchant à définir les droits des minorités et en désignant, en 1992, un Haut-Commissaire pour les minorités nationales[35].

Conclusion

En définitive, il existe donc quelque preuve à l'effet que les majorités nationales, particulièrement dans les nouveaux États, peuvent opter pour l'une des trois réponses idéales-types à la question des minorités : elles peuvent chercher à les accommoder, elles peuvent les réprimer ou elles peuvent les ignorer (et, par conséquent, suivre une politique d'assimilation à long terme). Comme dans le cas de tous les idéaux-types, des nuances sont nécessaires : les perspectives de la majorité peuvent être contingentes et relatives à un contexte, et elles sont susceptibles d'être réparties entre plusieurs types.

La présentation de ce triple ensemble de réponses fait abstraction du fait que les majorités peuvent agir différemment selon les minorités, en adoptant une certaine attitude dans le cas d'une minorité, et une attitude différente dans le cas d'une autre. Cela ressort des quelques exemples cités plus haut. Les Anglais, par exemple, suivent des politiques plutôt différentes envers les Irlandais du Nord, les Écossais et les Gallois, et les minorités issues de l'immigration. On trouve des oscillations semblables dans d'autres États. De même, les attitudes des Canadiens et des Américains envers les peuples autochtones et les nouveaux immigrants sont susceptibles d'être nuancées et différenciées.

---

35. Pour plus d'information, voir le site du Haut Commissaire à l'adresse http://www.osce.org/hcnm/ (page consultée le 26 février 2006). Pour une vue d'ensemble de la position juridique, voir : Tove H. Malloy, *National Minority Rights in Europe*, Oxford, Oxford University Press, 2005 ; et Haldun Gülalp, *Citizenship and Ethnic Conflict : Challenging the Nation-State*, Londres, Routledge, 2006.

Les Français, les Espagnols et les Italiens ont réagi très différemment à leurs minorités, non seulement en distinguant les minorités établies depuis longtemps sur le territoire des nouveaux immigrants, mais aussi en faisant des discriminations à l'intérieur de ces catégories.

La typologie simplifie également à outrance, comme nous l'avons vu, l'ensemble des attitudes à l'intérieur de la majorité elle-même, qui peut très bien être passablement divisée sur la question des attitudes à adopter envers les minorités. En effet, il est raisonnable de supposer que tout groupe majoritaire contiendra des éléments de chacun de ces types d'approches : ceux qui adhèrent aux valeurs du nationalisme civique, qui seraient heureux d'assimiler les minorités, les pluralistes, qui seraient prêts à leur concéder une reconnaissance officielle, et les xénophobes qui voudraient se débarrasser d'elles. En d'autres mots, et pour revenir à l'analogie des personnages célèbres de la science-fiction, nous sommes susceptibles de retrouver dans toute société, et coexistants, le docteur bien intentionné, son *alter ego* violent et le comte maléfique. De manière presque certaine, cependant, nous retrouverons des sociétés dans lesquelles, au moins à des moments précis de l'histoire, l'une de ces figures domine les autres. Les études sur le terrain nous aident à repérer de telles sociétés, mais même dans ce cas, nos conclusions devront être spéculatives.

Semblable prudence vaut pour l'ensemble des conclusions provisoires formulées dans la dernière section de ce texte. Le bon sens suggère l'importance de traits particuliers de la majorité, de la minorité ou des minorités avec qui elle partage l'État, de la tradition étatique elle-même et du système international, dans le façonnement des perspectives de la majorité sur les minorités. Des preuves facilement repérables remettent toutefois en cause la validité de certaines de ces explications potentielles. Une recherche approfondie pourrait aider à définir un ensemble plus général de relations et pourrait fournir une preuve plus assurée des relations causales, mais elle ne pourra probablement pas fournir une réponse définitive à cette question difficile. Néanmoins, le déplacement de l'enquête de la minorité vers la majorité doit servir d'antidote utile à la compréhension conventionnelle de la nature des conflits ethniques, pour laquelle ce sont les minorités qui sont trop souvent, explicitement ou indirectement, vues comme étant la racine du «problème».

Texte traduit de l'anglais par Jean-Pierre Couture.

DEUXIÈME PARTIE

CHAPITRE 5

Les nationalismes britannique et français face aux défis de l'européanisation et de la mondialisation

John Loughlin

Dans son livre, *Nationalism : Five Paths to Modernity*, Liah Greenfeld distingue cinq « voies » vers la modernité, exprimées selon cinq façons différentes de concevoir la « nation ». La première « voie » fut celle qui fut ouverte par l'Angleterre, la deuxième, celle de la France (puis celles qu'empruntèrent l'Allemagne, les États-Unis et la Russie). Nous traiterons ici des deux premières, qui sont devenues deux façons rivales de concevoir le monde, la politique, l'organisation de l'État, les rapports entre l'État et la société, la vie économique et, surtout, le rôle de la religion et ses rapports avec le système politique.

Les aspects historiques

La comparaison entre la France et la Grande-Bretagne, ou du moins, l'Angleterre, s'inscrit dans une longue tradition de telles comparaisons. On pense aux travaux de Vincent Wright ou de Douglas Ashford et, plus récemment, de Patrick Le Galès et d'Alistair Cole et Peter John[1].

---

1. Vincent Wright et Jacques Lagroye (dir.), *Local Government in Britain and France : Problems and Prospects*, Londres, G. Allen & Unwin, 1979 ; Douglas E. Ashford, *British Dogmatism and French Pragmatism : Central-Local Policymaking in the Welfare State*, Londres, George Allen & Unwin, 1982 ; Patrick Le Galès, *Politique urbaine et développement local. Une comparaison franco-britannique*, Paris, L'Harmattan, 1993 ; Alistair Cole et Peter John, *Local Governance in England and France*, Londres, Routledge, 2001.

Il est peut-être vrai que les deux pays n'ont pas cessé de se regarder avec une certaine méfiance mais aussi avec fascination depuis la fondation des deux royaumes dans le Haut Moyen Âge.

En fait, depuis la conquête de l'Angleterre par Guillaume le Conquérant en 1066, l'histoire des deux pays est entremêlée. Les Normands qui ont envahi l'Angleterre parlaient une version du français et par la suite le royaume d'Angleterre a rivalisé avec le royaume de France pour les terres de ce qui deviendra à travers les siècles la France hexagonale. La guerre de Cent Ans a cimenté cette rivalité et la Réforme ajoutera l'élément de la religion avec le passage de l'Angleterre au protestantisme. Les penseurs des deux pays n'ont pourtant pas cessé d'apprendre les uns des autres. La pensée de Hobbes, par exemple, migrera en France et Voltaire admirera le système parlementaire anglais et sa monarchie constitutionnelle.

S'agit-il de deux « nations » avant la période moderne ? Bien que l'on employât le mot « nation » dès le Haut Moyen Âge, pour désigner des groupes comme les Anglais ou les Français (par exemple à l'époque des Croisades), le mot, du latin *natus*, désignait tout simplement là où on est né avec une référence assez floue aux caractéristiques linguistiques. Mais même si elles n'étaient pas des nations au sens moderne du mot, ce qui est certain c'est que l'Angleterre et la France sont devenues des « États territoriaux » avec des tendances centralisatrices sous l'égide de leurs monarchies. C'est l'État qui devra, à la fin, créer la nation. Or, avant la période moderne, les États territoriaux n'étaient pas les seules formes d'organisation territoriale. Ils coexistaient avec d'autres formes, telles que le Saint Empire germanique, la papauté, les villes-États, les réseaux de cités comme la Hanse et certains éléments féodaux. Même à l'intérieur des États territoriaux comme l'Angleterre et la France, on trouvait des formes diversifiées d'organisation territoriale.

En France, malgré des siècles de tentatives de centralisation et d'uniformisation et avant les simplifications qui furent l'œuvre de la Grande Révolution qui a débuté en 1789, il existait une grande variété de formes juridiques, administratives, politiques et sociétales, comme le soulignent les travaux historiques de Fernand Braudel[2]. En Angleterre, jusqu'au milieu du 19e siècle, les systèmes de poids et mesures et même les horaires de travail variaient d'une ville à l'autre. Mais, finalement, ce sont les États territoriaux qui l'ont emporté sur les autres formes d'organisation politique, surtout avec l'arrivée de ce que l'on désigne aujourd'hui comme la « nation moderne ». Ce sont ces États, avec leurs tendances centralisatrices et uniformisantes, qui étaient les plus aptes à fournir le cadre de la nation moderne et, en même temps, ce sont eux qui ont donné l'élan à la création de telles nations. Ce processus résume ce qui est, en fait, un long parcours historique vers la modernité exprimé dans le titre du livre de Liah Greenfeld et décrit par l'historien français, Roger Martelli, dans son excellente étude, *Faut-il défendre la nation ?*[3]

Les moments historiques clés

Il faut éviter, bien sûr, une lecture trop téléologique et rétrospective de cette histoire de la modernisation nationale et étatique et il faut garder à l'esprit toute la complexité des processus en cours. Néanmoins, il est possible de repérer quelques moments clés qui orienteront les évolutions subséquentes. Telle était la Réforme protestante du 16e siècle qui brisa l'universalité de l'Église catholique et jeta les fondations des Églises nationales dont l'Église de l'Angleterre fut une des premières. Le conflit entre les catholiques et les protestants donna lieu aux guerres de religion auxquelles les traités de Westphalie (1648) mettront fin. Les traités imposeront le principe de *cuius regio, ejus religio,* déjà appliqué par le traité d'Augsbourg (1555) entre Charles V et la Ligue de Schmalkalden pour déterminer la composition religieuse des États allemands. Cela renforcera les liens entre État, confession religieuse

---

2. Fernand Braudel, *L'identité de la France* (tome 1 : *Espace et histoire*), (Tome 2 : *Les hommes et les choses*), Paris, Flammarion, 1990.
3. Roger Martelli, *Faut-il défendre la nation ?*, Paris, La Dispute/SNEDIT, 1998.

et identité nationale. Il est vrai que le catholicisme, ou du moins la papauté, récusera ce modèle politique jusqu'à la fin du 19ᵉ siècle et même après. Mais, dès cette période, la religion devient un élément essentiel de l'édification stato-nationale.

L'historienne Linda Colley, dans son livre *Britons : Forging the Nation, 1707-1837*, démontre comment la nation anglaise se définit graduellement par son protestantisme que les Anglais conçoivent comme une marque de supériorité vis-à-vis des nations catholiques, la France surtout, mais aussi l'Espagne, la Pologne, les États italiens et par-dessus tout par rapport à l'Irlande. Cette fierté nationale anglaise, d'abord religieuse, puise aussi ses sources dans la littérature (Shakespeare), le système politique (le Parlement de Westminster), les découvertes scientifiques (celles d'Isaac Newton par exemple) et les applications pratiques de celles-ci, l'essor du commerce et les activités économiques (la Révolution industrielle), etc.[4] La France, de son côté, reste catholique malgré quelques minorités protestantes et juives en son sein, mais il s'agit d'un catholicisme « gallican », c'est-à-dire quasiment indépendant de Rome. Les deux orientations religieuses différentes vont imprégner les valeurs, les formes d'organisation politique et administrative, et les cultures propres aux deux pays. La fierté de la France réside dans les cours splendides attenantes à sa monarchie, son emprise sur le continent européen au niveau de la diplomatie et des affaires internationales, mais aussi dans sa langue, ses traditions philosophiques et littéraires, etc.

Les histoires politiques des deux pays diffèrent aussi. En Angleterre, c'est la Révolution « Glorieuse » de 1688 qui confirme l'ascension du Parlement de Westminster et mène à un compromis historique entre l'aristocratie agraire et la bourgeoisie commerçante pour mener à bien un modèle particulier de la « voie » vers la modernité, admiré par les progressistes du reste de l'Europe et en particulier par les

---

4. Pour une lecture détaillée, voir : Linda Colley, *Britons : Forging the Nation, 1707-1837*, New Haven et Londres, Yale University Press, 1992.

philosophes français du siècle des Lumières. En France, l'évolution politique est plus catastrophique avec les ruptures causées par la Grande Révolution qui commence en 1789 et qui balaie le vieux système monarchique et aristocratique, processus complété au cours de la période napoléonienne. Bien qu'il y eût des continuités avec la période de l'Ancien Régime, la Révolution jette les bases de la France moderne et surtout établit une nouvelle forme d'organisation politique : l'État-nation qui donnera naissance au cours du 19e siècle à une nouvelle philosophie politique rivalisant avec les autres idéologies de la modernité comme le socialisme et le libéralisme, mais également le conservatisme et la réaction : le nationalisme. Mais ces notions sont, en même temps, marquées par des contradictions et des ambiguïtés. Les idéologues de la Révolution furent divisés en deux camps principaux : les Jacobins, qui prônaient un État fortement centralisé et l'élimination des minorités linguistiques et culturelles ; et les Girondins, qui furent partisans d'un système décentralisé respectueux des différences. On sait que ce furent les Jacobins qui eurent le dessus et que Napoléon mena à bien leur travail, créant ainsi l'État de la France moderne. En même temps, la tendance girondine n'est jamais complètement disparue et resurgit régulièrement dans l'histoire de la France.

L'idée fondamentale du nationalisme est qu'il existe un lien organique entre État et nation, que chaque nation devrait avoir son État et que les frontières de l'État doivent coïncider avec celles de la nation, une idée simple mais puissante qui bouleversera les systèmes politiques hérités jusqu'alors en Europe. À vrai dire, ce sont les États territoriaux qui en ont le plus profité au détriment des villes, des réseaux de villes, des restes de la féodalité et des vieux empires autrichien, ottoman et russe.

Les complexités du nationalisme

En même temps, le nationalisme se révèle être une idée politique très complexe et variable selon les époques et les groupes qui l'adoptent[5]. Elle peut être progressiste ou conservatrice, libérale ou socialiste, libératrice ou oppressive, anti-impérialiste ou impérialiste. Ce qui est certain c'est que l'idée et le mouvement ont eu un succès énorme si on pense que l'État-nation, même s'il a connu des formes antidémocratiques et autoritaires, est étroitement associé avec la modernité, la démocratie libérale, le progrès social aussi bien que le capitalisme industriel. En outre, les sciences sociales se sont développées sous l'impact de l'émergence de l'État-nation, qu'il s'agisse des sciences économiques, politiques, administratives ou de la sociologie.

L'idée simple du nationalisme voulant que chaque nation ait son propre État s'est révélée très complexe en pratique. On a eu beaucoup de mal à définir ce qu'est la « nation » et à élaborer les critères qui pourraient la distinguer d'autres groupes humains comme les tribus ou les ethnies. On connaît la célèbre différence entre les conceptions française et allemande : la notion française de « nation civique » et la notion allemande de « nation ethnique », ou nation comme «*demos*» et nation comme «*ethnos*». Cette différence de conception se trouve dans les positions respectives de Renan et de Herder, bien que cette distinction se révèle moins nette qu'on l'aurait pensé dès que l'on examine les nuances de ces deux positions. Le *demos* tend à glisser vers l'*ethnos*, si l'on définit celui-ci par la langue, la culture et la civilisation et dans le contexte de l'État moderne, l'*ethnos* est obligé de se définir comme *demos*.

Ainsi, en France, la citoyenneté universelle, le plébiscite quotidien du peuple français de Renan, devient la citoyenneté de ceux qui s'assimilent à la langue, la culture et la civilisation supérieures des élites françaises et surtout de celles de Paris. Le nationalisme français « majoritaire » se révèle être un phénomène complexe et ambigu. D'une part, il est associé avec le progrès et la libération apportés par la Révolution aussi bien qu'avec l'arrivée de la démocratie et la modernité. D'autre part, au cours du 19e siècle, le nationalisme français adoptera,

---

5. Roger Martelli, *op. cit.*

lui aussi, la forme impérialiste; tout comme la Grande-Bretagne et l'Allemagne dans sa course pour acquérir des colonies en Afrique et en Asie, devenant la deuxième puissance impériale du monde, tout juste derrière l'Empire britannique. Le nationalisme français est autant associé avec Maurras et Barrès qu'avec la gauche française socialiste et communiste. Le nationalisme britannique est essentiellement le nationalisme anglais sous sa forme impérialiste.

Il y a eu une continuité étroite entre les politiques et les attitudes impérialistes envers les colonies de la métropole et celles qu'on a appliquées à l'égard des régions, des cultures et des langues au sein de la métropole que l'on ne tolérait guère (du moins dans une perspective jacobine) au nom de l'unité et de l'indivisibilité de la nation française. Dans les deux cas, la solution fut l'assimilation à la culture et à la langue supérieures. Pendant très longtemps, cette position était acceptée dans les régions françaises par les régionaux eux-mêmes qui étaient, en grande majorité, très contents de participer à l'aventure coloniale et impérialiste[6]. Dans le cas britannique, il y a eu une logique semblable, mais sa mise en œuvre fut différente. Bien qu'il soit vrai que l'Irlande ait été colonisée par l'Angleterre de manière «classique», le pays de Galles et l'Écosse se sont associés avec elle par des actes d'union (l'Acte d'union avec l'Irlande masquait le véritable caractère colonialiste des rapports entre les deux îles).

La rivalité entre la France et l'Angleterre aboutit donc à deux façons très différentes de concevoir la «nation» et l'«État» qui sont peut-être liées à leurs différences religieuses. Pour l'Angleterre, avec sa tradition d'individualisme protestant et commerçant, et ses philosophes comme John Locke, la nation est composée d'individus, libres de toute hiérarchie politique ou ecclésiastique. En France, la nation est une abstraction, d'abord incarnée par le roi, puis, après la Révolution, par le «peuple». En France, l'État est aussi une entité abstraite et juridique située au-dessus de la société alors qu'en Angleterre, l'État

---

6. Les Corses, en particulier, se sont investis dans cette aventure.

n'existe pas comme tel, on parle plutôt du « gouvernement » ou de « la Couronne ». En France, l'État, comme expression de la Nation, est unitaire et indivisible (tout comme l'Église catholique) ; en Angleterre, le système politique peut être complexe, divers et asymétrique (tout comme le protestantisme britannique dans toute sa variété).

Le nationalisme anglais, puis britannique, d'une part, et le nationalisme français, de l'autre, vont donc s'exprimer de façon radicalement opposée. La nation anglaise va incorporer, par des « actes d'union », le pays de Galles, l'Écosse et l'Irlande, pour créer le Royaume-Uni[7]. La France tente d'assimiler ses provinces et ses pays dès avant la Révolution mais surtout après. La France devint alors l'archétype de l'État unitaire et le Royaume-Uni devint un État-union ou multinational, c'est-à-dire qu'il a gardé des structures étatiques « prémodernes » tout en devenant une société et en se dotant d'une administration « moderne ». C'est cette complexité qui rend difficile et ambiguë la notion de nationalisme en Grande-Bretagne. Existe-t-il une nation « britannique », unie dans le Royaume, ou bien un Royaume-Uni formé par ses nations constituantes ? Dans la constitution écrite et non écrite du Royaume-Uni sont reconnues en fait les quatre nations, chacune avec son drapeau, ses symboles, son histoire particulière et même ses équipes sportives. Il est vrai que le cas de l'Irlande du Nord est à part et ambigu : l'équipe nationale de rugby, fondée avant la partition de l'île, représente toute l'Irlande, tandis qu'il existe deux équipes de soccer, chacune représentant une partie de l'île.

Néanmoins, bien que le Royaume-Uni ne deviendra pas un État-nation comme la France, il existait un certain nationalisme britannique dans le sens où le Royaume-Uni agissait sur la scène

---

7. Le « premier » Royaume-Uni de la Grande-Bretagne et de l'Irlande s'est constitué en 1801 à la suite de l'Acte d'union entre la Grande-Bretagne (Angleterre, Écosse et pays de Galles) en 1800. L'actuel Royaume-Uni de la Grande-Bretagne et de l'Irlande du Nord a vu le jour en 1921, à la suite de la Guerre d'indépendance (1916-1921) qui aboutit à l'indépendance partielle dans la région sud et à la partition de l'île par le gouvernement britannique.

internationale comme un État. Mais ce nationalisme «britannique» fut dès ses origines en fait le nationalisme anglais qui s'est imposé de manière impérialiste sur les autres nations du Royaume. L'Angleterre a employé un éventail de moyens pour arriver à ce but, y compris la conquête militaire (surtout en Irlande), mais aussi l'union des deux monarchies anglaise et écossaise en 1603 et l'unification des deux parlements en 1707, et par l'assimilation des élites, par le commerce, par l'attrait de sa puissance commerciale, militaire et économique, etc. Bien qu'il y eût des tensions entre les Anglais et les Écossais et les Gallois aux 18ᵉ et 19ᵉ siècles, ces deux nations (tout comme les régionaux dans le cas de la France) ont participé pleinement à la révolution industrielle et à l'expansion impérialiste propre à cette époque. Les Écossais ont pu garder les «institutions civiles[8]» de l'Écosse d'avant l'Acte d'union de 1707 et les Gallois ont pu préserver leur langue et leur version du protestantisme non conformiste. Ainsi les gens de ces deux nations ont accepté de se fondre dans la plus grande, la «nation britannique» dont l'Empire marqué en rouge sur les cartes couvrait un bon tiers des terres de la planète. Le cas de l'Irlande a été tout autre. L'Acte d'union est imposé après l'échec de sa rébellion de 1798, menée par les protestants dissidents avec le soutien tiède des catholiques (ces derniers étant habituellement royalistes).

Le fait que les trois nations de la Grande-Bretagne (l'Angleterre, l'Écosse et le pays de Galles) aient adhéré au protestantisme – bien que ce fût sous des formes différentes – a facilité cette identification avec une «nation» britannique. En Irlande, ce n'est que la partie de l'île autour de Belfast qui participa à la Révolution industrielle et elle s'identifiait à la Grande-Bretagne, surtout les souches protestantes de la population, alors que les catholiques demeuraient à l'écart. Par ailleurs, la Grande Famine de 1845-1850 avait aliéné la majorité de la population irlandaise vis-à-vis de la Grande-Bretagne. Bref, en Irlande,

---

8. C'est ainsi que l'on désigne les institutions écossaises comme leur propre Église établie calviniste, leur système de droit romain, leur système d'éducation distinct, leur système financier autonome, etc.

c'étaient les communautés protestantes qui s'identifiaient à l'aventure du nationalisme «britannique» impérialiste.

L'État-providence, stade final de l'État-nation

Ces processus historiques d'édification nationale et étatique dans les deux pays culminent avec la création de l'État-providence correspondant aux Trente Glorieuses (1945-1975), qui marque le stade final de l'édification de l'État-nation. On voit ainsi aboutir un processus qui dure depuis deux cents ans et qui remonte au 18e siècle, avec les révolutions américaine et française.

Selon le sociologue Peter Wagner[9], la grande transformation de l'Occident au 19e siècle, décrite par Karl Polanyi, traverse un stade de capitalisme «libre» ou «sauvage» au 19e siècle avant d'atteindre le stade du capitalisme «organisé» au 20e siècle, dont l'expression ultime est l'État-providence[10]. Suivant la théorie de Thomas Humphrey Marshall, on verra aussi l'État providence comme l'étape finale du processus de création de la démocratie libérale alors que les droits sociaux sont ajoutés aux droits civiques et aux droits politiques déjà acquis.

Tout cela devient possible après les catastrophes de la Deuxième Guerre mondiale par la relance des économies occidentales sous l'impulsion de la reconstruction, du plan Marshall et de la création de la Communauté européenne. Selon Alan Milward, l'intégration européenne correspond au sauvetage de l'État-nation, comme le dit le titre évocateur de son livre, *The European Rescue of the Nation-State*[11]. Pendant la période des Trente Glorieuses, tout était en expansion :

---

9. Peter Wagner, *A Sociology of Modernity : Liberty and Discipline*, Londres, Routledge, 1994.
10. Karl Polanyi, *The Great Transformation*, Boston, Beacon Press, 1944.
11. Alan Milward, *The European Rescue of the Nation-State*, Berkeley, University of California Press, 1992.

l'économie, les droits sociaux des citoyens, les programmes de politiques publiques en vue de répondre aux nouveaux besoins des citoyens, l'administration publique dont les effectifs croissaient continuellement. En même temps, pour mettre en place ces politiques publiques, il était nécessaire de prélever des impôts de plus en plus importants. Mais, pendant une certaine période, après les privations et les destructions de la guerre, presque toutes les familles politiques et toutes les classes sociales étaient d'accord pour ériger cette nouvelle forme d'État.

C'est la période où l'on vit ce que Colin Crouch désigne «*the mid-century consensus*» (le consensus du milieu du siècle)[12]. La Grande-Bretagne en fournit un bel exemple alors que le Parti travailliste, conforté par sa victoire écrasante aux élections de 1945, jette les bases de son État-providence. C'est toutefois le Parti conservateur de Macmillan qui acheva le travail jusqu'aux années 1960. En France, ce seront les gouvernements de coalition socialiste-MRP (démocratie chrétienne) qui feront de même, excluant, après une période initiale où ils étaient au pouvoir, les partis communiste et gaulliste. De Gaulle, à son retour au pouvoir au cours de la première moitié des années 1960, s'inscrira dans la même lignée. Il est vrai, néanmoins, que l'État-providence s'exprima de diverses façons selon des traditions étatiques différenciées qui restent bien inscrites[13].

Esping-Andersen (1990) parle des trois modèles du «*Welfare Capitalism*» : le modèle suédois dominé par une logique étatique de la démocratie sociale; le modèle anglo-américain dominé par une logique de marché et de pluralisme; et le modèle propre aux pays catholiques,

---

12. Colin Crouch, *Social Change in Western Europe*, Oxford, New York, Oxford University Press, 1999.
13. Kenneth Dyson, *The State Tradition in Western Europe*, Londres, Martin Robertson, 1980; John Loughlin et B. Guy Peters, «State Traditions, Administrative Reform and Regionalization», dans Michael Keating et John Loughlin (dir.), *The Political Economy of Regionalism*, Londres, Frank Cass, 1997.

dont la France, dominé par une logique de la famille traditionnelle[14]. Mais, malgré des différences importantes, il reste un noyau de concepts et de pratiques qui sont partagés par tous ces États. C'est ce que l'on peut appeler les principes bévéridgiens-keynésiens de l'État : un État interventionniste et dirigiste. C'est l'État qui domine le marché et la société. Au même moment, les États occidentaux devaient offrir une voie de rechange au communisme, notamment celui de l'Union soviétique, qui exerçait une fascination certaine dans les milieux de gauche et chez les intellectuels et qui menaçait l'existence même de ces pays. C'était aussi une des raisons pour laquelle les États-Unis avaient soutenu la reconstruction de l'Europe avec le plan Marshall.

L'État-providence est vu comme l'apogée de l'État-nation car toutes les politiques publiques, toute l'expansion économique, les notions de citoyenneté et d'identité, sont nationales. La souveraineté nationale exercée par les gouvernements nationaux trouve ainsi son expression la plus forte depuis le 19e siècle.

Trois phénomènes sont importants du point de vue du nationalisme majoritaire pendant cette période.

D'abord, l'État-providence exige que le fonctionnement de l'État soit bureaucratisé et centralisé pour mieux redistribuer les richesses du pays vers les individus, les groupes et les territoires les plus démunis. Dans cette perspective, l'État a le droit mais aussi le devoir d'intervenir dans les affaires économiques et sociales pour mener à bien ses politiques d'expansion et d'égalité.

Deuxièmement, et justement à cause de ces deux aspects (centralisateur et national), on n'accorde pas beaucoup d'importance aux régions, aux nationalités, aux minorités linguistiques et culturelles, sauf dans un contexte de construction nationale. À ce titre, le plan français imaginé par Jean Monnet est d'abord un plan « national » et,

---

14. Pour une lecture détaillée, voir : Gøsta Esping-Andersen, *The Three Worlds of Welfare Capitalism*, Princeton, Princeton University Press, 1990.

même quand il est « régionalisé » à la fin des années 1950, cela s'inscrit dans une perspective nationale. L'importance du fait stato-national à cette époque est telle que les mouvements régionalistes en France et les mouvements nationalistes minoritaires en Grande-Bretagne formulent leurs revendications politiques toujours dans ce cadre : chez les autonomistes et les nationalistes modérés, on optait pour demander plus de ressources pour les régions en provenance de l'État central alors que les plus radicaux allaient jusqu'à souhaiter l'indépendance totale ou la création des mini-États-nations écossais, gallois, breton, corse, etc.

Le plus souvent, la réponse des gouvernements centraux fut un mélange de répression sévère et de quelques concessions qui ne remettaient pas en question la sacro-sainte unité de l'État-nation. En France, la guerre d'Algérie lancée par les gouvernements français au nom du principe de l'unité et de l'indivisibilité de la République, suivie par l'indépendance de ce pays, remettra en question le principe et encouragera la radicalisation des mouvements régionalistes français.

Le troisième phénomène important de l'époque fut le caractère résiduel de la jeune Communauté européenne. En fait, les six États membres n'en avaient pas besoin pour réaliser les politiques publiques de l'État-providence et la Communauté a dû abandonner ses prétentions fédéralistes et utopiques pour rester au stade d'un simple marché commun. Il est intéressant aussi que les mouvements régionalistes et nationalistes minoritaires de l'époque, sauf quelques vieux régionalistes et fédéralistes comme ceux qui étaient regroupés au sein du Mouvement pour l'organisation de la Bretagne et le Sinn Féin des années 1960[15], étaient hostiles au projet de l'intégration européenne, soit parce qu'il nuisait au principe de l'État-nation, soit, pour les néo-marxistes, parce qu'il représentait une expression du capitalisme de

15. Le programme politique de Sinn Féin à cette époque, influencé par la doctrine sociale de l'Église catholique, prônait une Irlande fédérée.

marché qui marginaliserait davantage les régions périphériques. Le contexte politique de l'époque était celui d'un jeu à somme nulle : la souveraineté nationale est indivisible et donc non partageable entre les instances différentes ; les frontières sont imperméables – on se trouvait soit d'un côté de la frontière, soit de l'autre ; des territoires fixes ; les identités nationales sont simples et concurrentes, etc.

Peut-être la formation des États-providence en France et en Grande-Bretagne compensa-t-elle, pendant un certain temps, la perte des empires qui, comme nous l'avons déjà souligné, étaient fondamentaux à la construction de leur identité nationale propre. Leurs citoyens pouvaient dès lors avoir le sentiment de faire partie d'un grand projet de société à l'intérieur de leur propre pays au lieu de se projeter vers l'extérieur. En même temps, les empires sont respectivement devenus le *Commonwealth* et la Francophonie. Avec l'expansion des années 1950 et 1960, les pays de ces anciennes colonies fournissaient une main-d'œuvre bon marché qui, pendant un certain temps, ne remit en question ni le consensus du milieu du siècle ni les identités nationales des « indigènes ». Au contraire, la présence des ouvriers peu instruits et démunis, qui assuraient les travaux les plus pénibles et désagréables, confortait le sentiment de supériorité des Britanniques et des Français.

Les crises de l'État-providence

Le monde capitaliste et le système bévéridgien-keynésien entrent en crise au début des années 1970. En fait, il y eut plusieurs crises toutes entremêlées les unes aux autres. D'abord, une crise économique au niveau du système de production capitaliste basé sur le fordisme et le keynésianisme. Deuxièmement, une crise sociale avec la montée conjuguée du chômage et de l'inflation, un phénomène nouveau que l'on appellera «*stagflation*». Troisièmement, une crise politique qui était une crise de l'État-nation dans ses fonctions de représentativité, d'efficacité et de livraison de services sociaux à ses citoyens (ce que Fritz Scharpf appelle la «démocratie des extrants», «*output democracy*»[16]). Quatrièmement, une crise culturelle et sociologique avec la remise en cause des vieux modèles de société basés sur la famille traditionnelle patriarcale et le bouleversement des valeurs à la suite des soubresauts des années 1960. Malgré la définition de la période des Trente Glorieuses comme le consensus du milieu du siècle, il y eut, en fait, des groupes, de gauche comme de droite, qui contestaient l'État-providence : ce sont les penseurs de la « Nouvelle Gauche » (l'école de Francfort, par exemple) qui ont inspiré en partie les mouvements étudiants et contestataires des années 1960. Mais, en l'occurrence, ceux qui ont le plus profité de la crise de l'État-providence furent les penseurs de la « Nouvelle Droite », les Milton Friedman, les Von Hayek, les Walter Niskanen qui ont inspiré les politiques de ce que l'on appelle communément aujourd'hui le « néolibéralisme » porté par Margaret Thatcher et par Ronald Reagan.

Les élites politiques et industrielles du monde occidental répondent à ces crises de deux façons : d'abord, la mondialisation économique, qui correspond à la réinvention des modes de production capitalistes, qui passe de la production fordiste et standardisée au mode de production basé sur les services et le savoir, accompagnée par la diminution des barrières transfrontalières, mais aussi par l'adoption du néo-libéralisme. Puis, en second lieu, mais liée à la mondialisation, la relance du processus de l'intégration européenne, avec le projet de marché unique de Jacques Delors. Or les crises économiques et financières donnent lieu aussi à des crises de la société, lesquelles, liées aux transformations des systèmes de valeurs issues des contestations des années 1960 et 1970, vont modifier profondément les sociétés occidentales.

On peut signaler les revendications féministes, l'éclatement de la famille nucléaire « traditionnelle », le nouvel individualisme de la «*me generation*», mais aussi les nouveaux mouvements sociaux qui commencent à peser lourd sur les formes de mobilisation et d'action

---

16. Fritz W. Scharpf, *Governing in Europe : Effective and Democratic?*, Oxford, Oxford University Press, 1999.

collective comme des phénomènes de transformation de la société. Finalement, la chute après 1989 de l'Union soviétique et du bloc communiste bouleversent la situation géopolitique mondiale et remettent en question les vieilles certitudes idéologiques de la gauche marxiste et socialiste.

Les transformations de l'État et de l'idée de nationalisme majoritaire

Ces transformations politiques, économiques, culturelles et géo-stratégiques modifient profondément la situation des États-nations qui constituent encore la base du système politique. On commence dès lors à parler de l'« après État-nation », d'une ère « postnationale » et de l'« État vide », etc. C'est le « finisme » : la fin de l'Histoire de Fuku-yama[17] ; la fin des territoires de Bertrand Badie[18] ; la fin de l'État-nation de Kenichi Ohmae[19], etc.

Il est, pourtant, bien trop tôt pour écrire la notice nécrologique de l'État-nation. Celui-ci existe encore, mais de façon transformée : sa souveraineté est relativisée surtout dans les États membres de l'Union européenne où beaucoup de ses compétences ont été transférées aux instances européennes et où, dans des domaines en pleine expansion, le droit communautaire l'emporte sur le droit national ; les frontières[20] sont plus perméables et ouvertes ; le territoire est moins facilement identifiable ; la domination de l'État sur le marché et la société est moins définitive ; les identités des citoyens sont plus complexes. L'idéologie du nationalisme est plus imprécise. On pourrait dire

---

17. Francis Fukuyama, *The End of History and the Last Man*, Londres, Hamish Hamilton, 1992.

18. Bertrand Badie, *La fin des territoires. Essai sur le désordre international et sur l'utilité sociale du respect*, Paris, Fayard, 1995.

19. Kenichi Ohmae, *The End of the Nation State : The Rise of Regional Economies*, New York, The Free Press, 1995.

20. La notion de frontière a ses origines dans la notion de « front » face à l'ennemi et avait donc un sens militaire. Voir : Roger Martelli, *Ibid*.

qu'en rupture avec l'État-providence, c'est le marché qui commence dès lors à dominer à la fois l'État et la société.

Sans accepter complètement la thèse du néomédiévalisme, on peut aussi voir resurgir d'anciennes formes d'organisation politique et administrative. La notion de souveraineté, par exemple, qui dans le système classique de l'État-nation, doit être une et indivisible, est aujourd'hui beaucoup plus complexe et des juristes contemporains tels que Neil MacCormick et Neil Walker parlent des ordres de «souveraineté chevauchée», évoquant l'image de la période précédant l'avènement de l'État-nation[21]. On a aussi vu une résurgence des régions[22] et des villes[23] comme acteurs politiques dans une Europe renouvelée et élargie sans aller jusqu'à la vieille utopie fédéraliste d'une Europe des régions. Sans entrer dans tous les détails de ce débat, on peut dire que l'État-nation existe toujours mais de façon transformée et à côté d'autres acteurs politiques aux niveaux supra et infranationaux.

Quelles ont été les conséquences de ces transformations pour les nationalismes britannique et français? Elles ont été profondes. D'abord, dans un monde globalisé et, depuis la chute de l'URSS et surtout depuis septembre 2001, dominé par les États-Unis, la Grande-Bretagne et la France ne sont que deux États de taille moyenne, dans une Europe de plus en plus intégrée, en quête d'un nouveau rôle.

21. Neil MacCormick, *Questioning Sovereignty. Law, State, and Nation in the European Commonwealth*, Oxford, Oxford University Press, 1998; Neil Walker, «Sovereignty and Differentiated Integration in the European Union», *European Law Journal*, vol. 4, nº 4, 1998, p. 355-358.
22. John Loughlin, «Europe of the Regions and the Federalization of Europe», *Publius : The Journal of Federalism*, vol. 26, nº 4, 1996, p. 140-162; John Loughlin, *Subnational Democracy in the European Union : Challenges and Opportunities*, Oxford, Oxford University Press, 2001, avec la collaboration d'Eliseo Aja, Udo Bullmann et Frank Hendriks.
23. Bernard Jouve et Christian Lefèvre (dir.), *Villes, Métropoles. Les nouveaux territoires du politique*, Paris, Economica, 1999; Patrick Le Galès, *Le retour des villes européennes. Sociétés urbaines, mondialisation, gouvernement et gouvernance*, Paris, Presses de Sciences Po, 2003.

La France veut dominer l'Europe, mais cela est peu probable avec les élargissements successifs de l'Union européenne – et surtout depuis l'entrée du Royaume-Uni en 1973, suivie en 1995 par les pays nordiques, la Suède et la Finlande.

En outre, l'unification allemande en 1989 a rendu plus problématique le tandem franco-allemand, qui avait permis aux Français de dominer la scène européenne. La débâcle de la guerre en Irak a démontré aussi que les nouveaux membres de l'Union sont moins attirés par les prises de position de la « Vieille Europe » que par celles qui sont défendues par l'axe américano-britannique, signifiant ainsi un déclin de l'influence française. Même la langue française, longtemps la langue de la diplomatie et des institutions de la Communauté, cède la place à l'anglais (américain). Mais le Royaume-Uni aussi doit faire face à une perte d'influence importante dans le domaine des affaires internationales et il a du mal à décider s'il est vraiment européen ou plutôt rattaché à l'Alliance atlantique. Les « nationalismes majoritaires » britannique et français se trouvent donc dans une situation internationale et géopolitique où ils sont obligés de redéfinir leurs positions dans un monde radicalement transformé depuis quarante ans.

Cette nouvelle situation a également obligé les deux pays à repenser et à redéfinir leur organisation politique et leur identité nationale. En France, sous les présidents de Gaulle, Pompidou et Giscard d'Estaing, on a tenté de sauvegarder la tradition jacobine de l'État unitaire même si de Gaulle, vers la fin de sa carrière, tenta de mettre en œuvre quelques mesures modestes de régionalisation (mais le référendum sur ce sujet lié à la réforme du Sénat échoua). Au Royaume-Uni, après 1945 les gouvernements, qu'ils fussent de droite ou de gauche[24], ont mis l'accent sur la centralisation et la diminution

---

24. Le Parti travailliste a été au pouvoir pendant les périodes suivantes : 1945-1951 ; 1964-1970 ; 1974-1979 ; de 1997 jusqu'à aujourd'hui. Le Parti conservateur a dirigé le pays pendant les autres périodes.

des pouvoirs régionaux et locaux. Mais les nouvelles données des années 1980 (pour la France) et 1990 (pour le Royaume-Uni) ont bouleversé ces approches centralisatrices et ont mené aux réformes de décentralisation en France en 1982 (raffermies au cours des années 1990) et au Royaume-Uni en 1998[25]. Pour la France, la décentralisation fut, de l'avis même de François Mitterrand, une nouvelle façon d'exprimer l'unité de la République : en acceptant sa pluralité et en assumant sa diversité.

En fait, la décentralisation de 1982 avait deux objectifs principaux. D'une part, elle renforçait la position des communes, surtout des grandes et moyennes villes. D'autre part, elle créa une nouvelle institution, la région « politique » avec son conseil élu au suffrage universel. Des centaines d'articles et de livres décrivant et discutant ces réformes sont parus au cours des vingt dernières années et il ne serait pas facile de les résumer dans le présent chapitre. Qu'il suffise de mentionner que les réformes de décentralisation ont profondément modifié le paysage politico-administratif de la France et continuent à travailler ce paysage.

De façon concrète, il y a eu deux phases de décentralisation en France. Notons, tout d'abord, une première phase marquée par une activité législative intense qui a amené de nouveaux acteurs et modifié les paramètres du système territorial. Elle fut suivie d'une deuxième phase (nommée « décentralisation Acte II »), commencée au cours de la décennie 1990 et venant compléter les réformes antérieures et qui s'inscrit justement dans un contexte politique différent, celui de la mondialisation et d'une Europe beaucoup plus fortement intégrée.

La France, aussi bien que la Grande-Bretagne, se trouve donc en présence d'une Europe transformée, avec de nouveaux enjeux sociétaux. La France est aux prises avec plusieurs problèmes urbains, nés de l'aliénation des secondes générations d'immigrés et de la faible insertion nationale de ces groupes. L'État français met de l'avant de

---

25. John Loughlin, *Subnational Democracy in the European Union, op. cit.*

nouvelles politiques urbaines et propose de nouvelles formes d'organisation communale, allant de l'intercommunalité aux conseils de quartier à l'établissement de nouveaux rapports, basées sur les principes du partenariat et du contrat, entre l'État et les collectivités locales. Le gouvernement de Lionel Jospin s'était même engagé, en 1998, dans un processus, inspiré en partie par l'exemple de l'Irlande du Nord mais aussi par le modèle européen, à trouver des réponses satisfaisantes à la question corse[26].

Or ces développements, surtout les propositions modestes, inspirées par la volonté de Matignon de donner à la Corse la possibilité de modifier la législation qui touche directement ce territoire, a donné lieu à un débat qui divise la classe politique et tous les partis politiques. Ce débat oppose des factions « girondines » ou « pluralistes », c'est-à-dire ceux qui sont favorables à une décentralisation et à une régionalisation plus poussées, et les factions « jacobines » ou « souverainistes » – dont un des représentants est Jean-Pierre Chevènement – qui s'y opposent au nom de la souveraineté nationale et de l'intégrité territoriale. Les mêmes groupes prennent position aussi pour ou contre plus d'intégration européenne en invoquant des motifs semblables : les souverainistes affirment que les modifications constitutionnelles, politiques et institutionnelles favorables à une plus grande décentralisation et à une régionalisation plus prononcée entraîneront la fin de l'État jacobin et de la nation française alors que les pluralistes soutiennent, au contraire, que les modifications renforceront à la fois l'État et la nation.

Ce qui est intéressant en France, c'est le changement radical du discours politique sur le nationalisme, qu'il soit majoritaire ou minoritaire. Les « pluralistes » au moins, qui se réclament encore du nationalisme majoritaire, tentent d'exprimer celui-ci de manière très

---

26. John Loughlin et Claude Olivesi (dir.), *Autonomies insulaires : vers une politique de la différence pour la Corse ?*, Ajaccio, Albiana, 1999.

différente par rapport aux années passées et se positionnent différemment par rapport aux souverainistes contemporains. Ils sont à la fois ouverts aux perspectives internationales, voire supranationales, mais aussi aux nationalismes ou minimalement aux régionalismes minoritaires. Ils souhaitent en arriver à un compromis historique avec leurs protagonistes (c'est la signification du processus de paix en Corse par opposition à ce qui se passe en Espagne avec le Pays basque, par exemple). Les protagonistes des nationalismes minoritaires, de leur côté, ont redéfini leurs projets politiques en les inscrivant dans une tradition plus européenne, tout en rappelant que leurs projets acceptent les réalités et les valeurs de la France nouvelle. La crispation des années 1970 et 1980 est aujourd'hui dépassée.

On trouve des processus semblables au Royaume-Uni. Pour le Nouveau Parti travailliste de Tony Blair, la « dévolution », qui consiste à proposer une certaine décentralisation politique, est une façon à la fois de relever les défis propres à l'Europe et au monde actuel et de faire une place nouvelle aux nations et aux régions composant le Royaume-Uni. Les nations écossaise et galloise sont dès lors dotées d'institutions politiques et démocratiques, et non seulement administratives comme ce fut le cas auparavant à travers la mise en place d'une déconcentration administrative. De leur côté, les mouvements nationalistes écossais et gallois collaborent avec les nouvelles instances politiques et, sans renier leur projet d'indépendance, parlent aujourd'hui de « leur indépendance au sein de l'Europe ».

Ces nouvelles données, et surtout la redéfinition du concept de souveraineté, permettent aussi d'envisager une solution au problème épineux de l'Irlande du Nord. Même si on n'a pas encore pleinement mis en œuvre les dispositions de l'accord du Vendredi saint, celui-ci a complètement modifié les enjeux du conflit et, minimalement, les fusils sont (plus ou moins) muets. Tout cela traduit une redéfinition de l'identité nationale. Aujourd'hui, les identités écossaise et galloise sont plus fortes que l'identité britannique au sein de ces deux nations sans toutefois renier cette dernière tandis qu'en Angleterre, il y a une renaissance de l'identité anglaise plutôt que britannique.

Conclusion

Le vieux système de standardisation et d'uniformisation de l'État-providence est vu comme dépassé. C'est un moment favorable pour implanter une politique d'asymétrie, ce qui veut dire une redéfinition du rôle de l'État tel qu'il a été défini pendant les Trente Glorieuses, en réévaluant le projet de bâtir la nation sur la base de l'équité et de l'égalité des citoyens mais aussi des territoires. C'était la base idéologique de la gauche traditionnelle en France (PCF ou SFIO) ou au Royaume-Uni (*Old Labour*).

En France aujourd'hui, par contre, il existe un « droit à l'expérimentation », prévu pour inciter les autorités locales à développer des politiques publiques et même des formes institutionnelles particulières. Au Royaume-Uni, on accepte qu'il puisse exister des divergences au niveau des politiques publiques ainsi que des variantes institutionnelles. L'asymétrie administrative de ce pays devient dès lors une asymétrie politique avec l'établissement de nouvelles institutions à géométrie variable en Écosse, au pays de Galles de même qu'en Irlande du Nord.

En Angleterre, il existe aujourd'hui trois systèmes de gouvernement local. La notion même de l'État a changé, et de façon encore plus radicale en France. Ce n'est plus l'État régalien tout puissant, mais un État qui rassemble et qui incite les acteurs de tous les niveaux à mener à bien des projets sur la base de processus de codétermination et de contrats. Au Royaume-Uni, les relations intergouvernementales passent par des « concordats », c'est-à-dire par des « *gentlemen's agreements* » entre les différentes instances.

Il s'agit d'un phénomène que l'on retrouve dans tous les pays occidentaux et même dans d'autres parties du monde. La Suède, l'Italie, l'Espagne, la Belgique et même des petits pays comme l'Irlande ou le Portugal sont marqués par cette diversité intérieure. En outre, on l'accepte comme une bonne façon de gérer l'État. C'est peut-être une expression encore du triomphe du néolibéralisme, mais au niveau de l'organisation territoriale.

Comment réagit le «nationalisme» devant toutes ces transformations? À vrai dire, l'identité nationale conserve encore toute sa capacité de maintenir la loyauté de ses citoyens[27]. Cette identité se manifeste surtout dans les sports mais aussi, parfois, à l'occasion de guerres comme celle de 1982 aux Malouines. Les sondages tels que ceux de l'Eurobaromètre démontrent que l'identité nationale est la plus forte de toutes les identités, surtout en Angleterre (moins en Écosse ou au pays de Galles) où il existe une résistance à l'idée européenne; il est très peu vraisemblable que les Britanniques votent en faveur de leur adhésion à l'Eurozone.

Mais cette identité est aujourd'hui plus complexe qu'auparavant. Au Royaume-Uni, les Écossais et les Gallois sont plus écossais et gallois que britanniques, les Anglais plus britanniques qu'anglais, mais le sentiment d'être anglais est croissant et on voit beaucoup de drapeaux anglais (croix rouge sur fond blanc) en Angleterre même[28]. En France, ce qui change, c'est l'attitude des élites qui, depuis vingt ans, cessent d'être unilingues et parlent de plus en plus anglais. Le vieux système jacobin est en train de s'effriter.

Face à ces bouleversements, les réactions des vieux nationalistes «souverainistes» comme Margaret Thatcher ou Jean-Pierre Chevènement sont les derniers soubresauts d'une classe politique qui appartient au passé. L'avenir se présente sous la forme d'un nationalisme renouvelé et ouvert mais toujours capable de fournir les éléments d'enracinement identitaire à ses citoyens.

---

27. Roger Martelli, *op. cit.*
28. Il est vrai que la résurgence du nationalisme anglais est inquiétante étant donné ses liens avec l'extrême-droite. Mais la question de l'Angleterre est le «trou noir» de la dévolution puisque cette nation est représentée par Westminster qui représente par ailleurs le Royaume-Uni.

CHAPITRE 6

La question du nationalisme majoritaire au Canada

James Bickerton

Dans sa célèbre étude du nationalisme, Benedict Anderson avoue d'emblée avoir eu du mal à définir le sujet de son livre. Selon son interprétation, une nation est « une communauté politique imaginée, à la fois fondamentalement limitée et souveraine ». Toutefois, alors qu'Ernest Gellner disait du nationalisme qu'il est capable d'inventer des nations même là où elles n'existent pas, Anderson affirme que le processus de création des nations relève moins de la fausse fabrication que de la création active : en un sens, il n'y a pas de « vraies » communautés qui peuvent être juxtaposées aux nations « fausses » ou inventées ; toutes les communautés sont les produits de l'imagination humaine. « Les communautés se distinguent, non par leur fausseté ou leur authenticité, mais par le style dans lequel elles sont imaginées[1]. » En tant que style d'imagination, le nationalisme a émergé durant l'époque des Lumières et de la Révolution, lesquelles ont détruit la légitimité de toute forme de communauté politique qui n'était pas « libre » au sens d'autodéterminée et d'autogouvernée ; ce qui lia inextricablement le nationalisme à l'idée de souveraineté[2].

---

1. Benedict Anderson. *Imagined Communities*, Londres, Verso Books, 1983, p. 6. (Traduit en français sous le titre *L'imaginaire national*, Paris, La Découverte, 1996.)
2. *Ibid.*, p. 7.

Les philosophes ont longtemps trouvé que les concepts de nation et de nationalisme étaient désespérément vides, concluant, suivant l'expression illustre de Gertrude Stein à propos d'Oakland, «*The trouble with Oakland is that when you get there, there isn't any there there*[3]». Pourtant, malgré cette dépréciation et les prophéties répétées au sujet de la fin imminente de l'ère du nationalisme, il reste que, «dans la vie politique de notre temps, il n'est en vérité de valeur plus universellement légitime que la nation[4]». En effet, le nationalisme contemporain n'a pas seulement persisté, il s'est diversifié. La modernisation, souvent désignée comme la source de l'inévitable mort du nationalisme, s'est avérée un phénomène qui a pris les traits de Janus pour les nations. D'une part, elle a libéré des forces d'homogénéisation culturelle et de globalisation économique susceptibles de limiter ou même de renverser l'étendue de la diversité et de l'autonomie nationales ; d'autre part, «elle a accru la capacité et la volonté des petites nationalités de construire pour elles-mêmes des espaces politiques plus autonomes[5]».

Il y a un autre sens dans lequel l'héritage historique du nationalisme recèle le double visage de Janus. L'un de ses visages révèle un phénomène descendant (orchestré par l'État) et instrumental : une politique consciente et autoprotectrice, intimement liée aux intérêts de ceux qui gouvernent et de leurs régimes (en d'autres mots, quelque chose qui émane de l'État et qui sert à la préservation de celui-ci). Cela conduit les États (ou les entités infra-étatiques, lorsqu'elles sont sous le contrôle de nations minoritaires) à s'engager continuellement dans le processus de création et de construction de la nation, lequel comporte l'établissement, le maintien et le renouvellement d'une série de pratiques et d'institutions sociales. Ainsi, les nations sont des

---

3. *Ibid.*, p. 5.
4. *Ibid.*, p. 3.
5. Reginald Whitaker, «From the Canadian Cauldron to the Quebec Cauldron», dans Alain-G. Gagnon (dir.), *Quebec : State and Society*, 3e édition, Peterborough, Broadview Press, 2004, p. 37.

constructions sociales « créées, réinventées et transformées perpétuel-lement[6] ». « Figer celles-ci à n'importe quel moment de l'histoire entre en contradiction avec la nature évolutive des identités natio-nales[7]. » L'autre visage du nationalisme concerne sa dimension affective et subjective, soit le sens de l'appartenance et de l'identifi-cation qu'ont les individus à l'égard des « communautés imaginées » auxquelles ils croient appartenir. Dans la modernité, la nationalité figure parmi les plus importantes des multiples identités que les individus adoptent ou construisent pour eux-mêmes. Son caractère et son intensité varient toutefois entre les individus, à travers les com-munautés nationales et au fil du temps, en fonction d'une foule de facteurs.

Cette variation des nationalités et des nationalismes à travers le temps et l'espace, ainsi que les conséquences de celle-ci pour l'étude des régimes politiques, a incité un certain nombre de spécialistes de la politique comparée à explorer et à vouloir comprendre les multiples dimensions de la nationalité dans les sociétés fragmentées. Un aspect important de la vie politique de ces sociétés a trait à l'éven-tail des réactions des majorités nationales envers les nations minori-taires non assimilées. Le concept de nationalité *(nationality)* majoritaire suggère que le nationalisme de la population majoritaire dans les sociétés fragmentées, ainsi que l'État sur lequel cette population a visiblement une emprise, s'orienteront perceptiblement d'eux-mêmes vers les revendications et les demandes de ses minorités nationales qui constituent un autre pôle d'allégeance et d'identité politique (quoique pas nécessairement une alternative) au sein de la grande communauté nationale englobante. Dans cette veine, David Miller parle de natio-nalités « rivales » et « imbriquées », et Michael Keating, de nationalités

---

6. Michael Keating, « So Many Nations, So Few States : Territory and Nationalism in the Global Era », dans Alain-G. Gagnon et James Tully (dir.), *Multinational Democracies*, Cambridge, Cambridge University Press, 2001, p. 44.

7. Michael Keating, *Plurinational Democracy : Stateless Nations in a Post-Sovereignty Europe*, Oxford, Oxford University Press, 2001, p. 167.

« concurrentes », « emboîtées » et « coexistantes ». Tous deux tentent de transcender les notions exclusives de la nationalité qui supposent que les individus ne possèdent qu'une seule identité nationale, ou ressentent de l'attachement et offrent leur allégeance à une seule nation.

Selon Miller, les identités nationales rivales ou concurrentes sont mutuellement exclusives du fait qu'elles formulent des revendications conflictuelles, tant au sujet d'une partie ou de l'ensemble du territoire de l'État que des identités et des loyautés de ses résidants, d'une manière qui amoindrit, conteste ou nie la légitimité des revendications de l'autre nationalité. Les identités nationales tendent à devenir plus exclusives durant les périodes de menace, de crise ou de polarisation politique. Cela augmente habituellement, chez les nations minoritaires, l'attrait de la sécession, de la redéfinition des frontières ou des modèles confédéraux de partage du pouvoir ; et chez les nations majoritaires, la tendance à « refermer » leur ouverture aux revendications et aux demandes des nations minoritaires. En dehors de ces périodes, toutefois, les individus tendent à être beaucoup plus flexibles et à assumer avec aisance, et sans contradictions, plusieurs identités nationales.

Les identités nationales dites « emboîtées » désignent les situations où au moins deux communautés nationales territorialement définies existent à l'intérieur du cadre d'une seule nation, de telle sorte que l'une ou l'ensemble (mais plus généralement une seule) des communautés nationales adopte une identité nationale fragmentée ou double : celle de la nation minoritaire aussi bien que celle, inclusive, de la majorité[8]. Les identités asymétriques sont donc courantes dans ces situations où les membres des nations minoritaires endossent et affichent une double nationalité alors que la majorité adhère à une seule nationalité inclusive et englobante[9]. Dans de tels cas, l'intensité

---

8. David Miller, « Nationality in Divided Societies », dans Alain-G. Gagnon et James Tully (dir.), *Multinational Democracies, op. cit.*, p. 304.

9. Michael Keating, « So Many Nations, So Few States : Territory and Nationalism in the Global Era », *op. cit.*, p. 54 ; David Miller, « Nationality in Divided Societies », *op. cit.*, p. 313.

du sentiment national ou de l'identification nationale, ainsi que le degré de loyauté ou d'allégeance, sont également susceptibles d'être asymétriques. L'élément important ici est que différentes identités nationales peuvent exister à plus d'un niveau à l'intérieur d'un État et coexister chez les individus, ce qui autorise leur accommodement mutuel par le truchement d'arrangements fédéraux ou quasi fédéraux[10]. Ce caractère non exclusif de la nationalité témoigne de la capacité et de la propension des êtres humains à vivre avec des identités multiples et, dans le cas particulier des identités nationales, de leur aptitude à compartimenter ces identités de manière à ce qu'elles puissent être maintenues simultanément[11].

Michael Keating soutient que le plurinationalisme est le meilleur concept pour saisir la complexité des identités nationales multiples dans les pays où l'on retrouve des nations minoritaires importantes. Contrairement au multinationalisme, qui conçoit l'existence de nations séparées au sein d'un État donné (et propose donc la fédération multinationale comme la forme appropriée de l'État), le plurinationalisme intègre précisément les asymétries des identités nationales elles-mêmes : *là où il y a une nation minoritaire, il n'y a pas toujours de majorité.* Au Canada, la plupart des Québécois non francophones ne se reconnaissent pas comme formant une nation à part, comme un acteur unitaire ou une collectivité distincte. Alors que les nations minoritaires tendent à imaginer leur rival comme un acteur unitaire (par exemple, le « Canada anglais »), cela exige pourtant de « déformer la réalité pour tenter de forger une symétrie qui n'existe pas[12] ».

---

10. David Miller, « Nationality in Divided Societies », *op. cit.*, p. 306 ; Michael Keating, « So Many Nations, So Few States : Territory and Nationalism in the Global Era », *op. cit.*, p. 46.

11. Alan C. Cairns, « Empire, Globalization, and the Fall and Rise of Diversity », dans Alan C. Cairns, John Courtney, Peter MacKinnon, Hans Michelmann et David Smith (dir.), *Citizenship, Diversity and Pluralism : Canadian and Comparative Perspectives*, Montréal, McGill-Queen's University Press, 1999, p. 46-47.

12. Michael Keating, *Plurinational Democracy : Stateless Nations in a Post-Sovereignty Europe, op. cit.*, p. 109.

Ce chapitre soutient que la nature de la nationalité canadienne majoritaire a changé au fil du temps, qu'elle a été influencée et façonnée par les événements, les changements démographiques, les processus sociaux et économiques à long terme et l'émergence des mouvements nationaux minoritaires. Cela a engendré des formes successives de nationalisme canadien se recoupant, formes qui correspondent aux différentes positions de la majorité envers les revendications nationales des minorités québécoise et autochtones. La première de ces formes découle principalement d'une attitude qui repose sur un concept pluraliste mais mononational du Canada, concept que l'on retrouve incarné dans les idées fondamentales de bilinguisme, de multiculturalisme, d'un gouvernement central fort et d'une charte des droits et libertés enchâssée dans la Constitution. Cette compréhension de la nationalité canadienne a été contestée par une compréhension multinationale du Canada qui englobe différentes formes d'asymétrie politique et constitutionnelle comme seule solution possible à la question des nationalités du Canada (à moins que le Québec ne fasse sécession) et seule voie légitime de reconnaissance et d'accommodement des nations minoritaires (québécoise et autochtones). Une troisième perspective – à la fois pluraliste et plurinationale – a émergé provisoirement du choc intellectuel et politique des deux premières ; elle conjugue des éléments de chacune en épousant simultanément l'idée d'une nation inclusive *et* de nations ou de nationalités minoritaires distinctes qui ne se manifestent en tant que nationalismes antagoniques ou rivaux qu'à certains moments et dans certaines conditions. Ce texte établit que cette troisième forme de nationalisme canadien constitue la base la plus prometteuse pour construire un accommodement et une réconciliation viables et durables entre les différentes communautés nationales du Canada et au sein de celles-ci.

Du nationalisme britanno-canadien au nationalisme canadien

Les origines et les premières manifestations du nationalisme britanno-canadien au sein de la majorité anglophone du Canada sont bien connues et constituent le domaine de prédilection de bien des historiens et analystes de la politique canadienne. La parenté ethnique et l'attachement psychologique à la relation avec les Britanniques, de pair avec les liens culturels, politiques et économiques étroits avec l'Empire britannique, semblaient aller de soi. Au moins jusqu'après la Première Guerre mondiale, une identité partagée liée à leur «britannité», de pair avec un sentiment d'attachement et de loyauté envers l'Empire britannique et ses institutions (incluant la monarchie), constitue une caractéristique puissante et omniprésente du sentiment patriotique des Canadiens anglophones. Leur «communauté imaginée» s'étendait au-delà des frontières du Canada, tout en excluant sous des aspects importants une minorité non négligeable à l'intérieur de ces frontières[13]. « Le passé est un autre pays » semble une formule juste lorsqu'elle est appliquée à cette première forme de nationalisme canadien-anglais.

Cette adhésion commune à la nationalité britanno-canadienne était tout de même, et sans aucun doute, essentielle pour rassembler cette vaste fédération d'anciennes colonies de l'Amérique du Nord britannique, peu peuplée et balkanisée, et parrainée par une élite. Cette adhésion constituait le ciment social et idéologique qui permettait la mobilisation politique des Canadiens anglophones autour des grands projets nationaux, qu'il s'agisse des projets à long terme annoncés par le gouvernement fédéral, tels que la « Politique nationale » (qui souhaitait encourager le développement national par la construction du chemin de fer, les tarifs douaniers protectionnistes et la colonisation de l'Ouest) ou de soutenir la centralisation, la coopération et les sacrifices sociaux considérables qu'exigeait la participation du Canada aux conflits militaires majeurs.

---

13. Politiquement et juridiquement, ce n'était peut-être pas le cas, mais culturellement, fonctionnellement et affectivement, les Canadiens francophones étaient marginalisés, mal reconnus et exclus.

Un corollaire apparemment inhérent à la « britannité » de l'identité et des institutions nationales des Canadiens anglophones était une méfiance et une circonspection profondes envers les États-Unis, ainsi qu'une répugnance – et chez certains un dégoût viscéral – envers les institutions politiques et la culture américaines. Au contraire, le projet national du Canada était présenté – au moins en partie – comme contribuant à préserver un avant-poste de la culture britannique en Amérique du Nord, faisant ainsi écho à l'idéologie canadienne-française de « la survivance » – la volonté de conserver le Canada français en tant que bastion nord-américain du catholicisme et de la langue française[14]. Dans cette optique, les ambitions continentales des États-Unis étaient la majeure partie du temps un fait irréfutable et une préoccupation constante. Alors que la peur d'une agression militaire ouverte déclina dans la dernière partie du 19ᵉ siècle, la menace d'une « prise de pouvoir » états-unienne graduelle par l'assimilation culturelle et économique a continué de nourrir la rhétorique et la politique nationalistes au Canada même au 20ᵉ siècle.

L'envers de la médaille de cet attachement défensif du Canada britannique à la culture et aux institutions britanniques, et à l'Empire en tant que cadre politique directeur pour le Canada, est le côté exclusiviste, assimilationniste et parfois répressif – le visage sans fard de la majorité – qu'il a parfois présenté à la minorité canadienne-française. Cela inclut la limitation ou l'interdiction de l'usage du français dans les écoles et les autres institutions (comme l'ont fait toutes les provinces à l'exception du Québec), la restriction du rôle des Canadiens français au sein du Dominion puis du gouvernement fédéral, l'ignorance ou la reconnaissance minimale de la minorité francophone dans les mythes et symboles nationaux, ou encore l'utilisation de cette position majoritaire pour passer outre à la résistance et aux objections importantes du Canada français à

---

14. Denis Monière, *Ideologies in Quebec : The Historical Development*, Toronto, University of Toronto Press, 1981.

certaines politiques nationales ou à des décisions clés (par exemple, sur des questions comme la conscription). Ces aspects du nationalisme britanno-canadien auront laissé pendant longtemps un reliquat de culpabilité nationale collective au sein du Canada anglophone pendant qu'ils généraient un héritage de griefs et de ressentiment au Canada francophone – particulièrement parmi les Québécois francophones.

Avec le déclin de l'influence politique, économique et culturelle de la Grande-Bretagne sur le Canada anglophone après la Première Guerre mondiale, commencent à s'affirmer une tradition et une identité proprement canadiennes. Ce passage « de la colonie à la nation » s'est imposé par le biais des demandes et des exigences qui pesaient sur les deux pays à cause de la crise sévère et prolongée des années 1930 et, encore plus, par la Deuxième Guerre mondiale. Un des principaux facteurs ayant joué en faveur de la précipitation de ce changement fut l'incapacité manifeste de la fédération canadienne décentralisée (telle qu'elle était structurée dans l'entre-deux-guerres) à répondre efficacement aux défis posés par la Dépression ; cela conduisit à la convocation de la Commission royale d'enquête sur les relations entre le Dominion et les provinces (la Commission Rowell-Sirois de 1937-1940). La réalisation graduelle des recommandations de la Commission représente un tournant historique non seulement en ce qui a trait à la nature des relations entre les gouvernements au Canada, mais aussi en ce qui concerne la vision et la conception dominantes de la communauté nationale et des fondements présumés de la citoyenneté canadienne qui guident et motivent le gouvernement canadien. L'intention des recommandations était de stimuler l'intégration nationale grâce à un partage et une redistribution accrus, rendus possibles par un rôle beaucoup plus important du gouvernement fédéral[15].

À la fin de la Deuxième Guerre mondiale, les liens économiques, politiques, culturels et militaires du Canada avec les États-Unis sont

---

15. Neil Bradford, « Innovation by Commission : Policy Paradigms and the Canadian Political System », dans James Bickerton et Alain-G. Gagnon (dir.), *Canadian Politics*, 3ᵉ édition, Peterborough, Broadview Press, 1999, p. 541-564. Le rapport de la

grandement resserrés, alors que dans ces mêmes domaines l'influence de la Grande-Bretagne a décliné de manière spectaculaire. Dans les années d'après-guerre, la philosophie et les projets de la Commission Rowell-Sirois « deviennent un paradigme de gouvernance fédérale[16] ». Au même moment, les tendances ethnocentristes, exclusivistes, assimilationnistes et majoritaires du nationalisme britanno-canadien cèdent la place à une variante plus ouverte et pluraliste du nationalisme canadien, de nature civique et politique. Ce nouveau nationalisme de la majorité se préoccupe en priorité de l'État canadien et légitime l'intervention du gouvernement fédéral dans un vaste éventail de domaines[17]. À la fin des années 1950, les intellectuels canadiens prennent acte de ce changement dans la nature de la nationalité canadienne. L'éminent historien W. L. Morton affirme qu'il n'y a pas un *« Canadian way of life*, encore moins deux, mais plutôt une unité sous la Couronne autorisant mille diversités[18] ». De manière semblable, l'historien Kenneth McNaught fait l'éloge de cette tradition canadienne pragmatique qui en est arrivée à rejeter « une conception étroitement ethnique du Canada, qu'elle prenne la forme d'une nation anglo-saxonne exclusive ou d'un partenariat biculturel[19] ». Vers le milieu des années 1960, un survol de l'opinion des intellectuels canadiens-anglais suggère un accord assez répandu quant au fait que le multiculturalisme constitue un élément central de l'identité et de

---

Commission présentait « un plan détaillé de restructuration institutionnelle au sein du fédéralisme afin d'équilibrer les objectifs de l'unité et de la diversité, le développement national et l'équité régionale. La responsabilité fédérale relativement à des hauts niveaux d'emploi, aux normes nationales et à la péréquation serait combinée à une compétence provinciale discrétionnaire dans les programmes sociaux » (p. 551).

16. *Ibid.*, p. 552.

17. Kenneth McRoberts, *Misconceiving Canada : The Struggle for National Unity*, Toronto, Oxford University Press, 1997, p. 37-38.

18. W. L. Morton cité par Ramsay Cook, *The Maple Leaf Forever : Essays on Nationalism and Politics in Canada*, Toronto, Copp Clark Pitman, 1986, p. 140.

19. Kenneth McNaught cité par Peter Russell, « Conclusion », dans Peter Russell (dir.), *Nationalism in Canada*, Toronto, McGraw-Hill, 1966, p. 368.

la nationalité canadiennes, ainsi que le rejet de toute forme de nationalisme défendant l'homogénéité culturelle de la nation canadienne. « Ils [les intellectuels canadiens anglophones] sont tous pluralistes au sens où ils acceptent le multiculturalisme à titre d'axiome fondamental de la nationalité canadienne[20]. »

Le nationalisme canadien moderne : une société juste et une nationalité pluraliste

Au cours de la décennie 1960, la plupart des éléments d'une nouvelle nationalité canadienne et d'un nouveau nationalisme canadien sont présents, bien que la situation demeure passablement changeante, durant cette décennie tumultueuse. Ce nouveau nationalisme canadien est alors façonné par au moins quatre influences croisées : l'effet structurant de nouvelles normes et règles globales sur l'État canadien et ses citoyens, particulièrement en ce qui a trait à la décolonisation ; l'influence générale et profonde – économique, politique, sociale et culturelle – des États-Unis ; la construction de l'État-providence canadien grâce au développement et à la consolidation d'un réseau de programmes sociaux nationaux ; et la dernière, mais non la moindre, la confrontation avec le nationalisme québécois.

Le premier des facteurs susmentionnés ayant contribué à façonner le nouveau Canada est le déclin des empires dans l'après-guerre, le succès des mouvements de libération et de décolonisation et, de manière générale, la délégitimation de l'impérialisme et du racisme dans le système international. Ce mouvement n'a pas seulement conduit à la naissance d'une kyrielle de nouveaux États, issus des anciennes colonies, dans le tiers-monde ; il a également exercé une influence importante sur la politique intérieure au Canada et ailleurs. En 1960, les Nations unies adoptent la résolution 1514 qui reconnaît le droit des peuples à l'autodétermination. La même année, la Déclaration canadienne des

---

20. Peter Russell, « Conclusion », dans Peter Russell (dir.), *Nationalism in Canada*, *op. cit.*, p. 370.

droits, un projet cher au premier ministre conservateur John Diefenbaker, est promulguée. La Déclaration confirme une volonté accrue de reconnaître explicitement et de protéger juridiquement les droits individuels largement acceptés et établis. La même année, toujours en 1960, le tort causé historiquement par la négation du droit de vote aux Amérindiens inscrits est corrigé par l'extension tardive de ce droit fondamental de la citoyenneté (le droit de vote) à ces personnes. Au cours des années suivantes, la politique canadienne de l'immigration s'est orientée « de manière décisive vers l'adoption de critères universels alors que les hauts placés du service d'immigration réalisaient que « le Canada ne pouvait plus siéger aux Nations unies ou au Commonwealth multiracial avec la marque d'une politique d'immigration racialement discriminatoire tatouée sur le front[21] ». L'appui apporté par le Canada à ces changements tant au niveau international que sur le plan intérieur a fait en sorte qu'il a été de plus en plus difficile de défendre ou de maintenir une vision ethnocentriste ou raciste aussi bien dans les politiques gouvernementales que dans la population[22].

À l'évidence, une partie de la préoccupation croissante du Canada pour les droits des citoyens est aussi fortement liée à l'effet de débordement provoqué par le mouvement américain des droits civiques au cours des années 1960. Les développements qu'a connus ce pays n'ont pas seulement intensifié l'attention médiatique sur l'enjeu de l'égalité des droits pour les citoyens ; ils ont également mis en lumière les différences sociétales et politiques entre le Canada et les États-Unis, particulièrement en ce qui concerne la race et l'ethnicité. Cela a suscité chez

---

21. Alan C. Cairns, « Empire, Globalization, and the Fall and Rise of Diversity », *op. cit.*, p. 34.

22. L'« assouplissement », au cours des années 1960, d'une politique d'immigration restrictive en matière d'immigration fit de l'Asie, de l'Afrique, de l'Amérique latine et des Caraïbes (et particulièrement de la première de ces régions) les principales sources de nouveaux immigrants pour le Canada ; un changement à long terme qui allait transformer la composition ethnique et raciale des grands centres urbains du pays au cours des décennies subséquentes. Voir : Alan C. Cairns, « Empire, Globalization, and the Fall and Rise of Diversity », *op. cit.*

les Canadiens un sens plus aigu de leurs différences politiques et culturelles avec leurs voisins états-uniens, un sentiment qui s'était quelque peu atténué avec le conformisme et la quiétude politique des années 1950. Ce sens renouvelé d'une différence nationale et d'une divergence au plan des intérêts nationaux s'intensifie et grandit avec l'opposition croissante à l'intervention militaire américaine au Viêt-nam.

L'effet des problèmes sociaux et de la politique intérieure et extérieure des Américains quant aux attitudes, à l'image de soi et à l'identité nationale des Canadiens est teinté et amplifié par les préoccupations nationalistes croissantes, au Canada, concernant l'importance de la présence américaine dans l'économie canadienne. Pour certains, ce regain de nationalisme économique parmi les Canadiens anglophones est au cœur même du nationalisme canadien. Sylvia Bashevkin, par exemple, adopte cette perspective dans son étude du nationalisme canadien, tout en admettant que cet accent sur l'économie constitue un fondement étroit et bien faible du sentiment nationaliste. « La capacité de cette perspective à différencier les Canadiens et les Américains et à générer un sens convaincant de la « canadianité » pose problème[23]. » C'est particulièrement vrai étant donné la disparition de la tradition et des valeurs conservatrices propres au Canada anglais, au grand dam de penseurs conservateurs comme Donald Creighton et George Grant qui soutiennent que la convergence culturelle avec les États-Unis est de mauvais augure pour l'indépendance canadienne[24]. Malgré tout, ces préoccupations économiques nationalistes ont fourni un appui intellectuel à un programme politique centralisateur et interventionniste et ont servi d'arrière-plan philosophique et politique à nombre de politiques nationalistes de gauche tout au long des années 1970. Cependant, comme le note

---

23. Sylvia Bashevkin, *True Patriot Love : The Politics of Canadian Nationalism*, Toronto, Oxford University Press, 1991, p. 25 et 28.
24. George Grant, *Lament for a Nation : The Defeat of Canadian Nationalism*, Toronto, McClelland and Stewart, 1970.

Bashevkin, la vision nationaliste de gauche de la suprématie et de l'autorité fédérales sera de plus en plus décalée par rapport «à la réalité décentralisatrice de la Confédération à la fin du vingtième siècle[25]».

En définitive cependant, la construction d'un système national de programmes sociaux sous les auspices du gouvernement fédéral s'avère plus importante que le nationalisme économique pour l'identité nationale canadienne. Les transferts fédéraux aux provinces pour la péréquation et la création de programmes sociaux nationaux dans le domaine de la santé, de l'éducation, de l'aide sociale et des pensions de vieillesse, entre autres initiatives, ont posé les fondements d'une citoyenneté sociale canadienne ainsi qu'une plus grande équité entre les régions, voire entre les provinces. Les plus importants de ces programmes – et pour certains, la raison d'être de l'État-providence mis sur pied et défendu par le gouvernement fédéral – en vinrent à être étroitement confondus avec ce que signifie le fait d'être Canadien (en d'autres mots, à l'identité et à la nationalité canadiennes). Cela conduisit soit à l'enchâssement constitutionnel de ces programmes, comme ce fut le cas avec la péréquation en 1982, soit à leur élévation à un statut qui se rapproche de celui d'une icône tant dans la conscience publique que dans la législation fédérale; c'est le cas du système public de santé[26].

Si la construction de l'État-providence canadien contribua de manière significative et importante à donner plus de consistance à la citoyenneté et à l'identité canadiennes, elle conduisit cependant le gouvernement fédéral à affronter de manière directe et parfois intense la province de Québec. Cela fut manifestement le cas même avant le commencement de la Révolution tranquille. Cette dernière,

---

25. Sylvia Bashevkin. *True Patriot Love : The Politics of Canadian Nationalism, op. cit.*, p. 26.
26. La Loi canadienne sur la santé de 1984 qui vise à défendre les principes fondamentaux régissant les soins de santé au Canada a reçu l'appui unanime de tous les partis au Parlement, et la loi est encore considérée par tous les partis fédéralistes, du moins officiellement, comme une sorte de contrat sacré qu'ils ont le devoir de défendre et de soutenir.

mise en branle par l'avènement d'un nouveau nationalisme séculier centré sur l'État du Québec, est à l'origine d'une campagne déterminée en faveur d'une réforme et d'une redéfinition de la Confédération et de la position que le Québec y occupe. Elle a également contribué à faire naître un mouvement indépendantiste constituant une menace directe à l'intégrité territoriale du Canada et qui a été perçu, pendant un certain temps, comme une menace à la sécurité nationale[27].

Le gouvernement canadien fut manifestement désarçonné par les événements survenus au Québec. Initialement, sa réponse fut confuse et incertaine, alors qu'il cherchait à développer une position cohérente face aux revendications québécoises en faveur de pouvoirs provinciaux étendus, d'un statut constitutionnel distinct et de l'arrêt des intrusions fédérales à l'intérieur des champs de compétence du Québec. De retour au pouvoir en 1963, après un hiatus de six ans, le nouveau gouvernement libéral de Lester B. Pearson convoqua la Commission royale d'enquête sur le bilinguisme et le biculturalisme (la Commission Laurendeau-Dunton), dont le mandat était de formuler des recommandations en vue de la création d'un nouveau cadre de développement de la Confédération, sur la base d'une association égalitaire entre les deux peuples fondateurs (Français et Anglais) «en tenant compte de la contribution faite par les autres groupes ethniques à l'enrichissement culturel du Canada[28]». Entre-temps, alors qu'on attendait le rapport final de la Commission (qui fut déposé

---

27. Cela fut particulièrement le cas à l'époque des abominables enlèvements et attentats à la bombe du FLQ dans les années 1960, dont le point culminant fut la crise d'octobre 1970. L'inquiétude du gouvernement au sujet de la sécurité nationale s'est poursuivie pendant toute la décennie de 1970, comme en font foi les révélations de la Commission MacDonald au sujet des méfaits commis par la GRC au moment où elle conduisait des opérations clandestines contre des organisations nationalistes au Québec. Voir : Reginald Whitaker, «The Security State», dans James Bickerton et Alain-G. Gagnon (dir.), *Canadian Politics*, 4ᵉ édition, Peterborough, Broadview Press, 2004, p. 223-236.

28. Kenneth McRoberts, «English-Canadian Perceptions of Québec», dans Alain-G. Gagnon (dir.), *Quebec : State and Society*, 2ᵉ édition, Scarborough, Nelson Canada, 1993, p. 120.

seulement en 1968), un certain nombre d'accords ont été signés avec le Québec, lui accordant l'autonomie requise pour mettre sur pied et gérer ses propres programmes sociaux, plutôt que les programmes nationaux qu'Ottawa négociait et mettait en œuvre avec les neuf autres provinces[29].

Durant cette période du milieu des années 1960, il y avait tout lieu de croire que les dirigeants politiques fédéraux étaient prêts à reconnaître politiquement et constitutionnellement un statut distinct pour le Québec, sur la base de son statut de « nation dans la nation[30] ». Cette ouverture apparente aux revendications de la nation québécoise fut toutefois de courte durée. Elle prit fin avec l'adoption d'une tout autre vision des relations entre Français et Anglais et entre le gouvernement fédéral et les provinces, une vision défendue avec vigueur par Pierre Elliott Trudeau qui fut élu au Parlement en 1965, nommé ministre de la Justice en 1967 puis porté à la tête du Parti libéral l'année suivante, avant de devenir premier ministre (poste qu'il occupera pendant quinze ans mis à part une brève interruption). Trudeau croyait que la reconnaissance des revendications des nationalistes québécois ne ferait que renforcer le séparatisme québécois, et que l'attrait exercé par ces idées sur les Québécois francophones pouvait être tempéré et même ébranlé par l'adoption d'une série de mesures qui incorporerait les Canadiens français et le Québec dans une perspective pancanadienne. Ces mesures – dont la pièce maîtresse était le bilinguisme officiel – requerraient une reconnaissance et une acceptation beaucoup plus convaincues de la dualité Français-Anglais dans la fédération canadienne, mais dans le cadre des droits individuels (incluant les droits linguistiques) et de l'égalité des provinces[31]. Lorsque

---

29. Le plus remarquable de ceux-ci est peut-être la Régie des rentes du Québec, auquel le gouvernement fédéral a finalement donné son accord au terme de longues négociations et d'un affrontement politique tendu. Voir : Richard Simeon, *Federal-Provincial Diplomacy : The Making of Recent Policy in Canada*, Toronto, University of Toronto Press, 1972.

30. Lester Pearson cité par Kenneth McRoberts, « English-Canadian Perceptions of Québec », *op. cit.*, p. 120.

31. Kenneth McRoberts, « English-Canadian Perceptions of Québec », *op. cit.*, p. 122-123.

le rapport de la Commission Laurendeau-Dunton fut finalement déposé, « il établit clairement que toute solution à venir devait reconnaître d'une manière substantielle la spécificité du Québec et ses revendications d'une plus grande autonomie à l'intérieur de la fédération ».

Au minimum, cela signifiait l'adoption de mesures positives pour améliorer les perspectives d'emploi des francophones dans le secteur public fédéral et dans le secteur privé québécois. Les recommandations précises incluaient : le bilinguisme officiel au sein du gouvernement fédéral, avec au premier plan la mise en œuvre d'actions concertées pour favoriser l'avancement professionnel rapide des francophones, ainsi que des innovations organisationnelles destinées à enrichir les cultures professionnelles des francophones et des anglophones ; des mesures positives destinées à renverser l'infériorité du français et des francophones dans l'économie québécoise ; des services plus étendus dans les deux langues officielles à la radio, à la télévision et en éducation ; et des déclarations de bilinguisme officiel par les provinces de l'Ontario et du Nouveau-Brunswick[32].

Bien que l'Ontario n'ait jamais adopté le bilinguisme officiel, toutes les autres recommandations furent mises en œuvre par le gouvernement Trudeau ainsi que par les gouvernements successifs du Québec, à une exception près : le gouvernement fédéral n'a jamais accepté la philosophie voulant que le Canada soit composé de deux nations ou peuples et que la Confédération fût ou doive être conçue comme une « association égalitaire entre sociétés distinctes ». Cette vision d'ensemble fut abandonnée au profit d'une égalité formelle entre les groupes linguistiques ; et l'idée de biculturalisme fut remplacée par une politique de multiculturalisme. De plus, advenant le cas d'une révision de la Constitution canadienne, la protection des droits linguistiques individuels au sein d'une nouvelle Charte des

---

32. Neil Bradford, « Innovation by Commission : Policy Paradigms and the Canadian Political System », *op. cit.*, p. 553.

droits serait le premier objectif du gouvernement fédéral. En ce qui concerne la question de pouvoirs additionnels pour le Québec, Trudeau réitéra le principe de l'égalité entre les provinces[33].

Au cours des années 1960, les Canadiens ont été confrontés, sur le plan extérieur, au déclin de la Grande-Bretagne en tant que point de référence et à la réalité d'une hégémonie économique et culturelle américaine grandissante qui remplissait le vide laissé par le déclin de l'ancienne métropole. Sur le plan intérieur, la montée du nationalisme québécois a accéléré la cadence des efforts destinés à repenser et ré-imaginer l'identité nationale canadienne. La vision trudeauiste de la nation canadienne fut adoptée parce qu'elle était construite à partir d'éléments préexistants de la nationalité canadienne, consolidant et intégrant des aspects conceptuels majeurs et des valeurs fondamentales dans une philosophie cohérente et dans un paradigme de gouvernance au moment même où les Canadiens avaient grandement besoin de renouveler leur propre identité nationale. La vision nationale et la philosophie politique de Trudeau furent également primordiales en raison du fait qu'elles répondaient directement aux conditions et aux défis, extérieurs et intérieurs, qui façonnèrent et influencèrent les attitudes et les valeurs canadiennes durant cette période.

Au cours des années 1970, les différents éléments de ce nouveau paradigme – le rôle clé du gouvernement fédéral comme partenaire des provinces et garant des programmes sociaux pancanadiens, le bilinguisme officiel et la politique de multiculturalisme à l'intérieur de ce cadre linguistique, ainsi que l'égalité formelle entre les provinces – se sont implantés grâce à la création d'institutions et de programmes et à l'élaboration de visions et de philosophies rivales du fédéralisme canadien. Celles-ci se sont forgées avec difficulté dans le champ des relations fédérales-provinciales et par l'entremise du choc croissant de projets nationaux rivaux. Cela a particulièrement été le cas pendant la deuxième moitié des années 1970, quand la montée du nationalisme

---

33. Kenneth McRoberts, « English-Canadian Perceptions of Québec », *op. cit.*, p. 123.

québécois et le régionalisme provincial rayonnaient dans le pays. Malgré le fait que les provinces de l'Ouest aient accepté en 1971 une formule d'amendement qui prévoyait un veto pour l'Ontario et le Québec, ce traitement de faveur pour les plus grandes provinces n'est désormais plus considéré comme acceptable. Aussi, lors d'une conférence tenue en 1975, on lui préféra plutôt le principe de l'égalité entre toutes les provinces[34]. L'année suivante, les Québécois portaient René Lévesque et le Parti québécois au pouvoir, mettant ainsi en branle le processus menant à un référendum en vue de donner au gouvernement québécois le mandat de négocier un projet de «souveraineté-association».

Ce vigoureux dialogue constitutionnel entre les gouvernements s'est graduellement déplacé vers d'autres intérêts sociétaux qui commençaient à se sentir tout aussi concernés par la question d'une réforme constitutionnelle. Ce qui relevait auparavant strictement des relations intergouvernementales devint une compétition d'engagement sociétal, les gouvernements cherchant à gagner le cœur des Québécois et des Canadiens avant, pendant et dans le sillage de la première campagne référendaire au Québec, en 1980[35]. Cela a également permis de clarifier et d'étoffer les visions nationales et les nationalismes rivaux se faisant concurrence pour le soutien et l'adhésion des Canadiens et des Québécois.

Le fédéralisme de la Charte, le constitutionnalisme populiste et les nationalismes rivaux

Plusieurs intérêts étaient en jeu lors des négociations constitutionnelles et des consultations populaires qui ont suivi le référendum de

---

34. Kenneth McRoberts, *Misconceiving Canada : The Struggle for National Unity*, *op. cit.*, p. 185.
35. Alan C. Cairns, «The Governments and Societies of Canadian Federalism», *Revue canadienne de science politique,* vol. 10, n° 4, 1977, p. 695-725 ; Keith Banting et Richard Simeon (dir.), *And No One Cheered : Federalism, Democracy and the Constitutional Act*, Toronto, Methuen, 1983.

1980 au Québec ; pensons à la question du partage des pouvoirs entre les gouvernements, à la réforme des institutions politiques nationales et à l'adoption d'une formule d'amendement constitutionnel. Mais dans les faits, la seule question qui retint l'attention, la participation populaire et un support élargi à la fois des groupes d'intérêt public et des Canadiens fut celle de la forme et du contenu de la pièce maîtresse de la vision nationale de Trudeau : une charte assurant la protection constitutionnelle des droits et libertés individuels, incluant les droits linguistiques[36].

Les débats et les développements politiques de cette période de l'histoire du Québec et du Canada sont bien connus, et ce, même si des divergences d'interprétation subsistent. Il faut insister ici sur le fait que les changements constitutionnels qui ont été introduits en 1982, de même que les processus de réforme constitutionnelle (avant et après 1982) ont eu un impact profond sur la nature et l'intensité des identités politiques au Canada, ainsi que sur les relations entre les citoyens et l'État. Il est généralement admis que l'entente constitutionnelle de 1982, qui a prévalu malgré l'opposition du Québec grâce à l'appui des neuf autres provinces, correspondait étroitement à la vision nationale et aux préférences du gouvernement Trudeau. Ainsi, la formule d'amendement adoptée n'octroyait à aucune province un veto sur les changements constitutionnels[37] ; de même, les pouvoirs du gouvernement fédéral n'étaient en aucun cas diminués par la réforme constitutionnelle de 1982. Le partage des pouvoirs, l'inefficacité du Sénat et la préséance du gouvernement fédéral dans le processus de nomination

---

36. Richard Simeon, *A Citizen's Guide to the Constitutional Question*, Agincourt, Gage Publishing, 1980 ; Keith Banting et Richard Simeon (dir.), *And No One Cheered : Federalism, Democracy and the Constitutional Act, op. cit.*
37. Cette formule – vigoureusement appuyée par les provinces en 1975 et acceptée à l'époque par le gouvernement du Québec lors de ce que l'on a baptisé le « Consensus de Vancouver » entre les huit provinces dissidentes qui s'opposaient à l'initiative constitutionnelle unilatérale du gouvernement Trudeau lancée après l'échec de la conférence constitutionnelle ayant suivi le référendum québécois – fit l'objet d'une

(incluant les nominations au Sénat et à la Cour suprême dont les pouvoirs avaient été accrus) sont demeurés essentiellement les mêmes[38].

Il ne fait aucun doute que la nouvelle Charte des droits et libertés incarne les éléments centraux de la vision nationale de Trudeau. La Charte prévoit la protection juridique d'un ensemble de droits individuels (libertés fondamentales, droits démocratiques, droit à la mobilité et droit à l'égalité). Elle exige aussi des gouvernements du Canada et des provinces qu'ils appuient les principes du bilinguisme officiel, du droit à l'éducation dans la langue de la minorité et du multiculturalisme. Elle ne reconnaît pas de statut distinct ou différent au Québec. Plusieurs groupes de défense des citoyens, en particulier des « communautés identitaires », se sont mobilisés durant les consultations publiques sur la réforme constitutionnelle ; la vaste majorité d'entre eux étaient préoccupés quasi exclusivement par la question de la Charte des droits. Il est certain que dès le départ – et encore plus dans les années suivant son adoption – la Charte « a exercé une influence marquante sur la culture politique canadienne anglaise[39] ». Elle conféra à ces Canadiens le sens d'« un droit de propriété constitutionnel » et elle est rapidement devenue « un puissant point focal du nationalisme canadien[40] ». Selon Samuel LaSelva[41] et Alan Cairns[42], le fédéralisme – qui repose sur l'exercice d'un principe majoritaire à base territoriale, à la fois au niveau des provinces et du pays – constituait une assise constitutionnelle nécessaire mais non suffisante pour un Canada

---

entente entre les neuf provinces qui ont finalement signé l'accord constitutionnel de 1982. Elle contient en fait plusieurs formules d'amendement ; toutefois la plupart des changements exigent l'accord du Parlement fédéral et de sept provinces représentant au moins 50 % de la population.

38. Roger Gibbins, « Constitutional Politics », dans James Bickerton et Alain-G. Gagnon (dir.), *Canadian Politics*, 4ᵉ édition, Peterborough, Broadview Press, 2004, p. 127-144.

39. Kenneth McRoberts, « English-Canadian Perceptions of Québec », *op. cit.*, p. 124.

40. *Idem.*

41. Samuel LaSelva, *The Moral Foundations of Canadian Federalism : Paradoxes, Achievements and Tragedies of Nationhood*, Montréal, McGill-Queen's University Press, 1996.

42. Alan C. Cairns. « The Case for Charter Federalism », dans Alan C. Cairns, *Reconfigurations*, Toronto, McClelland and Stewart, 1995, p. 186-193.

moderne et démocratique. Une charte des droits s'imposait, afin de reconnaître les individus et les groupes et de placer leurs intérêts sur un pied d'égalité avec ceux des autres acteurs constitutionnels.

L'individualisme et l'égalitarisme incarnés par la Charte, que les Canadiens anglophones appuyaient largement et auxquels ils s'identifiaient, tranchent avec la reconnaissance spectaculaire – à la fois symbolique et substantielle – de la place particulière des droits des peuples autochtones dans la réforme de 1982[43]. Auparavant, les peuples autochtones du Canada étaient complètement absents des discussions constitutionnelles, une situation qui reflétait leur très grande marginalisation par rapport à la vie politique canadienne. En fait, si l'on se penche sur l'attitude de la majorité envers les minorités nationales au Canada – sa volonté d'inclure et de reconnaître les nationalités minoritaires – on constate un contraste historique frappant entre l'expérience des peuples autochtones et celle des Canadiens français. Il est vrai que ces derniers ont subi diverses formes d'oppression politique et économique ainsi que l'impérialisme culturel de la majorité anglophone. Néanmoins, la reconquête de leurs droits politiques et de leur pleine citoyenneté au 19e siècle, en sus du contrôle qu'ils exercent sur une grande et puissante province, a permis aux francophones du Canada de jouer un rôle important et parfois central dans la création et la gouverne de l'État canadien, dans son développement social et économique, et en général dans le déroulement de l'histoire canadienne. À l'opposé, les peuples autochtones ont été assujettis, dominés, appauvris et privés des droits fondamentaux de la citoyenneté. Leurs luttes pour être reconnus comme peuples porteurs de droits et être inclus en tant que tels dans le cadre constitutionnel canadien n'ont débuté qu'avec leur opposition fructueuse au Livre blanc sur la politique indienne déposé par le gouvernement fédéral en 1969. Ce

---

43. Il s'agit de la reconnaissance des peuples autochtones du Canada (Amérindiens, Inuits et Métis) et de l'enchâssement des droits issus de traités et de leurs droits ancestraux à l'article 35, lesquels droits sont placés à l'abri des effets positifs potentiels de l'article 25.

document proposait la révocation des traités, le démantèlement des réserves et l'assimilation complète des autochtones à la population canadienne[44]. La mobilisation politique des peuples autochtones et l'articulation d'un nationalisme propre aux peuples autochtones ou indigènes se sont poursuivies depuis; elles ont provoqué au fil du temps une redéfinition des relations entre majorité et minorités, autant chez les Canadiens que chez les Québécois, et elles ont modifié la teneur de leurs nationalismes, de même que les rapports entre ces diverses communautés.

Le choc des nationalismes – canadien, québécois, autochtone – au Canada et le fait que leurs conflits puissent potentiellement engendrer des situations de frustration mutuelle, d'impasse politique et de repli sur des identités compartimentées ou exclusives sont devenus évidents durant la série de soubresauts qui ont marqué la période allant de 1988 à 1993. À la suite de la réforme constitutionnelle de 1982, les nations minoritaires du Canada ont fait l'objet de deux initiatives majeures : une série de rencontres constitutionnelles entre les premiers ministres et les leaders autochtones afin d'en arriver à un accord sur l'autodétermination et les droits des autochtones; et la négociation d'un nouvel accord constitutionnel qui satisfasse aux demandes minimales du nouveau gouvernement libéral du Québec. La première initiative s'est soldée par un échec pitoyable, plusieurs provinces dissidentes refusant des éléments clés d'une série de propositions; la seconde a d'abord semblé réussir, avec un accord intergouvernemental unanime. Toutefois, l'accord du Lac Meech de 1987 a suivi de près l'échec des tentatives d'accommoder le nationalisme autochtone, ce qui engendra des tensions et un ressentiment face aux résultats complètement divergents de ces négociations constitutionnelles de haut niveau. L'opposition des dirigeants autochtones à un règlement distinct pour le Québec joua un rôle décisif dans l'échec

---

44. Alan C. Cairns, *Citizen Plus : Aboriginal Peoples and the Canadian State*, Vancouver, University of British Columbia Press, 2000.

de l'accord en 1990, à la suite du refus du député Elijah Harper d'accorder l'assentiment nécessaire pour permettre à l'assemblée législative du Manitoba de voter sur la version finale renégociée de l'Accord dans les délais prescrits par la Constitution[45].

Le choc des nationalismes minoritaires fut également évident pendant le conflit opposant les « Warriors » autochtones à la Sûreté du Québec à Oka pendant l'été 1990. Les récriminations amères qui ont suivi de part et d'autre ont soulevé d'épineuses questions sur la place des nations autochtones au sein de la nation québécoise, sur leur rôle et leur statut lors d'éventuels référendums ou pendant des rondes ultérieures de négociations constitutionnelles, sur les revendications conflictuelles de propriété et de souveraineté sur le territoire du Québec, ainsi que sur l'attitude générale de la majorité québécoise envers ses propres minorités nationales (dans les termes de John Coakley, sur le degré de reconnaissance qu'elle était prête à accorder et sur sa réponse stratégique en ce qui a trait à la question de l'inclusion[46]). Au cours des années qui ont suivi les évènements d'Oka, les penseurs nationalistes au Québec et les acteurs au sein des partis politiques sont devenus plus sensibles et plus ouverts aux revendications d'un statut distinct et à la reconnaissance des nations autochtones au Québec. Cela a même rejoint, dans une certaine mesure, la sphère politique, le Parti québécois concevant dorénavant le Québec comme « une nation » et « un peuple » qui est composé en partie de communautés de diverses origines parmi lesquelles « les nations autochtones ». En somme, il s'agit à tout le moins d'une ouverture vers l'idée de « nations dans la nation » ou d'une conception plurinationale du Québec[47].

---

45. Kenneth McRoberts et Patrick Monahan (dir.), *The Charlottetown Accord, the Referendum and the Future of Canada*, Toronto, University of Toronto Press, 1993.

46. John Coakley, « Les majorités nationales dans les nouveaux États : relever le défi de la diversité » ; chapitre 4 du présent volume.

47. Tel que décrit dans *Un projet de pays. Déclaration de principes. Programme de pays* du Parti québécois de juin 2005 : « Le Québec est un peuple très majoritairement francophone au sein duquel sont insérées des communautés d'origines diverses, dont la communauté anglophone, et les nations autochtones. »

L'impossibilité de faire ratifier l'accord du Lac Meech en 1990 a coïncidé avec une nette augmentation de l'appui à la souveraineté au Québec. Il y a évidemment eu des événements et des incidents qui ont alimenté les tensions nationalistes durant cette période. Le fait que le Québec ait eu recours à la clause dérogatoire prévue par la Constitution afin de préserver une loi limitant l'usage de l'anglais dans l'affichage commercial dans la province, malgré le jugement de la Cour suprême statuant qu'il s'agissait d'un bris de la liberté d'expression individuelle, a suscité une réaction enflammée dans certaines parties du Canada anglophone[48]. Bien que ces manifestations d'émotion populaire ne fussent pas étrangères au destin de Meech, plusieurs commentateurs ont présenté l'échec de l'Accord comme le résultat logique du choc entre de « puissantes forces souterraines de la politique canadienne : le populisme canadien-anglais et le nationalisme québécois » qui représentent « deux visions du monde fondamentalement incompatibles[49] ». À partir d'une perspective un peu différente, Reg Whitaker soutient que le « constitutionnalisme populiste » qui s'est développé au Canada hors Québec durant le processus de réforme constitutionnelle n'avait pas de moyens d'expression efficaces et a pris, par conséquent, une forme exclusivement négative : empêcher Meech et menacer de bloquer toute nouvelle tentative de changement constitutionnel visant à répondre aux demandes du Québec[50].

Les commissions publiques et les consultations populaires lancées par les gouvernements canadien, québécois et de plusieurs autres

---

48. Lors de l'incident dit de Brockville, le drapeau québécois a été piétiné par des gens qui protestaient contre la loi sur l'affichage commercial. Évidemment, cela a fait réagir et a ranimé les sentiments de solidarité défensive chez les Québécois, et d'autres événements tout aussi déconcertants se sont produits.

49. Kenneth McRoberts, « In Search of Canada « Beyond Quebec » », dans Kenneth McRoberts (dir.), *Beyond Quebec : Taking Stock of English Canada*, Montréal, McGill-Queen's University Press, 1995, p. 25.

50. Reginald Whitaker, « Plan C ? Alan Cairns and English Canada Confront the Challenge of Quebec Sovereignty », dans Gerald Kernerman et Philip Resnick (dir.), *Insiders and Outsiders : Alan Cairns and the Reshaping of Canadian Citizenship*, Vancouver, University of British Columbia Press, 2005, p. 197.

provinces dans la foulée de l'échec de Meech, jumelé à l'accord complexe de Charlottetown ainsi que de son rejet tant par les Québécois que par les Canadiens hors Québec lors des référendums tenus simultanément sur l'Accord[51] et finalement les changements en profondeur survenus au chapitre des préférences partisanes lors du scrutin de 1993 suggèrent un certain nombre de constats quant à la situation des nationalismes et nationalités en conflit prévalant à ce moment-là au Canada. Les Québécois, les Autochtones et les autres Canadiens avaient des compréhensions différentes de leur nation et de leur identité nationale et des relations citoyen-État qui en découlent. De plus, le terrain d'entente et la prédisposition au compromis recherchés et proposés par les élites politiques à l'intérieur de deux rondes de négociations distinctes n'allaient pas de soi pour le public en général que ces mêmes élites tentaient de représenter à la table des négociations constitutionnelles. Cela était évident à la lumière du déclin abrupt de l'appui à l'accord du Lac Meech chez les Canadiens anglophones et du rejet de l'accord de Charlottetown au Québec et au Canada, y compris (fait surprenant puisque l'Accord contenait des concessions importantes à la vision constitutionnelle des dirigeants autochtones) dans les réserves autochtones[52].

La modification de la composition du système partisan et les résultats de l'élection de 1993 sont peut-être les indicateurs les plus spectaculaires d'une polarisation et d'une fragmentation de la communauté politique canadienne. Le Parti réformiste, un parti conservateur et populiste de l'Ouest, s'est opposé à la fois à Meech et à Charlottetown

---

51. Reginald Whitaker, « The Dog That Never Barked : Who Killed Asymmetrical Federalism ? », dans Kenneth McRoberts et Patrick Monahan (dir.), *The Charlottetown Accord, the Referendum and the Future of Canada, op. cit.*, p. 107-114. On peut expliquer le rejet de l'Accord par les électeurs québécois par l'absence de toute concession notable au fédéralisme asymétrique, alors que du côté des électeurs hors Québec, l'échec s'expliquerait par une trop grande générosité perçue à l'égard des Québécois et des Autochtones.

52. Kenneth McRoberts et Patrick Monahan (dir.), *The Charlottetown Accord, the Referendum and the Future of Canada, op. cit.*

en arguant que toutes les provinces devaient être égales en ce qui a trait à leurs pouvoirs et à leur statut constitutionnel, et que tous les Canadiens devaient se voir accorder exactement les mêmes droits. Cela a incité le parti à s'opposer par principe à tout changement qui reconnaîtrait un statut spécial ou distinct pour le Québec ou les peuples autochtones. Au Québec, le Bloc québécois (un parti nationaliste) a vu le jour pour siéger au Parlement canadien, à la suite des modifications apportées à la version initiale de l'accord du Lac Meech dans le but de le sauver du naufrage. Le Bloc s'est par la suite consacré à défendre les intérêts du Québec à Ottawa tout en cherchant à contribuer à réaliser la souveraineté du Québec. Le Bloc ne demande rien de moins que la négociation d'une nouvelle entente confédérale entre entités souveraines, où le Canada et le Québec seraient des partenaires égaux, une position qui fit en sorte que le Bloc rejoignit le Parti québécois dans son opposition à l'accord de Charlottetown[53].

La popularité du Parti réformiste et du Bloc québécois a augmenté rapidement entre 1990 et 1993 en grugeant la base électorale du Parti conservateur au pouvoir et en lui dérobant ses partisans au Québec et dans l'Ouest. Le résultat de l'élection de 1993 a fait du Bloc et du Parti réformiste les partis majoritaires dans leurs régions d'origine, le Bloc formant l'opposition officielle à Ottawa. Les élections de 1997 et de 2000 ont confirmé cette régionalisation du système partisan, alors que le Parti réformiste – devenu l'Alliance canadienne – remplaça le Bloc à titre d'opposition officielle. Alors que les Conservateurs de Mulroney avaient tenté de réaliser un mariage entre les Conservateurs de l'Ouest et les nationalistes québécois, la polarisation politique autour des enjeux constitutionnels a littéralement déchiré le parti, ouvrant la voie à un Parlement et à un paysage politique hautement régionalisés et idéologiquement chargés. La politique centriste de courtage des partis traditionnels (libéral, conservateur et néodémocrate) comportait

---

53. James Bickerton, Alain-G. Gagnon et Patrick Smith, *Ties That Bind : Parties and Voters in Canada*, Toronto, Oxford University Press, 1999.

une position de cartel sur la question de l'unité nationale, en cherchant à ne pas en faire un enjeu majeur du débat partisan (les trois partis ayant appuyé les accords du Lac Meech et de Charlottetown). Cela ne pouvait perdurer, dans un pays de plus en plus divisé au sujet de la conception de la nation et de ce que devrait être la relation appropriée entre les peuples et les communautés constituant le Canada[54].

Bien entendu, d'autres facteurs ont influencé la nature et l'orientation des nationalismes canadien et québécois à cette époque. À titre d'illustration, pensons au projet d'une plus grande intégration continentale au moment de la ratification de l'accord de libre-échange entre le Canada et les États-Unis en 1988. Bien que visiblement « résolu » par le résultat de l'élection la même année, le débat demeura dans l'air à cause des impacts négatifs de la difficile récession du début des années 1990, de l'intégration du Mexique en 1993 à l'Accord de libre-échange nord-américain (Aléna) et de l'élection fédérale qui a suivi ce nouvel accord. Au fil de la décennie, le débat s'est poursuivi avec une intensité amoindrie et s'est limité de plus en plus à un petit cercle d'intervenants.

Ce changement dans les relations économiques entre le Canada et les États-Unis a eu un effet de vague sur les nationalismes canadien et québécois. Beaucoup de nationalistes québécois adhéraient au libre-échange pour une variété de raisons. Dans le reste du Canada, le monde des affaires ne tenait plus à un marché canadien protégé, alors que les producteurs laitiers du Québec étaient protégés par des exemptions liées aux politiques de gestion de l'offre du Canada. Pour les souverainistes, la création d'un espace économique nord-américain par le traité de libre-échange allait sérieusement affaiblir les arguments des fédéralistes au sujet des graves coûts économiques de l'indépendance du Québec. Comme dans le cas de l'impact de l'Union européenne sur les nations minoritaires, une aire sûre de libre-échange continental écartait un obstacle majeur à une plus grande émancipation

---

54. James Bickerton et Alain-G. Gagnon, « Political Parties and Electoral Politics », dans James Bickerton et Alain-G. Gagnon (dir.), *Canadian Politics*, 4e édition, Peterborough, Broadview Press, 2004, p. 239-262.

des identités nationales minoritaires, à une plus grande autonomie des entités infra-étatiques, ou même à une souveraineté politique pleine et entière[55].

L'impact sur le nationalisme canadien fut plus contradictoire et complexe, dans une large mesure à cause de l'inquiétude historique du Canada anglais devant les tendances impérialistes et le pouvoir d'assimilation de leur voisin du Sud, et du rôle important d'une sensibilité minoritaire dans la formation et le maintien de l'identité canadienne-anglaise ; l'identité nationale canadienne a toujours été en partie une affirmation de sa différence par rapport à l'« Autre » américain. Dans ce contexte, les accords de libre-échange ont provoqué une réaction fortement négative chez beaucoup de Canadiens anglophones. Ainsi, à l'extérieur du Québec, toutes les provinces hormis l'Alberta ont voté en majorité pour des partis d'opposition (et donc contre l'accord de libre-échange) lors de l'élection fédérale de 1988, alors que les libéraux et les néodémocrates en appelaient aux craintes nationalistes à l'égard de la survie à long terme des différences distinguant encore le Canada des États-Unis (particulièrement aux chapitres des programmes sociaux et des industries culturelles). Les défenseurs du libre-échange ont répondu à ces préoccupations en arguant qu'une économie canadienne renforcée grâce au libre-échange offrirait aux gouvernements canadiens les moyens financiers de soutenir et de protéger la souveraineté nationale, incluant les programmes sociaux et la culture[56]. Un débat similaire eut lieu, avec moins d'effet, en 1993, avec en plus la crainte d'une migration massive d'emplois manufacturiers du Canada vers un Mexique non syndiqué et aux salaires bas. L'appui du Parti libéral à l'Aléna après son accession au pouvoir en

---

55. Pour une analyse plus complète et plus nuancée des rapports entre le continentalisme et le nationalisme québécois, voir : Pierre Martin, « When Nationalism Meets Continentalism : The Politics of Free Trade in Quebec », dans Michael Keating et John Loughlin (dir.), *The Political Economy of Regionalism*, Oxford, Routledge, 1997.
56. Richard Johnston, André Blais, Henry Brady et Jean Crête, *Letting the People Decide : Dynamics of a Canadian Election*, Montréal, McGill-Queen's University Press, 1992.

1993, la forte performance subséquente de l'économie canadienne, l'évidente vivacité du secteur culturel canadien-anglais et la pérennité des divergences entre le Canada et les États-Unis en matière de dépenses sociales ont toutefois contribué à désagréger l'appui intellectuel et politique au nationalisme économique canadien. Même si certains ont continué de soutenir et de supposer que la cohésion nationale et que la solidarité sociale seraient inévitablement affaiblis par une plus grande intégration économique du Canada à l'Amérique du Nord, il y eut fort peu de preuves que cela était réellement en train de se produire[57].

Les effets de la crise fiscale et des coupures gouvernementales subséquentes dans les dépenses sociales ont peut-être exercé davantage de pressions sur le sentiment d'identité nationale des Canadiens que le libre-échange continental. Avec la restructuration des dispositions fiscales fédérales par l'entremise de la création du Transfert canadien en matière de santé et de programmes sociaux en 1995, les transferts fédéraux d'argent aux provinces pour le financement de programmes sociaux ont été réduits de 37 % en deux ans[58]. Les récriminations et les ressentiments engendrés par cette action unilatérale du gouvernement fédéral et la réduction du financement des programmes pour la santé et les services sociaux ont envenimé les relations fédérales-provinciales, encouragé les provinces à obtenir une plus grande autonomie dans leurs champs de compétence et nourri le cynisme, la méfiance et le sentiment d'aliénation des électeurs envers les politiciens, les partis politiques et les gouvernements. Avec la forte impression que le tissu social se fragilisait, les préoccupations du public au sujet de l'intégrité du système de santé, en particulier, ont dominé la scène politique. C'est seulement avec les annonces budgétaires annuelles de

57. George Hoberg, «Canada and North American Integration», *Canadian Public Policy*, vol. XXVI, été 2000, p. S35-S50.
58. Richard Simeon et Ian Robinson, «The Dynamics of Canadian Federalism», dans James Bickerton et Alain-G. Gagnon (dir.), *Canadian Politics*, 4e édition, Peterborough, Broadview Press, 2004, p. 119.

nouveaux « investissements » dans les programmes sociaux, dans la foulée des surplus budgétaires considérables enregistrés par le gouvernement fédéral à partir de la fin des années 1990, que le sentiment d'une menace qui pesait sur la citoyenneté sociale prit du recul, bien que la controverse se soit déplacée vers la question du déséquilibre fiscal rendu responsable par les provinces de l'absence de ressources adéquates pour financer et maintenir leurs infrastructures et programmes sociaux.

La défaite référendaire de l'accord de Charlottetown en 1992 a empêché toute autre discussion de nature constitutionnelle. La préoccupation relative à la question des déficits fiscaux et de la dette, combinée au sentiment d'une « fatigue constitutionnelle » après des années de négociations, de disputes et de débats apparemment infructueux, a engendré un vacuum politique à l'extérieur du Québec dans lequel la Constitution et, plus généralement, la question nationale n'étaient que rarement, pour ne pas dire jamais, mentionnées comme faisant partie de l'ordre du jour politique. Ce silence s'est abruptement terminé avec la réélection du Parti québécois, dirigé par un indépendantiste prônant la ligne dure, Jacques Parizeau, suivie du lancement de la deuxième campagne référendaire sur l'indépendance du Québec en 1995 et du regain de l'appui populaire au camp du « Oui » à la suite de la spectaculaire entrée en scène dans la campagne référendaire du chef charismatique du Bloc québécois, Lucien Bouchard[59].

La quasi-défaite référendaire des forces fédéralistes lors de ce référendum (un peu plus de   cinquante mille votes seulement ont séparé les deux camps) a profondément ébranlé le premier ministre Jean Chrétien et son gouvernement. Alors qu'il était profondément méfiant à l'idée de toute nouvelle ronde de négociation constitutionnelle, le premier geste du gouvernement a été de reconnaître, par voie législative, le Québec comme société distincte « à l'intérieur du fonctionnement du

---

59. Alain-G. Gagnon, « Quebec's Constitutional Odyssey », dans James Bickerton et Alain-G. Gagnon (dir.), *Canadian Politics*, 3e édition, Peterborough, Broadview Press, 1999.

gouvernement fédéral» et de lui «conférer» un veto parlementaire «afin d'assurer que le Parlement ne puisse pas procéder à des amendements constitutionnels sans le consentement préalable de l'Assemblée nationale[60]». Cette mesure laissait le texte officiel de la Constitution inchangé et, selon des spécialistes du fédéralisme comme Roger Gibbins et Donald Savoie, ne faisait rien d'autre que de reconnaître un fait établi de la vie politique canadienne : «que les intérêts du Québec doivent être traités avec une sensibilité particulière à l'intérieur du gouvernement fédéral[61]». Il n'est pas surprenant de constater, dès lors, que cette ouverture fédérale n'a pas eu d'effet perceptible sur la situation politique au Québec. Pour leur part, les autres provinces, par la Déclaration de Calgary (et les lois subséquentes des assemblées législatives provinciales), ont reconnu le Québec comme société distincte, mais *à l'intérieur* du cadre de l'égalité entre les individus et entre les provinces, ce qui constitue une reconnaissance fort limitée en comparaison de ce que proposaient les accords du Lac Meech et de Charlottetown[62].

Le résultat du référendum québécois et les initiatives législatives ultérieures du gouvernement fédéral et des autres gouvernements provinciaux en disent long sur le «statu quo évolutif» qui caractérise les relations prévalant entre les nationalismes québécois et canadien au lendemain de l'échec des propositions de réforme constitutionnelle. Une majorité claire de Québécois francophones cherchent toujours à établir une nouvelle relation entre leur province et le Canada, entre la nation québécoise et la nation canadienne. Au même moment, une majorité claire de Canadiens hors Québec continuent de croire que le Québec doit être traité comme une province comme les autres sans pouvoirs additionnels ou spéciaux[63]. Les élites politiques du Canada

60. Roger Gibbins, «Constitutional Politics», *op. cit.*, p. 138.
61. Roger Gibbins, «Constitutional Politics», *op. cit.*, p. 138 ; Donald Savoie, *Governing from the Centre : The Concentration of Power in Canadian Politics*, Toronto, University of Toronto Press, 1999.
62. Roger Gibbins, «Constitutional Politics», *op. cit.*, p. 139.
63. Michael Keating, *Plurinational Democracy : Stateless Nations in a Post-Sovereignty Europe*, *op. cit.*, p. 101.

anglophone, craignant de se heurter de nouveau aux limites du nationalisme canadien, sont donc peu disposées à courir des risques et se
montrent craintives lorsqu'il s'agit de réforme constitutionnelle. Ces
mêmes élites étaient prêtes à prendre des mesures pour mieux répondre aux aspirations du Québec, mais seulement par l'entremise de
changements non constitutionnels et de renouvellement de la fédération canadienne de portée limitée[64].

Ces deux aspects de la réponse politique de la majorité canadienne
au nationalisme québécois sont clairement perceptibles dans deux
initiatives fort différentes prises à la fin des années 1990. En 1999, les
gouvernements fédéral et provinciaux ont ratifié une nouvelle entente-
cadre pour l'établissement de l'union sociale. L'Entente-cadre pour
l'union sociale (ECUS) soumet les gouvernements provinciaux à un
certain nombre de principes du fédéralisme coopératif, incluant l'obligation de planifier de concert les politiques sociales (qui sont en vertu
de la Constitution des compétences exclusivement provinciales) et de
se consulter mutuellement avant la mise en place de nouveaux programmes sociaux. Ainsi, bien que le pouvoir fédéral de dépenser dans
les programmes sociaux soit affirmé dans l'entente, le gouvernement
fédéral s'est engagé à ne pas créer de nouveaux programmes sans le
consentement de la majorité des provinces. Toutefois, parce que
l'ECUS n'a pas doté les provinces d'un droit de retrait pour les nouveaux programmes conjoints tout en conservant le financement
fédéral, le Québec n'a pas signé l'entente[65].

La deuxième initiative de 1999 est l'adoption unilatérale de la Loi
sur la clarté par le gouvernement fédéral. Cette initiative tranche avec

---

64. Par exemple, au sujet de la décision gouvernementale permettant au Québec de se
représenter lui-même à l'UNESCO, le premier ministre Harper a dit que cette
participation québécoise « n'est pas un pas vers l'ouverture d'une nouvelle ronde
de pourparlers constitutionnels pas plus qu'il ne s'agit d'une quelconque reconnaissance du Québec comme nation ». Rhéal Séguin, « Quebec gets a voice at UN
organization », *The Globe and Mail*, 6 mai 2006, p. A11.

65. Alain-G. Gagnon et Hugh Segal (dir.), *The Canadian Social Union Without
Quebec*, Montréal, Institut de recherche en politiques publiques, 2000.

l'aspect conciliant des initiatives antérieures, en énonçant un ensemble de conditions et de critères auxquels le Québec doit se conformer avant de pouvoir « négocier » sa sortie de la fédération canadienne. La loi confère au Parlement canadien le droit de déterminer si toute question référendaire future, au Québec, est conforme aux exigences énoncées dans le Renvoi de la Cour suprême (concernant le droit du Québec de faire sécession) relativement à la « majorité claire » sur une « question claire ». La première n'est pas définie par la loi, alors qu'il est précisé que la seconde doit faire clairement état de la volonté de la population du Québec de cesser de faire partie du Canada et de devenir un État indépendant. Selon cette loi, aucune négociation future sur l'indépendance du Québec ou sur une nouvelle forme d'association ne pourra prendre place tant que ces conditions n'auront pas été remplies. Pour sa part, le Québec rétorqua avec la Loi 99, qui rejette la validité du renvoi auprès de la Cour suprême concernant son droit de faire sécession ainsi que la Loi sur la clarté, considérant les deux initiatives comme une limitation inacceptable de la volonté démocratique du peuple québécois[66].

Le nationalisme autochtone, sans État et très fragmenté géographiquement, institutionnellement et politiquement, a fait plusieurs avancées après l'échec de l'accord de Charlottetown. L'Accord reconnaissait les gouvernements des Premières Nations comme un troisième niveau constitutionnel de gouvernement. S'il avait été accepté, « une forme de fédéralisme canadien asymétrique à trois niveaux aurait été établie avec un accent variable sur le territoire, la culture et l'origine biologique à titre de critères pour les gouvernements constituants[67] ». Toutefois, alors que l'accord incorporait le concept du droit inhérent des peuples autochtones à l'autodétermination, l'addition de la formule « à l'intérieur du Canada » empêchait dans les faits la reconnaissance de toute revendication des gouvernements des Premières Nations

---

66. Roger Gibbins, « Constitutional Politics », *op. cit.*, p. 139-140.
67. Anthony Long et Katherine Chiste, « Aboriginal Self-Government », dans James Bickerton et Alain-G. Gagnon (dir.), *Canadian Politics,* 2ᵉ édition, Peterborough, Broadview Press, 1994, p. 226.

à une souveraineté pleine et entière. De plus, plusieurs questions importantes d'ordre pratique et philosophique demeuraient sans réponse.

De quelle manière la multiplicité et la diversité des peuples autochtones peuvent-elles se refléter et se concrétiser dans un troisième niveau de gouvernement ? Quelles dispositions peuvent être prises dans les cas où la territorialité et l'ethnicité ne coïncident pas ? De quelle manière les compétences réservées aux gouvernements autochtones seront-elles inscrites dans les structures existantes ? Comment ces nouveaux gouvernements autochtones seront-ils financés[68] ?

L'échec de l'Accord de même que son rejet par les électeurs vivant dans les réserves ont tous deux affaibli la capacité des dirigeants autochtones à l'échelle du pays de négocier au nom de toutes les Premières Nations. Ils ont également suspendu la quête d'un gouvernement autonome au moyen d'un accord constitutionnel formel. Au lieu de cela, des initiatives administratives et législatives furent lancées : les gouvernements fédéral et provinciaux entamèrent des négociations avec des bandes, des nations prises individuellement et des fédérations autochtones provinciales pour discuter des revendications territoriales en cours et de la dévolution progressive des compétences, de l'autorité et de la gestion fiscale par le truchement d'accords disctincts d'autogouvernement[69]. Les progrès dans le Nord ont été les plus spectaculaires avec la création du Nunavut sur le territoire des Inuits habitant les régions de l'Est des Territoires du Nord-Ouest, jetant les bases d'un vaste accord touchant les revendications

---

68. *Ibid.*, p. 229.
69. Le processus, lorsqu'il fonctionne, ressemble à ce que Menno Boldt a défendu dans *Surviving as Indians* : « une approche inductive et évolutive qui débute par la négociation d'une entente-cadre avec le gouvernement fédéral basée sur un « mandat élastique » de la part des gouvernements autochtones [...] un « modèle minimaliste » d'autogouvernement [...] qui permettrait à chaque communauté autochtone d'entreprendre le processus d'élaboration de son propre modèle d'autogouvernement avec une certaine assurance en ce qui a trait au futur. » (Menno Boldt, *Surviving as Indians : The Challenge of Self-Government*, Toronto, University of Toronto Press, 1993, p. 138.)

territoriales, la gestion des ressources et le gouvernement territorial inuit. Une autre percée majeure est survenue au terme d'une longue période de gestation lors de la signature d'un accord sur les revendications territoriales et l'autogouvernement de la nation Nisga'a établie dans le Nord de la Colombie-Britannique.

À la différence de ces exemples, les progrès relatifs à l'autogouvernement et aux revendications territoriales avancèrent en général de manière hésitante et inégale. Ils furent occasionnellement ponctués par des confrontations entre des militants autochtones et les gouvernements canadiens ; par ailleurs ces longues négociations ont souvent été dans l'ombre des problèmes sociaux et de santé minant plusieurs communautés autochtones. Le rapport de la Commission royale d'enquête sur les peuples autochtones de 1996 a exhorté à procéder à des changements radicaux sur la base d'un modèle de relation de nation à nation entre les peuples autochtones et le reste du Canada[70]. En grande partie, cette vision multinationale du Canada et les principales recommandations de la Commission ont été (et continuent d'être) ignorées au profit de négociations bilatérales et trilatérales, impliquant les gouvernements canadiens (fédéral et provinciaux) et les communautés autochtones prises individuellement, dans l'optique d'en arriver petit à petit à la cession graduelle de diverses formes d'autorité et de responsabilités administratives aux gouvernements des Premières Nations élus afin de représenter ces communautés.

De 1980 à 2000, le Canada a dû faire face à un certain nombre de défis, de tensions et de crises. Sur fond de changements économiques déstabilisateurs apportés par la mondialisation néolibérale, de crises fiscales et de coupures dans les transferts intergouvernementaux et dans les programmes sociaux, d'intenses négociations constitutionnelles et de référendums, les différents nationalismes du Canada se sont enfermés dans un conflit de visions et de principes. De manière récurrente, les individus se virent invités à choisir entre ces visions rivales,

---

70. Alan C. Cairns, *Citizen Plus : Aboriginal Peoples and the Canadian State*, *op. cit.*, chapitre 4.

ces communautés identitaires et ces allégeances fondatrices. De pair avec les réponses aux questions fondamentales au sujet des frontières des communautés politiques, des relations citoyen-État et intercommunautaires, des droits légaux et obligations qui sont apparemment «en jeu» dans un environnement de choix déterminants et de négociations entre élites sur des enjeux cruciaux, les multiples niveaux et les nuances apportées au chapitre des identités plurinationales du Canada ont subi des pressions et se sont polarisés : on a vu les gens se replier sur des identités plus exclusives.

Bien qu'elle ait été éprouvée, la communauté politique canadienne a su atténuer ces pressions, maintenir sa cohésion sociale et politique, et résister à tout fractionnement politique plus important. Un sens fort de l'identité canadienne et l'attachement populaire à l'idée d'une nation canadienne globale et inclusive furent des facteurs importants dans le maintien de l'unité et de l'esprit de corps de la majorité canadienne durant cette période. Kenneth McRoberts souligne que le Canada hors Québec a connu un degré de cohésion élevé et croissant entre 1982 et 1995, fait qu'il attribue en grande partie à un appui et à une identification à la Charte des droits et libertés[71]. Cela permet de penser que la reconstruction et le renforcement de la nationalité canadienne ont joué un rôle crucial dans la préservation et la pérennité de l'État canadien durant ces épisodes de tensions et de crise. Ce qui demeure toujours en question est l'attachement des minorités nationales du Canada à cette nationalité canadienne inclusive qui rassemble et mobilise de façon très claire la majorité.

Où va le nationalisme canadien ?

Il existe une série d'arguments visant à expliquer pourquoi le nationalisme majoritaire au Canada devrait ou doit changer dans l'avenir. L'un de ces raisonnements établit que le Canada a pris un mauvais tournant pendant les années 1960, quand le gouvernement fédéral a

---

71. Kenneth McRoberts, «In Search of Canada «Beyond Quebec»», *op. cit.*, p. 16.

rejeté les recommandations de la Commission Laurendeau-Dunton en faveur d'un nouveau fédéralisme fondé sur un partenariat établissant l'égalité entre deux sociétés distinctes. Kenneth McRoberts, par exemple, soutient que c'est le succès de la stratégie politique de Pierre Trudeau visant à vendre sa propre vision nationale aux Canadiens anglophones – une vision nationale qui est devenue une nouvelle orthodoxie fédérale – et à imposer ensuite cette vision au Québec qui explique les crises et impasses constitutionnelles subséquentes et la continuelle insatisfaction et le mécontentement du Québec envers le statu quo fédéral. Cette nouvelle orthodoxie, explique McRoberts, s'est substituée à une orientation canadienne-anglaise plus flexible et plus ouverte à l'idée d'un Canada binational et biculturel, orientation qui aurait été plus proche de la compréhension qu'a le Québec du pays et de la place qu'il y occupe[72]. Ce « tort » n'a jamais été réparé et tant qu'il ne le sera pas, par l'entremise d'une reconnaissance du Québec comme communauté nationale de statut égal par la nation majoritaire et de l'adoption, de bonne grâce, d'une asymétrie politique et constitutionnelle qui reflète cette réalité, le Canada ne sera jamais considéré comme légitime par les Québécois, ni ne sera l'objet de leur adhésion ; et il sera constamment sujet à la menace de la séparation du Québec[73].

L'une des prémisses sur laquelle se fonde cet argument est que l'idée d'une nation canadienne unique, l'idée maîtresse qui se trouve au centre de la vision de Trudeau, aurait été (et continuerait d'être) une simple création politique, superficielle et artificielle, sujette à changement et tout à fait réversible. En fait, la nation canadienne n'est pas authentique au sens où l'est la nation québécoise puisque cette dernière est issue de forces sociales historiquement constituées inexorables

72. Kenneth McRoberts, « Disagreeing on Fundamentals : English Canada and Quebec », dans Kenneth McRoberts et Patrick Monahan (dir.), *The Charlottetown Accord, the Referendum and the Future of Canada, op. cit.*, p. 259 ; Kenneth McRoberts, *Misconceiving Canada : The Struggle for National Unity, op. cit.*, p. 257.
73. Kenneth McRoberts, *Misconceiving Canada : The Struggle for National Unity, op. cit.*, p. 261-265.

et inévitables[74]. Un corollaire de cette perspective est l'aversion du Canada anglais à se reconnaître lui-même pour ce qu'il est vraiment : une communauté nationale séparée à l'intérieur du Canada. Ce manque de reconnaissance de soi et de conscience de soi entrave la possibilité d'un arrangement constitutionnel entre deux communautés nationales distinctes et authentiques au Canada[75].

Un autre argument soutient que le Canada et le Québec doivent rompre car ils ont construit, au fil des ans, des régimes de citoyenneté fondamentalement divergents qui reposent sur une compréhension différente des dimensions relatives aux droits et à l'appartenance, dans leur notion de la citoyenneté. Résultat : les Canadiens et les Québécois ne partagent plus une identité politique commune. Chaque communauté nationale « a effectué ses choix sociaux et politiques fondamentaux de manière fort différente, ce qui donna naissance à des identités politiques divergentes ». Tout nouveau partenariat visant à résoudre la question nationale devrait tout d'abord clarifier ces régimes de citoyenneté distincts pour ensuite trouver un moyen de les réconcilier[76]. L'incapacité d'y arriver pourrait provoquer la disparition du Canada puisqu'un « régime démocratique ne peut perdurer sans une identité politique commune [...] alors que la divergence sur les trois dimensions de la citoyenneté (représentation, droits, appartenance) s'est aggravée, l'impasse [...] est devenue plus dramatique[77] ». Cette analyse amène Jane Jenson à conclure que seul un partenariat basé sur l'asymétrie « peut assurer que les deux régimes de citoyenneté

---

74. *Ibid.*, p. 259.

75. L'exposé le plus éminent de cette vision est peut-être celui fait par Philip Resnick, dans *Thinking English Canada*, Toronto, Stoddart, 1994. « Nous devons séparer le Canadien anglais spécifique du Canadien *tout court*. Nous nous devons d'arrêter de rendre le Québec ou les peuples autochtones prisonniers de notre refus de nous confronter à notre propre identité. » (p. 114) Voir également : Kenneth McRoberts, *Misconceiving Canada : The Struggle for National Unity*, *op. cit.*, p. 267-268.

76. Jane Jenson, « Recognizing the Difference : Distinct Societies, Citizenship Regimes and Partnership », dans Roger Gibbins et Guy Laforest (dir.), *Beyond the Impasse : Toward Reconciliation*, Montréal, Institut de recherche en politiques publiques, 1998, p. 217-219.

77. *Ibid.*, p. 227.

en sortent gagnants » et que la réalisation de cette solution dépend essentiellement des actions de ceux qui ne sont pas québécois : « seule la majorité peut reconnaître la minorité [...] la responsabilité de l'inclusion des minorités [...] incombe à la majorité[78] ». Seule l'asymétrie permet la poursuite d'une diversité de projets collectifs à l'intérieur d'un même pays ; seule l'asymétrie rend simultanément possibles la protection et l'accroissement des droits individuels, d'une part, et le développement du projet de société distinct du Québec, d'autre part[79].

Finalement, non seulement le nationalisme canadien et la réticence du Canada anglophone à se définir lui-même comme une « nation en propre » empêchent-ils tout progrès vers une révision mutuellement acceptable du cadre constitutionnel ; ils sont aussi considérés comme constituant une menace pour les minorités québécoise et autochtones parce qu'ils défendent un concept unitaire de la nationalité canadienne. Selon Will Kymlicka, « le nationalisme pancanadien a diminué le pouvoir politique des minorités nationales et a menacé leur existence en tant que sociétés culturellement distinctes[80] ». Encore une fois, la solution préconisée est l'adoption d'une forme de fédéralisme asymétrique qui reconnaîtrait le Canada comme une fédération de peuples et qui affirmerait le statut égalitaire de chacun de ces peuples et, par conséquent, le statut distinct des citoyennetés du Québec et des nations autochtones à l'intérieur du Canada[81].

Il existe évidemment des obstacles et des difficultés empêchant la mise en œuvre de la restructuration des relations entre majorité et minorités au Canada proposée plus haut. Cela est particulièrement

---

78. *Ibid.*, p. 229 et 231.
79. *Ibid.*, p. 232.
80. Will Kymlicka, « Multinational Federalism in Canada : Rethinking the Partnership », dans Roger Gibbins et Guy Laforest (dir.), *Beyond the Impasse : Toward Reconciliation, op. cit.*, 1998, p. 33.
81. Will Kymlicka, « Citizenship, Communities and Identity in Canada », dans James Bickerton et Alain-G. Gagnon (dir.), *Canadian Politics*, 4ᵉ édition, Peterborough, Broadview Press, 2004, p. 40.

vrai de la transformation du nationalisme canadien inclusif en une forme plus limitée de nationalisme du « reste du Canada » comme le prélude ou le corollaire de la construction d'une nouvelle fédération multinationale. Les autres choix (renoncer à des éléments importants du nationalisme canadien ou simplement l'écarter comme n'étant plus nécessaire, dans un scénario de postnationalisme) posent également problème. Finalement, on peut soulever quelques inquiétudes au sujet des effets identitaires et de la viabilité à long terme, au sein d'une fédération déjà décentralisée, de réformes qui offriraient davantage d'autonomie aux nations minoritaires sans équilibrer celles-ci par des institutions ou des processus de représentation et de participation plus forts ou plus étendus au sein de la nation canadienne inclusive.

En ce qui concerne les fondements historiques et l'« authenticité » du nationalisme canadien moderne, l'analyse que fait McRoberts rappelle que l'idée du binationalisme et du biculturalisme n'a jamais joui d'un appui important au Canada anglais[82] et que, de toute manière, le fondement ethnique d'une identité canadienne-anglaise s'est dissipé progressivement après la Première Guerre mondiale, pour se trouver dénué de toute pertinence au cours des années 1960 et 1970. Bref, il n'y a plus de « Canada anglais » qui puisse agir à titre de contrepoint et d'interlocuteur pour le Québec[83]. Quant au rôle joué par Trudeau comme créateur ou promoteur du nouveau sens de l'identité nationale canadienne, les divers éléments composant cette dernière étaient en fait enracinés bien avant son entrée en scène. Comme le montre Jenson, ces éléments étaient évidents dès les années 1920 et ont joué un rôle crucial dans le « projet de société » du gouvernement fédéral lui-même à compter de la Deuxième Guerre mondiale : un projet de création de la nation développé en réaction aux menaces posées à l'identité et à l'indépendance canadiennes par l'hégémonie du Royaume-Uni et des États-Unis, et en réaction au régionalisme et

---

82. Kenneth McRoberts, *Misconceiving Canada : The Struggle for National Unity, op. cit.*, p. 188.
83. Kenneth McRoberts, « In Search of Canada « Beyond Quebec » », *op. cit.*, p. 9-10.

aux intérêts sectoriels ayant constitué un obstacle de premier ordre, dans l'entre-deux-guerres, à l'émergence d'une nation canadienne intégrée capable d'agir d'une seule voix sur des enjeux communs[84]. La vision nationale de Trudeau fut une consolidation de différents éléments préexistants de la nationalité canadienne qui a été proposée aux Canadiens au moment où ils avaient grandement besoin d'une nouvelle vision nationale et qui a été mise de l'avant avec succès en raison des puissantes forces sociales qui se sont mobilisées derrière elle (en particulier, les différents groupes identitaires)[85].

Le « Canada anglais », le « Canada hors Québec » ou le « reste du Canada » (le Canada à l'exception du Québec francophone) ne se conçoit pas comme une nation à part et, sur ce point, la plupart des observateurs semblent s'entendre. Les Canadiens ont abandonné depuis longtemps le rêve d'une identité nationale unique et ont plutôt adhéré à la diversité et à l'égalité en tant que chemin vers l'unité nationale. Cela peut expliquer l'absence louable de xénophobie, de tendances exclusivistes et de craintes au sujet de la pureté ethnique ou de l'intégrité de leur langue et de leur culture, etc. Tous ces éléments, affirme Kymlicka, sont des qualités profondément admirables et constituent le fondement d'une société ouverte, tolérante et inclusive. Est-ce que cette forme inclusive de nationalité et de citoyenneté, qui a été garante d'un État stable et prospère et d'une société ouverte et tolérante, pourrait être minée par une plus grande autonomie politique et institutionnelle des nations minoritaires ?

La solution multinationale qui consisterait à simplement retrancher le Québec et les Québécois d'une nationalité canadienne inclusive, créant ainsi une nation formée par le « reste du Canada », ne ferait que déplacer les problèmes actuels touchant la réconciliation de l'unité et

---

84. Jane Jenson, « Recognizing the Difference : Distinct Societies, Citizenship Regimes and Partnership », *op. cit.*, p. 224.
85. Kenneth McRoberts, *Misconceiving Canada : The Struggle for National Unity*, *op. cit.*, p. 250-251.

de la diversité vers la nationalité canadienne-anglaise « détachée »[86].
Bien plus, on a soutenu que cette stratégie de détachement associée à
des solutions asymétriques ou inspirées par la diversité profonde – qui
consisteraient à inviter les Canadiens à abandonner le rêve d'une seule
nation canadienne inclusive – pourrait mettre en danger la stabilité
politique future étant donné que c'est précisément cet enchevêtrement
qui contribue à entretenir la « conversation canadienne » qui unit
tous les Canadiens. Finalement, des inquiétudes ont été exprimées au
sujet de la nature de tout « nationalisme canadien authentique » décou-
lant d'une forme quelconque de stratégie de détachement. « Les mécanismes de la modération canadienne-anglaise pourraient être mis
de côté dans la recherche vigoureuse de l'authenticité canadienne-
anglaise [...] Le grand danger de la proposition en faveur d'un nationalisme canadien-anglais est qu'une fois qu'il aura « dit son nom » [en
référence aux propos de Philip Resnick qui avance que le Canada
anglais est « une nation qui n'ose pas dire son nom »], il cessera
d'exister sous la forme que nous lui avons connue » : c'est-à-dire de
façon implicite au sein d'un nationalisme canadien ouvert et
tolérant[87]. Si le nationalisme canadien est lui-même davantage
enraciné et authentique que ne l'ont laissé entendre certains auteurs,
est-ce que ses principaux éléments constitutifs sont capables de
changer pour être plus compatibles avec les aspirations et les
revendications des nations minoritaires ? Cela semble possible, mais
peu probable pour le moment. La ferme volonté d'enchâsser le

---

86. Gerald Kernerman, *Multicultural Nationalism : Civilizing Difference, Constituting Community*, Vancouver, University of British Columbia Press, 2005, p. 9.

87. *Ibid.*, p. 62. Kernerman fonde son approche sur l'analyse de James Tully portant sur la contestation de la place des nations minoritaires dans la Constitution canadienne, contestation considérée comme une « conversation » qui normalise les différends et qui, par conséquent, civilise et « citoyennise » les participants à la conversation. En effet, bien que les parties ne puissent guère s'entendre que sur ce qui mérite de faire l'objet du désaccord, cette dynamique les lie et les unit.

principe de l'égalité entre les provinces (un obstacle majeur à l'adoption de l'asymétrie constitutionnelle) a été encouragée par la position plus ferme sur cette question adoptée au cours des années 1970 par les provinces, en particulier celles de l'Ouest, qui connaissaient un accroissement de leur population et de leur richesse, position qui ne s'est pas démentie depuis[88].

Quant à la place de la Charte des droits et libertés dans l'identité canadienne, elle est devenue centrale et a entraîné la transformation des trois dimensions du régime de citoyenneté du Canada[89]. De plus, on peut soutenir que le désir des Canadiens d'avoir un gouvernement national fort et une identité nationale forte demeure constant, et qu'il est toujours relié à des craintes, bien qu'il s'agisse d'un filon minoritaire, de perdre son identité et ses capacités comme nation. Ces peurs vont demeurer présentes en raison de l'étreinte toujours plus étroite des États-Unis, de la perception de la menace que posent pour certains la décentralisation et le provincialisme, de l'émotivité à l'égard des effets potentiellement corrosifs de ces derniers phénomènes et de la globalisation libérale en général sur la dimension sociale de la citoyenneté canadienne. Ainsi, on a refusé d'envisager la décentralisation radicale comme solution constitutionnelle à la question nationale au Canada (et à bon droit, selon Jenson) parce que « cela risque d'effriter le Canada [et l'identité nationale des Canadiens] sans résoudre le problème du Québec[90] ». Que dire de l'argument voulant que le nationalisme canadien doive battre en retraite ou remiser son caractère inclusif car celui-ci nie ou rend impotentes les nations minoritaires du Canada ? Dans les faits, un espace politique et culturel a été créé au sein de la nationalité canadienne pour débattre des identités nationales et de la distribution des ressources nécessaires au développement

---

88. Kenneth McRoberts, *Misconceiving Canada : The Struggle for National Unity, op. cit.*, p. 186-187.
89. Jane Jenson, « Recognizing the Difference : Distinct Societies, Citizenship Regimes and Partnership », *op. cit.*, p. 220.
90. *Ibid.*, p. 226 et 230.

des nationalités minoritaires. En même temps, l'identité nationale inclusive a aussi besoin d'institutions et de valeurs qui lui permettent de s'exprimer, et de possibilités permettant de reconnaître et de représenter tous les individus en tant que Canadiens. Il faut garder à l'esprit que c'est à l'intérieur de ce contexte historique et sociologique que se sont développées les identités doubles des individus issus des communautés nationales minoritaires, dont les identités parfois se nichent en son sein et parfois s'opposent à l'identité nationale englobante.

De même, la réalisation de différents projets collectifs au sein d'un même pays, à laquelle on est en fait parvenu au Canada, n'a pas nécessité l'adoption d'une asymétrie constitutionnelle importante. Le Québec a poursuivi son propre projet de société ; il s'est donné une expression institutionnelle de son caractère distinct à l'intérieur du Canada sans avoir à dégager ou à nier la dimension canadienne de l'identité et de la nationalité de ses citoyens. Résultat : deux nationalités réussies et deux régimes distincts de citoyenneté ont été créés ; les Québécois participent aux deux et continuent à démontrer leur capacité d'« être deux choses à la fois ». Ils partagent l'identité politique canadienne et ils ont participé activement au projet national canadien, comme à celui du Québec ; et on peut dire qu'ils ont construit les deux nationalités. Cela signifie que les Québécois (et les Autochtones) ont un sens de la nationalité et de la citoyenneté différent des non-Québécois (et des non-Autochtones). De telles asymétries au chapitre de l'identité ne peuvent être transformées en symétries ni par la politique, ni par l'argumentation[91]. Mais il appert également que cette coexistence et cette juxtaposition des identités nationales ne sont nuisibles ni pour

---

91. Il faut souligner dans cette veine les travaux de Philip Resnick confirmant sa déception devant l'incapacité du Canada anglais de faire face à sa propre identité, incapacité responsable de problèmes interminables pour les Québécois et les Autochtones. (Phil Resnick, *Thinking English Canada*, Toronto, Stoddart, 1994.) En ce qui concerne le désir des nationalistes québécois d'une symétrie des relations Québec-Canada, on se souvient des propos tenus par Lucien Bouchard durant le référendum voulant qu'une victoire du « oui » agirait telle une « baguette magique » pour la création d'un partenariat confédéral entre égaux.

la majorité ni pour la minorité ; c'est plutôt le contraire, comme le montrent les succès politiques et économiques respectifs du Canada et du Québec.

La relation entre les identités nationales et les institutions exige une dernière remarque importante. Dans l'abondance des travaux sur le fédéralisme canadien, on découvre cette chose importante que les constitutions et les institutions ont un « pouvoir de façonner » qui est indépendant et qui peut transformer les valeurs d'une société et influencer son avenir. À la lumière de ce constat, on peut expliquer le conflit intergouvernemental au Canada et comprendre, notamment, que ce qui se cache derrière ce conflit est souvent une lutte pour le pouvoir de façonner une société[92]. Pour les défenseurs du fédéralisme, cela exige de reconnaître, de maintenir et de renforcer la dimension nationale inclusive de l'existence civique des Canadiens aussi bien que la dimension nationale minoritaire ou régionale de leur identité politique, incluant le cadre constitutionnel et les mécanismes institutionnels qui sous-tendent les identités dualistes et les personnalités politiques complexes au sein de la fédération canadienne[93].

À la lumière de ces remarques, le profond scepticisme de la majorité envers les propositions de réformes constitutionnelles qui incluent des éléments importants d'asymétrie n'apparaît pas entièrement inapproprié. Est-ce qu'une solution radicalement asymétrique au défi que pose la gestion de la diversité intérieure, en facilitant le désengagement politique des communautés nationales minoritaires (juridiquement, institutionnellement et psychologiquement), ferait en sorte d'éroder les sentiments d'une identité politique commune et d'une solidarité sociale, et donc, en fait, les liens d'une citoyenneté partagée fondée sur

---

92. Ramsay Cook, « The Anatomy of Cairns' Constitutional Criticism : French Canadians, Quebec and the Canadian Constitution », dans Gerald Kernerman et Philip Resnick (dir.), *Insiders and Outsiders : Alan Cairns and the Reshaping of Canadian Citizenship, op. cit.*, p. 167.

93. Alan C. Cairns, « First Nations and the Canadian Nation : Colonization and Constitutional Alienation », dans James Bickerton et Alain-G. Gagnon (dir.), *Canadian Politics*, 4e édition, Peterborough, Broadview Press, 2004, p. 349-367.

les droits? Si c'est le cas, un tel arrangement serait intrinsèquement instable, en particulier parce qu'au Québec «la dynamique de la compétition politique continuerait d'être menée par le nationalisme[94]».

C'est à partir de ce point de vue qu'Alan Cairns soutient que la diversité multiculturelle est beaucoup plus facile à accommoder que la diversité multinationale, étant donné qu'une plus grande autonomie pour les nations dotées d'une base territoriale mène invariablement à des demandes pour un plus grand détachement et à une possible sécession. «La diversité multinationale représente un défi tant pour l'intégrité de l'État que pour la définition d'un peuple [...] il sera difficile d'empêcher la reconnaissance de la diversité profonde de glisser vers des politiques d'exclusion[95].» Les identités ne sont pas uniques ou exclusives, mais bien multiples et complexes à la fois chez les individus et au sein des communautés. Dans le cas du Canada, «les réalités des Canadiens-du-reste-du-Canada, des Québécois et des Autochtones ne sont pas des insularités coexistantes, mais bien des catégories complexes à l'image de la réalité canadienne». La capacité humaine de maintenir et de compartimenter de multiples identités «est une habileté hautement développée parmi les citoyens contemporains[96]». En effet, la convergence culturelle et l'augmentation des valeurs communes élargissent la possibilité, pour des personnes ayant des identités différentes, de partager des institutions, c'est-à-dire de «vivre à la fois ensemble et séparés[97]».

Cela concerne directement la situation des peuples autochtones au Canada, particulièrement en ce qui a trait aux relations politiques de «nation à nation» recommandées par la Commission royale sur les peuples autochtones, profondément ambivalente à l'égard de la

---

94. Alan C. Cairns cité par Ramsay Cook, «The Anatomy of Cairns' Constitutional Criticism : French Canadians, Quebec and the Canadian Constitution», *op. cit.*, p. 174.

95. Alan C. Cairns, «Empire, Globalization, and the Fall and Rise of Diversity», *op. cit.*, p. 6 et 20.

96. Alan Cairns cité par Ramsay Cook, «The Anatomy of Cairns' Constitutional Criticism : French Canadians, Quebec and the Canadian Constitution», *op. cit.*, p. 177.

97. Ramsay Cook, «The Anatomy of Cairns' Constitutional Criticism : French Canadians, Quebec and the Canadian Constitution», *op. cit.*, p. 177.

citoyenneté canadienne et qui « se concentre sur les façons de se soustraire le plus possible à la société majoritaire [...] afin d'isoler le plus possible les nations autochtones des politiques démocratiques de la société qui les englobe[98] ».

Alors que certains intellectuels et certains leaders autochtones continuent de soutenir les principes d'une relation égalitaire de nation à nation et de la « coexistence nationale mutuelle » à titre de fondement approprié des relations entre les nations autochtones et l'État canadien, et ce, jusqu'au point de rejeter leur statut de citoyen canadien[99], la réalité des peuples autochtones du Canada est en fait tout autre. Leur petite taille, leur dépendance financière et la présence de forces puissantes d'intégration limitent à la fois la possibilité et l'aspiration à la souveraineté qui alimente la rhétorique nationaliste. Simplement dit, il y a un gouffre infranchissable entre les ambitions du nationalisme autochtone et ce que peuvent en réalité attendre la vaste majorité des Premières Nations. La réalité démographique des Premières Nations, divisées en 627 micro-nations parmi lesquelles seules 35 nations ont une population supérieure à 2000 personnes, alors que les deux tiers comptent moins de 500 personnes vivant sur des réserves, limite clairement les capacités de celles-ci à se gouverner. Dans ce contexte, la tâche immense et ardue de la sauvegarde de la nation – de la construction et du maintien d'une « culture sociétale séparée » selon l'expression de Kymlicka – apparaît comme une entreprise très incertaine pour la vaste majorité des Premières Nations, étant donné les limites liées à leur petite taille[100].

On ne peut nier l'attraction et la capacité de mobilisation fortes du nationalisme autochtone anticolonial dans des sociétés fondées

---

98. Alan C. Cairns, « First Nations and the Canadian Nation : Colonization and Constitutional Alienation », *op. cit.,* p. 363.
99. Keira Ladner, « Rethinking Aboriginal Governance », dans Janine Brodie et Linda Trimble (dir.), *Reinventing Canada : Politics of the 21st Century*, Toronto, Prentice-Hall, 2003, p. 55-57.
100. Alan C. Cairns, « First Nations and the Canadian Nation : Colonization and Constitutional Alienation », *op. cit.,* p. 357-358.

sur la colonisation comme le Canada. Il s'agit d'un « nationalisme ancré dans l'expérience du fait d'avoir été colonisé et ainsi dépossédé de l'autonomie gouvernementale, [générant] une solidarité entre ses adhérents et une distance sociale face à la société majoritaire. Aujourd'hui, cela dissuade tout intérêt pour une gouverne commune[101]. » Et pourtant ce nationalisme, à l'image des autres nationalismes indigènes du quart-monde, est privé de la possibilité d'une indépendance politique réelle et se fait le défenseur d'aspirations nationalistes qui défient toute réalité démographique. Il est de plus confronté à un puissant nationalisme pancanadien dont « la dynamique est inscrite dans des institutions difficiles à changer [...] et qui permettent une continuité évolutive ». Ce nationalisme est également doté d'une « impressionnante capacité de mobilisation déployée grâce aux ressources du patriotisme et de la citoyenneté[102] ». Bien qu'il s'agisse d'une entreprise difficile, il n'existe pas de solution à long terme à ce choc des nationalismes, si ce n'est d'œuvrer à la réalisation d'un compromis viable qui soit ancré dans la double identité autochtone et canadienne.

Conclusion

Le Québec et le Canada ont tous deux été soumis à toute l'étendue des forces d'homogénéisation et d'intégration propres à la modernisation. Face à ces défis, chacun a démontré de la cohésion, une volonté nationale et les capacités accrues nécessaires pour construire son propre espace politique autonome. Et comme tous les nationalismes, comme nous le rappelle Benedict Anderson, ceux-ci ont montré le double visage de Janus dans leurs manifestations descendantes (orchestrées par l'État) et ascendantes (l'identification populaire). Ils ont aussi arboré le double visage de Janus, montrant parfois le visage de la majorité à leurs nations minoritaires internes, et le visage de la minorité lorsqu'ils ont été confrontés à la menace et au défi d'une plus grande nation souvent

---

101. *Ibid.*, p. 364-365.
102. *Ibid.*, p. 364.

oublieuse de l'autre et à laquelle elles sont entremêlées : dans le cas du Québec, son partenaire canadien et dans le cas du Canada anglophone, la présence menaçante de son grand voisin américain.

Le développement de la nationalité canadienne a également été décrit comme une manœuvre (parfois hésitante) coincée « entre le marteau et l'enclume ». En effet, mis à part le besoin parfois compulsif de délimiter et de préserver une nationalité canadienne distincte dans l'ombre de son voisin péremptoire et impérial (et parfois avec méfiance), le développement de la nationalité canadienne affronta diverses adversités : le marteau représentant les demandes du Québec en faveur de la dualité sous la forme d'un partenariat égalitaire entre les deux nations fondatrices de la fédération, d'une part, et l'enclume représentant les demandes des provinces en faveur d'une autonomie accrue et d'une égalité avec le Québec, d'autre part[103]. Les marteaux et les enclumes représentés par le continentalisme, le provincialisme et le nationalisme québécois ont clairement exercé une influence majeure sur le développement à la Janus du nationalisme canadien. Graduellement un espace s'est créé à l'intérieur de l'identité canadienne dominante et inclusive où sont nichées les nationalités québécoise et autochtones. Tant le Québec que le Canada ont acquis des capacités importantes à poursuivre leurs projets de société et à exprimer leurs valeurs et leurs identités nationales. Au contraire, les peuples autochtones sont encore à l'étape d'acquérir les capacités nécessaires pouvant leur permettre d'exprimer leurs nationalités distinctes au sein du contexte canadien ou québécois. Ils ont devant eux la longue et pénible tâche de préserver et de construire une nation minoritaire, une tâche dont l'étendue constitue un défi gigantesque même pour les plus populeuses et les plus privilégiées (en termes de ressources humaines, culturelles et organisationnelles) des nations autochtones du Canada.

---

103. Roger Gibbins, « Getting There from Here », dans Roger Gibbins et Guy Laforest (dir.), *Beyond the Impasse : Toward Reconciliation*, Montréal, Institut de recherche en politiques publiques, 1998, p. 401.

L'accommodement mutuel des nationalités minoritaire et majoritaire exige : 1) que la collectivité nationale minoritaire soit reconnue et aidée, et que les droits, pouvoirs et capacités associés au statut de nation minoritaire fassent l'objet de négociations et d'adaptations continuelles ; 2) que ce processus de reconnaissance et d'accommodement soit simultanément rattaché au statut de citoyens à part entière et égaux des membres de la nation minoritaire dans la grande nation inclusive ; et 3) que l'accommodement et la reconnaissance soient un processus mutuel et réciproque liant majorité et minorités au sein d'une démocratie plurinationale.

Qu'est-ce que cela exige sur le plan pratique ? Quand les nationalités s'irritent-elles mutuellement et créent-elles des points de tension qui écartent la coexistence et la complémentarité associées au concept d'identité nationale « emboîtée » ? Et lorsqu'il y a une dimension compétitive ou exclusive dans les relations ou ententes gouvernementales, comment cela peut-il être géré sans supprimer ou nier l'une des identités nationales ? Un nombre important de conflits potentiels de ce genre entre la nationalité inclusive du Canada et la nationalité minoritaire du Québec ont été évités par l'entremise des mécanismes et des institutions du système fédéral hautement décentralisé du Canada, et grâce à quelques autres dispositions constitutionnelles (telles que le bilinguisme officiel). Quand, et là où cela s'est avéré insuffisant, des asymétries non constitutionnelles se sont développées dans les pratiques du gouvernement fédéral grâce à des processus organiques qui se développent dans la foulée des « fantaisies, silences, désuétudes et ambiguïtés de la Constitution[104] ». Ces derniers sont particulièrement évidents dans le domaine des programmes sociaux, de l'immigration et dans d'autres matières[105].

---

104. Richard Simeon et Daniel Patrick Conway, « Federalism and the Management of Conflict in Multinational Societies », dans Alain-G. Gagnon et James Tully (dir.), *Multinational Democracies*, Cambridge, Cambridge University Press, 2001, p. 346-347.

105. L'initiative du gouvernement fédéral conservateur visant à permettre une plus grande présence du Québec sur la scène internationale en lui permettant de siéger à

Si le fédéralisme canadien doit poursuivre sur la voie de la réussite, cependant, il doit intégrer à la fois un processus de consolidation (*building in*) et de détachement institutionnel (*building out*) : il faut créer des « contrepoids d'intégration » aux identités nationales provinciales et minoritaires et leurs gouvernements, contrepoids qui contribueront à renforcer les identités et les valeurs canadiennes. De tels contrepoids servent d'appui institutionnel aux identités inclusives et emboîtées et aux doubles allégeances au sein de la fédération, ce qui permet de réaliser l'équilibre nécessaire aux concessions de la majorité à la minorité et à l'institutionnalisation de la différence. Bref, le façonnement des institutions devrait aider à la fois à réconcilier les minorités avec le fédéralisme et à tisser des liens entre les minorités et la majorité[106]. La réforme du Sénat et du système électoral sont probablement les deux changements institutionnels les plus manifestement susceptibles de produire de meilleurs contrepoids institutionnels au provincialisme et au nationalisme des minorités : la première en améliorant la représentativité du Parlement et la seconde, le système partisan canadien[107]. Cet équilibre entre la reconnaissance, la représentation et l'accommodement au sein de la « plurinationalité asymétrique » du Canada est un processus continuel d'adaptation dont les aspects sont fiscaux, programmatiques, institutionnels, idéologiques et symboliques. Occasionnellement, cela peut exiger des politiciens à l'échelle du pays – canadiens, québécois et autochtones – qu'ils

---

l'UNESCO en est l'exemple le plus récent. Pour le premier ministre Harper, elle s'inscrit dans un « fédéralisme d'ouverture » et participe d'un « accord qui symbolise notre vision d'une fédération canadienne forte et flexible » qui peut « soutenir l'unité nationale ». (Rhéal Séguin, « Quebec Gets a Voice at UN Organization », *The Globe and Mail*, 6 mai 2006, p. A11.)

106. Richard Simeon et Daniel Patrick Conway, « Federalism and the Management of Conflict in Multinational Societies », *op. cit.*, p. 361-363.
107. A. Brian Tanguay, « Reforming Representative Democracy : Taming Canada's Democratic Deficit », dans James Bickerton et Alain-G. Gagnon (dir.), *Canadian Politics*, 4ᵉ édition, Peterborough, Broadview Press, 2004, p. 263-286 ; James Bickerton, « Integration and Fragmentation : Political Parties and the Representation of Regions », dans A. Brian Tanguay et Alain-G. Gagnon (dir.), *Canadian Parties in Transition*, 3ᵉ édition, Peterborough, Broadview Press, 2007.

envoient des messages ambigus ou que leur discours diverge de leurs actions, une habileté politique qui semble inépuisable[108].

Le Canada n'est pas la seule démocratie libérale à faire face au problème de la gestion de la diversité interne et de l'accommodement de plus d'une nationalité et de plus d'un nationalisme. La situation canadienne est particulièrement comparable aux contextes plurinationaux de la Grande-Bretagne (Écosse) et de l'Espagne (Catalogne). Et pourtant, c'est au Canada qu'une nation minoritaire est allée le plus loin dans la construction de sa nation et qu'elle jouit de la plus grande autonomie et du plus grand éventail de pouvoirs d'un gouvernement infra-étatique. Les arguments et les propositions constitutionnelles destinés à aller plus loin grâce à une plus grande asymétrie constitutionnelle et institutionnelle doivent faire l'objet d'un examen minutieux. En particulier, courir le risque d'une nouvelle ronde d'initiatives constitutionnelles, avec ce qu'elle comporte d'effets inévitables de polarisation des identités et des allégeances, est-il le meilleur chemin vers la résolution de la question des nationalités au Canada? Ou bien, est-ce que les Canadiens, incluant les Québécois et les Autochtones, pêchent par excès de prudence? Doivent-ils, en tant que peuple et peuples, se prémunir du risque de négociations constitutionnelles et de référendums qui fatigueront et éroderont la plurinationalité canadienne, pour s'en remettre plutôt à la flexibilité et à la capacité d'adaptation de l'actuelle fédération afin de proposer les accommodements qui vont dans le sens de l'évolution du caractère plurinational du Canada?

---

108. Un exemple de la dissonance entre « la parole et les actes » est le refus pendant une longue période du premier ministre Harper de qualifier le Québec de « nation » bien que son prédécesseur l'eût fait. Harper a qualifié la discussion sur le statut national du Québec de « débat sémantique qui ne sert à rien ». Simultanément, le gouvernement Harper a permis au Québec d'accéder à un forum culturel international comme l'UNESCO, promis de corriger le déséquilibre fiscal à l'avantage du Québec et s'est engagé à être plus respectueux des champs de compétence provinciaux que les gouvernements libéraux précédents. (Bill Curry, « PM Dodges "Semantic Debate" on Quebec », *The Globe and Mail*, 24 juin 2006, p. A7.)

Selon l'expression évocatrice de Robert Young, la fédération cana-dienne a été « étirée » afin d'accommoder la présence des Québécois et, plus récemment, des Premières Nations. Les silences, les désuétudes et les ambiguïtés de la Constitution, de même que les ajustements pragmatiques et les accords non constitutionnels, se sont avérés des moyens utiles pour combler l'écart entre les oppositions de principes apparemment irréconciliables provoquées par le choc des nationa-lités[109]. Le Canada ne fonctionnera peut-être jamais comme un véritable État multinational, mais il semble parfois agir, sur les plans fonctionnels et symboliques, comme un État plurinational : dans nombre de pratiques et processus, d'adaptations institutionnelles, d'aspects juridiques et politiques de la reconnaissance et de l'inclu-sion de la minorité. Cela rend possible, pour reprendre le terme de James Tully, la « citoyennisation » de tous les peuples du Canada[110].

Texte traduit de l'anglais par Jean-Pierre Couture.

109. David Thomas, *Whistling Past the Graveyard : Constitutional Abeyances, Quebec and the Future of Canada*, Toronto, Oxford University Press, 1997 ; Richard Simeon et Daniel Patrick Conway, « Federalism and the Management of Conflict in Multi-national Societies », *op. cit.*; Roger Gibbins, « Constitutional Politics », *op. cit.*

110. Peter Russell, « Citizenship in a Multinational Democracy », dans Gerald Kernerman et Philip Resnick (dir.), *Insiders and Outsiders : Alan Cairns and the Reshaping of Canadian Citizenship*, Vancouver, University of British Columbia Press, 2005, p. 273-285.

CHAPITRE 7

La réalité du multiculturalisme états-unien : le nationalisme états-unien à l'œuvre

Liah Greenfeld

Dans le cadre des présents débats, les États-Unis présentent un paradoxe : la nature ouverte, fluide et individualiste de la société états-unienne, reflet de sa conscience nationale, refuse d'accorder une importance culturelle aux différences ethniques, et ce, malgré le multiculturalisme tapageur des universitaires, des médias et, dans une large mesure, des milieux dirigeants.

Loyautés particularistes et nation dans les États-Unis du 17e au 19e siècle

Malgré la très grande diversité des origines ethniques des États-Uniens (qui n'a probablement d'égale que la diversité des origines des Juifs israéliens et des Australiens), les considérations ethniques quelles qu'elles soient sont tout à fait étrangères à la tradition et aux institutions fédéralistes états-uniennes. La nation a été conçue comme une fédération de communautés autonomes d'individus, sans que la composition ethnique de ces communautés importe ; la structure fédérale est toujours demeurée un mécanisme de protection des droits des individus, et non des groupes. Il est vrai que pendant le premier siècle de l'histoire nationale, particulièrement dans les États fondateurs le long de la côte atlantique, ces communautés autonomes développèrent d'ardentes loyautés particularistes et que malgré toutes les intentions, les droits des individus membres leur étaient subordonnés. Ces loyautés particularistes étaient au départ inoffensives ; non seulement coexistaient-elles pacifiquement avec le sens d'un engagement national (ou fédéral) général, mais encore le renforçaient-elles. Cependant, avec l'acquisition de nouveaux territoires et la déclaration de la Californie comme État libre après la fin de la guerre contre le Mexique, ces loyautés se cristallisèrent autour de la controverse sur l'esclavage (qui portait, paradoxalement, sur l'interprétation de la liberté américaine) et minèrent l'engagement national, mettant en danger l'existence de la nation elle-même. Après la guerre civile – de loin le plus important conflit de l'histoire des États-Unis jusqu'à maintenant, un conflit entièrement étranger aux différences ethniques – on n'admit plus que les États soient l'objet d'une loyauté civique ardente susceptible de concurrencer la loyauté à la nation, et en général les doubles loyautés ne furent plus tolérées. Le fédéralisme, plus que jamais, devint un mécanisme institutionnel de protection des droits individuels.

Au moment même où la guerre civile mettait fin au particularisme étatique, le caractère saillant des différences ethniques s'accrut considérablement. Cela ne s'explique pas seulement par l'accroissement de la diversité ethnique elle-même. Celle-ci caractérisait la société états-unienne depuis le 18e siècle. Elle n'était d'ailleurs pas complètement passée inaperçue. Benjamin Franklin, par exemple, s'en plaint dans ses *Observations Concerning the Peopling of Countries*, demandant pour la forme (et peut-être en partie pour plaisanter) : « Pourquoi devrait-on tolérer que de rustres palatins envahissent nos colonies et, en se rassemblant, imposent leur langue et leurs manières au détriment des nôtres ? Pourquoi la Pennsylvanie, fondée par les Anglais, deviendrait-elle une colonie d'étrangers, qui seront bientôt assez nombreux pour nous germaniser plutôt que de s'angliciser, et n'adopteront jamais notre langue ou nos coutumes, pas plus qu'ils ne peuvent acquérir notre teint ? » La question de la complexion de la peau provoque chez ce patriote un argument supplémentaire en faveur de l'uniformité : « Le

nombre de gens purement blancs dans le monde est proportion-
nellement très petit », argue-t-il. « Toute l'Afrique est noire ou hâlée ;
l'Asie est principalement hâlée ; l'Amérique (à l'exclusion des nouveaux arrivants), l'est presque entièrement. Et en Europe, les Espagnols,
les Italiens, les Français, les Russes et les Suédois sont généralement
d'une complexion que nous pourrions qualifier de hâlée ; les Allemands
le sont également, à l'exception des Saxons qui, avec les Anglais,
constituent le principal groupe de gens blancs à la surface de la terre.
Je pourrais souhaiter que leur nombre augmente. Et alors que nous
nettoyons, dirais-je, notre planète en défrichant l'Amérique, permettant à ce côté du globe de refléter une lumière plus brillante aux yeux
des habitants de Mars ou de Vénus, pourquoi devrions-nous, aux yeux
de l'être supérieur, assombrir son peuple? Pourquoi augmenter le
nombre des fils d'Afrique en les implantant en Amérique, alors que
nous avons l'occasion propice d'augmenter l'adorable blanc et rouge
en excluant tous les noirs et basanés? Mais peut-être suis-je partial
envers la complexion de mon pays, puisqu'une telle partialité est naturelle chez l'espèce humaine. »

Cette question ne se posait cependant pas – ni même n'était
portée – à l'attention du public. Pour les États-Uniens d'ascendance
anglaise, l'ethnicité n'était pas un enjeu, puisqu'elle n'en avait jamais
été un en Angleterre. Depuis les débuts de l'histoire nationale anglaise,
les Anglais acceptaient toute personne née en Angleterre, peu
importe son origine, comme membre de la nation et étaient prêts à
accepter comme tel tous ceux qui, bien que nés ailleurs, voulaient être
considérés comme Anglais et avaient à cœur les intérêts de l'Angleterre. L'éloge que fait Defoe de l'immigrant d'origines diverses
comme véritable Anglais de naissance n'est qu'une des manifestations de cette attitude volontariste. Et pendant que les États-Uniens
venus d'ailleurs étaient plus conscients du caractère anglais de leur
nouveau pays que ne l'étaient en général les habitants d'origine
anglaise, ils considéraient ce caractère anglais comme une caractéristique nationale états-unienne et se l'appropriaient comme partie

intégrante (comme le cœur en fait) de leur identité états-unienne. Le premier États-Unien à aborder la question de ce que signifie être un États-Unien fut J. Hector St. John de Crèvecœur, un immigrant français qui, dans ses *Letters from an American Farmer*, imagine les réflexions probables d'un visiteur d'Angleterre et tente d'y répondre : « Il doit vraiment se réjouir d'avoir vécu pour voir son beau pays découvert et colonisé ; il doit nécessairement ressentir une partie de la fierté nationale … [Il doit se dire à lui-même :] « Ceci est le travail de mes compatriotes […] Ils ont apporté avec eux leur génie national, auquel ils doivent la liberté dont ils jouissent et la substance dont ils sont faits. » Ici il voit le zèle de son pays natal déployé d'une nouvelle manière… »

Ce qui est nouveau dans la période qui suit la guerre civile, ce n'est donc pas le degré plus élevé d'hétérogénéité ethnique de l'immigration, ni sa composition ethnique (les éléments d'Europe de l'Est et du Sud deviennent alors plus importants que les éléments d'Europe de l'Ouest et du Nord), ni même sa taille colossale ; c'est le fait que dans la dernière moitié du 19e siècle, la signification culturelle de l'ethnicité (la manière dont elle était comprise) se transforma, à la fois dans les pays d'origine des immigrants et aux États-Unis.

Le nationalisme et l'importance politique de l'ethnicité

En général, l'ethnicité n'est rien de plus qu'un terme parapluie rassemblant des caractéristiques ascriptives, c'est-à-dire indépendantes de la volonté individuelle et déterminées plutôt par le hasard de la naissance, qu'il s'agisse de la couleur des yeux, de la nuance de la peau, de la texture des cheveux – ou du type physique en général –, de la langue ou de la manière de la parler (ou même de la langue des ancêtres), de la religion (ou de celle des ancêtres), des liens présumés (ou des liens des ancêtres) avec un territoire précis, des coutumes, des exigences ou habitudes alimentaires, et ainsi de suite. Puisque certaines de ces caractéristiques facilement visibles (la couleur des yeux ou des cheveux, par exemple) diffèrent même dans la plus petite communauté, la diversité ethnique est omniprésente dans les sociétés humaines. Cependant, dans la plupart d'entre elles, les différences ethniques n'ont que peu – ou même pas du tout – d'importance, et pas d'impact sur les relations sociales (que celles-ci soient conflictuelles ou consensuelles) au-delà du niveau strictement personnel.

Par le passé, les caractéristiques acquises par la naissance et que l'on considérait importantes étaient celles que les gens voyaient comme providentielles plutôt qu'accidentelles : ainsi, l'appartenance à un état (*estate*) juridique particulier. L'individu portait son statut social (et par conséquent sa position et son rôle dans la vie) dans son sang – le fait qu'une personne naisse dans une famille princière ou paysanne n'avait rien d'accidentel, puisque chaque personne était appelée par la Providence, et donc était de par sa nature même soit prince, soit paysan. Ces caractéristiques ascriptives importantes étaient culturelles, mais la plupart des caractéristiques culturelles, comme la langue et (particulièrement) la religion, n'étaient pas ascriptives, bien qu'elles fussent acquises par la naissance, puisque l'on croyait que la langue pouvait être apprise, alors que la religion, quelle qu'ait été celle des ancêtres, était une question de responsabilité personnelle. Il est vrai que l'influence sociale et les pratiques chrétiennes pas très ortho-doxes de la population juive (récemment convertie de force) dans l'Espagne de leurs majestés catholiques de Castille et d'Aragon (à peine libérée de la domination musulmane) causa du ressentiment parmi la vieille noblesse chrétienne et mena à un discours sur la *limpieza de sangre*[1] comme critère d'une foi sincère. Mais il s'agit là d'une exception : dans l'Europe chrétienne, la religion (la sphère de l'âme) était moins que tout fonction du sang et ne pouvait être trans-mise par les fluides corporels. C'est seulement à notre époque, moderne et matérialiste, que l'on commença à la voir comme ascriptive, comme on le fit pour d'autres caractéristiques culturelles telles que la langue. C'est notre époque qui la première considéra l'ethnicité comme une

---

1. En espagnol dans l'original ; l'expression signifiait « être de sang propre ».

catégorie importante sur le plan culturel – la catégorie des caractéristiques culturelles acquises par la naissance –, faisant de la diversité
ethnique (c'est-à-dire de la diversité des caractéristiques ascriptives)
un problème social et une source de conflit politique.

À l'instar de la modernité en général, ce changement d'attitude
envers l'ethnicité est un produit du nationalisme. Le nationalisme est
le cadre cognitif, ou la vaste conception du monde, qui émerge dans
l'Angleterre du début du 16e siècle pour devenir le fondement culturel
de la société, de l'économie et de la politique modernes. L'élément
central du nationalisme est une représentation de la réalité dont l'élément significatif est la nation, c'est-à-dire une population (qu'il s'agisse
de quelques milliers ou de plusieurs millions de personnes) considérée comme souveraine et comme une communauté d'égaux. Le
caractère séculier de cette représentation (centrée sur ce monde et le
représentant comme la source ultime de signification) découle du
fait qu'elle attribue la souveraineté à une communauté terrestre plutôt
qu'à des forces transcendantes et à leurs représentants. Le matéria-
lisme philosophique qui sous-tend les attitudes modernes dans presque
toutes les sphères de l'existence sociale découle logiquement du fait
que le monde terrestre se voit doté de la signification ultime. Le concept
de la « nation » décrit plus haut permet un certain nombre d'interprétations de la souveraineté populaire et de l'égalité, selon que la
nation est définie en termes composites (comme une association
d'individus) ou en termes unitaires (comme un individu collectif),
et selon que l'appartenance est considérée comme étant en principe
volontaire ou innée. Dans cette dernière éventualité, la nationalité
elle-même est vue comme une caractéristique ascriptive, déterminée
par la naissance, à l'instar des caractères physiques ou du genre, et
transmise par le sang, c'est-à-dire génétiquement ; autrement dit, la
nationalité est considérée comme ethnicité et nous avons affaire à un
nationalisme ethnique. Cette perception occulte la nature culturelle
et historique, et par conséquent construite, des nations et de l'appartenance nationale, d'une part. D'autre part, elle accroît dramatiquement

l'importance culturelle de l'ethnicité et, par conséquent, sa portée comme force sociale et politique. C'est comme élément du nationalisme ethnique que l'ethnicité devient une source d'identité et le fondement sur lequel les individus basent leurs attitudes et leurs relations avec autrui. Avant le nationalisme, ces attitudes et relations étaient fondées sur les caractéristiques culturelles des uns et des autres ; l'individu en était considéré personnellement responsable, soit en tant que résultat d'un choix (dans le cas de la religion et de la langue), soit en tant que résultat de l'appel de la Providence qu'il était du devoir de cet individu de suivre (dans le cas de la position sociale). Dans le cadre du nationalisme ethnique, les relations et attitudes sociales devinrent fonction d'un simple accident biologique.

Puisque l'identité ethnique (c'est-à-dire une identité fondée sur des caractéristiques ascriptives, accidentelles, acquises par la naissance) élève les traits purement biologiques, comme le type physique, au rang d'attributs culturels et réduit les attributs culturels, tels que la langue et la religion, à des traits purement biologiques, les distinctions entre les groupes culturels identitaires deviennent nécessairement des différences essentielles, semblables aux différences entre individus ayant des groupes sanguins incompatibles ou même entre espèces biologiques différentes. Elles établissent des relations d'altérité insurmontables entre ces groupes. Le fait que l'expérience du mariage entre membres d'ethnies différentes et la production d'une progéniture robuste d'ethnicité mixte (les *sang-mêlé* – quelle expression éloquente de l'importance culturelle de la biologie !) contredisent systématiquement la présomption d'une telle altérité ne suffit pas à la miner puisque, comme on le sait, même les gens les plus intolérants sont remarquablement indulgents à l'égard des contradictions. Dans ce cadre, le consensus se rompt aisément suivant les clivages ethniques ; la compétition pour les ressources rares (le statut, la richesse et le pouvoir politique) est dès lors susceptible d'être interprétée en termes de rivalités ethniques ; la coexistence de plusieurs groupes ethniques (la diversité ethnique) en vient à être perçue comme le terrain naturel d'un conflit toujours prêt à éclater et contenu seulement grâce à une gestion avisée des conflits.

L'importance politique de l'ethnicité ne dépend pas du degré de diversité ethnique dans une communauté, mais de la signification attribuée par la culture aux différences ethniques. Dans les nationalismes qui voient l'appartenance comme volontaire, l'ethnicité joue un rôle négligeable. Israël, dont la population juive est l'une des communautés les plus ethniquement diversifiées du monde, en constitue un bon exemple. (Le fait de caractériser sa population comme juive et extrêmement diversifiée ne doit surprendre personne : après tout, personne n'est surpris du fait que presque toute la grande diversité ethnique des États-Unis soit concentrée parmi la population d'origine religieuse chrétienne). Israël est une société ouverte. Le fait que la nationalité y soit, pour des raisons historiques, identifiée à la religion renforce cette ouverture, puisqu'une religion acceptant les convertis ouvre les portes de la communauté politique aux gens de toutes origines. La *Loi du retour* a rassemblé dans une toute petite société des gens de toutes complexions (des blonds aux yeux bleus d'Europe du Nord aux Éthiopiens à la peau d'ébène), de types physiques aussi variés qu'aux États-Unis, de langues aussi nombreuses et de traditions culturelles (c'est-à-dire les coutumes et rituels familiaux, la cuisine, les idées sur la vie bonne) aussi diversifiées, et d'orientations religieuses différentes. La majorité de la population israélienne est athée : ces gens ne sont pas des Juifs, si le judaïsme est défini comme une religion. Mais ils font partie de la communauté juive, selon la loi religieuse, puisqu'ils descendent d'une lignée de femmes juives. Beaucoup d'entre eux, surtout depuis l'effondrement de l'Union soviétique, sont chrétiens, et manifestement pas juifs, selon la loi religieuse ; et pourtant ils font partie de la communauté juive parce que la *Loi du retour*, séculière, s'applique à toute personne ayant au moins un grand-parent juif d'un sexe ou de l'autre. Les nouveaux arrivants peuvent rester à l'écart, ou être mis à l'écart, selon les circonstances ; mais leurs enfants se côtoient dans l'armée (sinon avant), se marient entre eux dans des proportions très importantes, et à la seconde génération forment une ethnicité commune d'Israéliens de naissance, ou Sabras, qui diffère de l'ethnicité de leurs parents immigrants. Les conflits dans la société israélienne (qui peuvent être perçus comme ethniques par exemple parce que ceux qui y prennent part ont des couleurs de peau ou des coutumes matrimoniales différentes) sont en fait des conflits entre différentes vagues d'immigrants : les arrivants plus anciens défendent des privilèges durement gagnés, les nouveaux arrivants luttent pour les leurs, et ces privilèges n'ont rien à voir avec l'ethnicité de qui que ce soit. Israël est une société multiethnique qui ne fait pas tout un plat du « multiculturalisme ». C'est différent aux États-Unis.

Le nationalisme anglais, à partir duquel s'est développé le nationalisme états-unien, définit l'appartenance à la nation en des termes strictement volontaires, c'est-à-dire civiques. L'un des deux nationalismes qui se développent sur le continent au cours du 18ᵉ siècle, le nationalisme russe, est déjà un nationalisme ethnique. Mais l'Allemagne est la seule nation ethnique d'où provient une immigration importante aux États-Unis avant la guerre civile. Les immigrants allemands, en fait, eurent plus de mal que les autres immigrants (français, par exemple) à s'adapter à leur nouvelle société. Leur identité nationale ne leur permettait pas de s'assimiler. Ils se sentaient étrangers et plusieurs d'entre eux, après avoir tenté sans grande conviction de s'intégrer, décidèrent qu'ils n'aimaient pas l'Amérique, réaffirmèrent leur caractère germanique et retournèrent chez eux. Plusieurs restèrent mais en tant qu'Allemands en Amérique, préservant le bagage culturel qu'ils pensaient porter dans leur sang et le transmettant à leurs enfants. Parmi les immigrants antérieurs à la guerre civile, ils constituent néanmoins un cas particulier.

Après 1848, cependant, le nationalisme se répandit à travers l'Europe comme une traînée de poudre, et la plupart des nationalismes d'après 1848 sont des nationalismes ethniques. De ce fait, la grande majorité des individus qui émigrèrent aux États-Unis durant le dernier quart du 19ᵉ siècle appartenaient à des nations dont l'identité culturelle était considérée comme innée (si ce n'est par eux-mêmes – car la plupart des immigrants étaient trop occupés pour se livrer à une introspection profonde –, alors par ceux d'entre eux qui étaient des intellectuels). À la même époque, les intellectuels états-uniens (pour la plupart des protestants blancs anglo-saxons) commencèrent à voyager en grand nombre en Allemagne pour leurs études universitaires, faisant du savoir allemand (surtout en histoire, en philosophie et dans ce qui allait bientôt s'appeler les sciences sociales) le modèle absolu des disciplines états-uniennes correspondantes. Les idées qui prédominaient en Allemagne à cette époque élevaient le nationalisme ethnique au rang de science, qu'il s'agisse de l'histoire de Treitschke, de l'économie nationale (*Nazionaloekonomie)* provenant des conceptions de List, ou de la philosophie sociale des « socialistes de la chaire » (*Kathedersozialisten*). Les universitaires états-uniens, de manière incongrue, se représentèrent par conséquent la réalité sociale (c'est-à-dire la politique, les processus économiques et les relations sociales) dans les termes quasi biologiques du nationalisme ethnique, et la nationalité en termes d'ethnicité. Le fait que le président Thomas Woodrow Wilson, auteur de l'idée de l' « autodétermination nationale », ait été l'un des premiers politologues états-uniens illustre l'importance des conséquences de la formation allemande des professeurs états-uniens.

La coïncidence de ces deux développements (l'immigration massive en provenance de nations ethniques et le fait que le discours des sciences sociales aux États-Unis émane du nationalisme ethnique) amena la société états-unienne en général à accepter la loyauté ethnique résiduelle des nouveaux citoyens envers leurs origines dans le Vieux Monde, loyauté coexistant avec la loyauté nationale envers les États-Unis ; ce qui fit de cette double appartenance une caractéristique permanente de la scène nationale. Mais c'est précisément cette tolérance qui, dans le contexte du nationalisme états-unien individualiste et volontaire, banalisa l'ethnicité au point de la priver de toute influence potentielle sur les relations sociales et politiques. Aux États-Unis, la diversité ethnique est à la fois glorifiée et dépouillée de toute importance culturelle.

Liberté, égalité et multiculturalisme

Le multiculturalisme états-unien, paradoxalement, est la preuve de
la « déculturalisation » absolue de l'ethnicité aux États-Unis, de sa
réduction à des attributs purement biologiques, accidentels et ascriptifs
dont l'individu n'est nullement responsable et qui, de ce fait, selon
l'éthique américaine rigoureusement individualiste, ne peuvent faire
l'objet de jugements. L'exemple paradigmatique du multiculturalisme
américain est l'ensemble de base de six crayons Crayola pour les jeunes
enfants, appelés « crayons multiculturels ». La culture est ici identifiée
à la couleur de la peau, comme le suggère le dessin sur la boîte, c'est-
à-dire à une caractéristique physique, transmise génétiquement et
moralement neutre. En fait, la race telle qu'indiquée par la couleur de
la peau est le seul élément de l'expérience spécifiquement américaine
auquel la vaste majorité des États-Uniens peuvent significativement
appliquer le terme « ethnicité ». Il en résulte que ce concept, dont
le terme « culture ethnique » ou plus simplement « culture » est le
substitut conventionnel, sous-entend généralement la race. Le mot
« race » est banni du discours poli comme étant à la fois non scientifique
(nous avons appris que les caractéristiques physiques ne révèlent
rien sur les qualités morales et intellectuelles des gens, qualités qui
sont les seules qui importent, et donc que nous ne devons pas porter
attention aux premières) et révélateur d'attitudes inappropriées. Par
conséquent, quand les États-Uniens veulent dire « race », ils disent
« culture (ethnique) ». Une société où l'on rencontre des gens de
plusieurs races devient une société multiculturelle, ethniquement
diversifiée.

Cette confusion conceptuelle populaire, bien intentionnée, est
perpétuée par la confusion conceptuelle qui règne parmi les professionnels états-uniens des sciences sociales. Ceux-ci s'en tiennent aux
notions importées par les intellectuels de retour d'Allemagne au

tournant du 20ᵉ siècle ; ils traitent la « culture » comme une catégorie résiduelle pour tout ce qui n'est pas bien compris et, de manière générale, s'abstiennent de définir les termes qu'ils utilisent. En 1924, dans *Culture and Democracy in the United States*, Horace Kallen écrivait : « En arrière-plan [de l'individu] dans le temps, et très fortement en lui en qualité, se trouvent ses ancêtres ; autour de lui dans l'espace, se trouvent ses parents et sa famille, qui portent comme lui l'ensemble organique hérité d'ancêtres communs. Dans tout cela, il vit, se déplace et existe. Ils constituent, littéralement, sa *nation*, l'intimité de sa naissance. » L'Amérique, disait-il, était une « nation de nationalités », une union moins d'États que (suivant les termes employés par Michael Walzer dans son commentaire de 1990) « de groupes ethniques, raciaux et religieux ». Les « ensembles organiques » de Kallen, explique Walzer, sont « culturels, pas biologiques ». Mais comment pouvons-nous assimiler les groupes ethniques, raciaux et religieux, s'ils n'ont pas en commun un principe fondamental ? Puisque la race est fondamentalement physique et génétique, nous devons assumer que c'est une qualité physique ou biologique similaire qui fait de l'ethnicité et, particulièrement, de la religion des traits transmis eux aussi génétiquement, ce qui nous permet de les placer dans la même catégorie que la race. En fait, il est difficile d'imaginer comment quelqu'un peut contenir ses ancêtres *en* lui-même autrement que génétiquement, « portant en commun [avec ses parents et sa famille], l'ensemble organique hérité d'ancêtres communs ». C'est pourtant ce genre de raisonnement qui sous-tend les politiques éducatives multiculturelles aux États-Unis, politiques qui encouragent les enseignants à concevoir des devoirs demandant aux élèves d'une école secondaire de l'élite dans le voisinage de l'Université Harvard de « décrire les valeurs de *leur* peuple ». Les enfants, revenant à la maison le cœur gros, savent parfaitement que décrire les valeurs de la démocratie libérale ne fera pas l'affaire car on présume que le peuple états-unien n'est pas une communauté naturelle dont les membres doivent tous être liés par le sang (n'est-ce pas le cas de nations comme l'Allemagne ou la France, où chacun est naturellement allemand ou français, de religions comme le judaïsme ou l'islam, où chacun est naturellement juif ou musulman, et de continents comme l'Afrique où tout le monde est noir?) et, par conséquent, pas un véritable peuple. Ils doivent plutôt entreprendre une recherche ethnographique sur les coutumes culinaires du pays, ou plus probablement des pays, d'où leurs ancêtres ont immigré, et vanter, avec autant d'enthousiasme qu'ils le peuvent, les vertus des *kielbasa* ou *haggis*.

Les adolescents, la plupart des parents l'admettront, tendent au conformisme culinaire, préférant, aux États-Unis, les *hamburgers* états-uniens aux plats ethniques pourtant délectables; le multiculturalisme est donc peut-être pour eux un fardeau plus lourd que pour les autres groupes d'âge. En général cependant, c'est une nourriture légère et facile à digérer. Car aux États-Unis, en fait, aussi difficile à croire que cela puisse être, la diversité culinaire est au cœur même de la diversité ethnique, constituant l'essence de la culture ethnique. Ethniquement, les États-Uniens sont tous des disciples de Feuerbach : ils sont ce qu'ils mangent. Tout se ramène à la soupe au poulet, au *minestrone* et à l'*avgolemono*. Ce qui est investi uniquement dans le pain est frappant. Il est pratiquement impossible aujourd'hui d'échapper à la double appartenance. Ce ne sont pas seulement les enfants d'âge scolaire qui ne peuvent pas s'identifier comme « Américains » tout court [2] : le bureau du recensement des États-Unis insiste pour que chacun déclare une ethnicité. Ses fonctionnaires sont toujours (ou peut-être de nouveau) d'accord avec Kallen pour dire que « qu'il change n'importe quoi d'autre, un Américain ne peut changer son grand-père ». (La phrase de Kallen est en fait « personne ne peut choisir son grand-père ».) Peut-être que non, dit Walzer qui n'est pas du même avis, « mais il peut rejeter les coutumes et convictions [du grand-père] ». En fait, rien de moins n'est exigé, et un tel rejet des

---

2. En français dans l'original.

coutumes et convictions – c'est-à-dire des traditions culturelles – signifie beaucoup plus que l'adoption d'un nouveau style de vie.

Pour devenir états-unien, un individu doit abjurer son allégeance à tout souverain autre que le peuple des États-Unis et « s'engager envers l'idéologie politique, centrée sur les idéaux abstraits de la liberté, de l'égalité et du républicanisme ». Cela suffit à miner le « multicultura-lisme ». En effet, il n'est pas possible de partager ces idéaux tout en adhérant à des traditions qui en font peu de cas et en donnant la prio-rité à d'autres valeurs. Il ne suffit pas d'affirmer que la liberté, l'égalité et le républicanisme s'appliquent seulement en politique, alors que dans les autres sphères de la vie d'autres idéaux prédominent, de carac-tériser, en d'autres mots, l' « unicité » des États-Uniens (ce qu'ils ont en commun) comme politique, et leur pluralité (ce qui fait leur diver-sité) comme culturelle. Nous savons parfaitement que les valeurs de liberté et d'égalité constituent le fondement de la famille états-unienne, des relations entre les genres, de la relation entre parents et enfants, du processus économique, des conflits sociaux qui couvent toujours et de leur résolution, des développements des campus états-uniens et, plus généralement et plus profondément, de la vie de l'esprit aux États-Unis. Seule une incompréhension totale de la nature de la réalité humaine – du fait que tout y est essentiellement culturel, que la poli-tique, comme l'économie et les relations sociales, sont culturellement construites, et que l'identité d'un individu est sa culture (politique, économique, sociale) dans un microcosme –, seule une incompré-hension totale de ces principes essentiels peut conduire à conclure que « ces idéaux abstraits séparent la politique non seulement de la religion mais de la culture elle-même, ou mieux, de toute forme particulière d'expression de la culture religieuse et nationale ».

Est-ce que ces souverains auxquels l'allégeance doit être abjurée lorsqu'un individu s'engage envers la liberté, l'égalité et le républi-canisme incluent sa sainteté le vicaire du Christ à Rome ? Certainement. C'est pourquoi les catholiques états-uniens (qui ne sont pas des États-Uniens-catholiques, soit dit en passant) se dressent contre leur Église dont la hiérarchie, soutenue par le pape, refuse de reconnaître le harcèlement sexuel – un concept qui ne peut être compris que dans le contexte des idéaux abstraits de liberté, d'égalité et de républicanisme – comme un péché capital. Est-ce que ces souverains abjurés incluent Dieu lui-même? Certainement. Les protestants états-uniens ne protestent que comme États-Uniens, contre les injustices du monde politique, séculier. Comme protestants, ils vivent en termes des plus amicaux avec leurs compatriotes catholiques et juifs; les trois communautés ne pourraient être plus tolérantes les unes envers les autres, comme elles le sont envers la *wicca*, le vaudouisme et d'autres formes moins répandues de soi-disant «spiritualisme». Qui sont-ils pour dire aux autres quel Dieu adorer et quelle vérité croire? En vertu des seules vérités que les États-Uniens considèrent comme évidentes par elles-mêmes, tous les dieux sont créés égaux. La religion est comprise comme un mode de vie, un club social auquel un individu choisit (surtout pour des raisons de commodité) de consacrer ses loisirs; ultimement, tout ce qui distingue deux bons États-Uniens de confessions différentes, c'est le moment où ils se préparent pour les repas de fête et ce qu'ils y mangent.

Involontairement et sans effort – en fait, malgré les efforts intentionnels pour réaliser le contraire – la religion est dépouillée de sa signification morale et fondamentale. Son influence est réduite à la décision du moment où l'on prend un jour de congé et des aliments à acheter. Et la religion est sans aucun doute la plus importante des traditions culturelles qui agissent sur l'identité d'un individu – si elle agit sur cette identité – et la plus difficile à rejeter. La langue, l'autre ingrédient principal de la «culture ethnique», n'offre aucune résistance. Combien d'Italo-Américains parlent italien? Combien de Polonais-Américains parlent polonais? Combien d'entre eux, au cours de leur vie, songent à apprendre la langue de leurs ancêtres? Très peu. Dans ce contexte, également, c'est principalement la diète qui établit l'affiliation ethnique d'un individu. Le «multiculturalisme» états-unien s'apparente donc beaucoup à la réaction de Ford devant la suggestion de produire le modèle T dans diverses couleurs : « Vous pouvez choisir n'importe quelle couleur, pourvu qu'elle soit noire. » De la même manière, devant la diversité culturelle – ethnique – des États-Unis, la règle implicite est la suivante : « Vous pouvez adhérer à n'importe quelles valeurs pourvu qu'elles soient états-uniennes, pratiquer n'importe quelle religion pourvu qu'elle soit états-unienne et parler n'importe quelle langue pourvu qu'elle soit états-unienne. » Bref, vous pouvez avoir n'importe quelle ethnicité aussi longtemps qu'elle est états-unienne. Et cela mis à part, vous pouvez manger ce que vous voulez.

Une société vaste et ouverte

La coexistence généralement pacifique des groupes ethniques, c'est-à-dire culturels, aux États-Unis n'est donc pas le résultat d'une gestion adroite des conflits, mais manifestement le reflet du fait que cette société vaste et ouverte, sous la surface de diversité, constitue à un niveau plus fondamental une communauté culturelle qui, malgré la grande hétérogénéité suggérée par les apparences de sa population, est fondée sur un consensus fondamental concernant toutes les questions existentielles importantes. La seule faille au sein de la société américaine qui pourrait être décrite comme ethnique (parce qu'elle provient de différences acquises par la naissance et qui ne sont pas construites culturellement même si elles font manifestement l'objet d'une interprétation culturelle) repose sur la race. En fait, pour une période qui se prolonge probablement pendant tout le 19e siècle, il y a, dans les relations entre les populations noire et blanche, en particulier, le présupposé de cette altérité essentielle et insurmontable qui caractérise notre attitude envers les autres espèces vivantes et les relations entre les communautés et nations ethniques dans le cadre du nationalisme ethnique. Ce présupposé reflète la présomption (elle-même bientôt suspecte, ce qui mena à un réexamen introspectif déchirant au sein de l'élite blanche, au mouvement abolitionniste et finalement à l'exclusion catégorique de toute référence à la race dans l'imaginaire collectif des États-Uniens blancs) que les descendants des esclaves africains ne faisaient pas partie de ces hommes créés égaux, qu'ils étaient en fait une espèce différente. Après tout, leur différence était marquée (ils arrivaient nus et terrifiés sur des bateaux transportant les esclaves), à la fois dans l'apparence physique et le comportement, d'avec l'espèce humaine que les États-Uniens blancs connaissaient, soit dans le Vieux Monde (en Europe et en Asie), soit dans le Nouveau (parmi les Autochtones). Jefferson en concluait qu'ils ne disposaient pas de toutes les facultés qui composent l'être humain ; ils étaient intellectuellement inférieurs, et pour des fins statistiques un homme noir comptait moins qu'un homme blanc. Rappelons que le même raisonnement s'appliquait aux femmes blanches : elles aussi différaient physiquement des hommes et, dans l'ensemble, se conduisaient différemment. Ce comportement différent dépendait, croyait-on, de leurs différences corporelles, qui se reflétaient et étaient traduites par les attributs de leur esprit. On ne pouvait attendre d'une femme (un genre différent d'animal) qu'elle soit aussi raisonnable et aussi intelligente que l'homme ; par conséquent, on ne pouvait se fier à elle pour décider par elle-même ou participer au processus politique ; on devait la prendre en charge, comme un esclave ou un enfant. Dans les deux cas (celui des esclaves noirs et celui des femmes), des caractéristiques biologiques ascriptives en regard desquelles l'individu ne porte aucune responsabilité cons-tituaient le seul fondement de la position sociale et de la destinée ultime de cet individu. Mais dans aucun de ces deux cas, nous n'avons affaire au phénomène de l'ethnicité et de l'identité ethnique, et dans aucun de ces deux cas les relations entre les catégories sociales ainsi définies n'étaient réglementées par des mécanismes fédéraux.

La race fut bannie de la vision du monde des États-Uniens blancs ; seuls les individus noirs peuvent maintenant la mentionner et l'utiliser impunément comme concept explicatif. Semblablement, un homme ne peut impunément remettre en cause les facultés intellectuelles des femmes et leur capacité de faire tout ce que font les hommes au moins aussi bien. En même temps, on accepte que les femmes se vantent de mieux faire tout ce que les hommes font et de manière générale minent le « sexe fort » par un mépris et une dérision socialement validés. La société américaine est coupable d'avoir douté du principe central de sa foi séculière (que tous les êtres humains sont créés égaux) et d'avoir permis à l'expérience de simples différences physiques de l'amener (de manière erronée) à concevoir des catégories sociales inégalitaires. Pour cette raison, les caractéristiques purement physiques sont aujourd'hui considérées comme le seul fondement légitime de privilèges particuliers ; la discrimination à rebours devient la manière symboliquement la plus efficace (bien qu'irrationnelle) d'expier le péché national. Les politiques de discrimination positive et de chances égales, qui assurent qu'une personne présentant un matériel génétique noir ou autochtone a plus de chances d'être admise au collège ou d'être embauchée qu'une personne de mérite égal mais sans ce matériel, qu'une femme a plus d'opportunités qu'un homme ayant les mêmes qualifications, peuvent apparaître comme un mécanisme de gestion des conflits ; mais en fait elles ne jouent pas ce rôle. Il est impossible de réparer le dommage causé à ceux qui ont subi la discrimination par le passé : ce ne sont pas les mêmes individus, ni même leurs descendants directs, qui profitent à présent de la discrimination à rebours. Les individus souffrant de la discrimination à rebours ne sont pas ceux qui ont causé le tort, ni leurs descendants directs – les faire souffrir ne sert aucunement la justice. Il serait naturel que ces nouvelles victimes soient mécontentes, amères, et se retournent contre les groupes aux caractéristiques visibles qui bénéficient du sacrifice de leur bien-être personnel, ou encore contre la société qui exige un tel sacrifice. Ces politiques, donc, loin de gérer le conflit, peuvent en être la source. Mais la logique symbolique qui les sous-tend, la belle symétrie présumée découler du fait que ceux qui en bénéficient aujourd'hui ressemblent physiquement à ceux qui ont subi la discrimination par le passé et que ceux contre qui s'exerce aujourd'hui la discrimination ressemblent à ceux qui furent responsables de la discrimination passée, en appelle à ceux qui ne sont pas directement impliqués dans le processus; elle satisfait le désir de cohérence des spectateurs, en donnant l'impression que la société qui a péché revient à la source même de sa bonté, qu'elle a expié son péché et est de nouveau bonne.

Il n'y a aucun conflit entre les femmes et les hommes comme groupes, pour la raison évidente que les genres ne constituent pas des groupes; ce sont simplement des catégories abstraites. Cependant, la «carte» des femmes est souvent utilisée dans la lutte politique et est connue pour gagner les cœurs, masculins comme féminins. L'utilisation habile de cette carte est plus susceptible d'enflammer le conflit que de le gérer; mais je répète que ce conflit, attisé idéologiquement, est peu susceptible d'en être un entre des gens qui se distinguent par leurs attributs physiques. Au contraire, les lignes de rupture des conflits spontanés coïncident souvent avec les distinctions raciales, à la fois à cause de la coïncidence de caractéristiques physiques (la couleur de la peau, etc.) avec les vagues récentes d'immigrants (qui sont généralement l'une des parties en litige) et de la persistance du phénomène de *black underclass* (qui se trouve généralement de l'autre côté). Dans de tels cas, l'appel à l'identité ethnique, ascriptive, a comme effet d'approfondir les failles; en fait, il les conceptualise, les rationalise et donc les institutionnalise.

En guise de conclusion

La plupart des conflits aux États-Unis, qu'ils soient ou non construits en termes ethniques, découlent des pressions systématiques exercées par la modernité, très puissantes dans ce qui est la plus ouverte des nations. L'exigence d'égalité, en particulier, d'une part produit l'ambition et l'envie (qui correspondent respectivement au désir de devenir égal aux meilleurs et au désir de se défendre contre un sentiment d'infériorité) et d'autre part menace ceux qui sont supérieurs (la crainte de devenir égal à ceux qui sont inférieurs socialement, économiquement et politiquement, de la mobilité descendante).

Bien que constants, ces conflits demeurent généralement discrets car la mobilité sociale assure une rotation des positions sociales des familles qui empêche la constitution d'un noyau d'activistes engagés et d'un bassin de recrues toujours disponibles. C'est la dynamique naturelle de la société américaine, une expression de l'individualisme et du volontarisme profonds de sa conscience nationale, qui gère le conflit, aux États-Unis, pas des institutions et des procédures spécialement conçues à cette fin. L'on ne peut reproduire une culture par décret ; cette grande nation ne peut donc être un modèle réaliste pour les régions déchirées par les conflits. Mais nous pouvons utiliser les leçons que nous enseigne son expérience pour comprendre ce qu'est (et n'est pas) l'ethnicité, et dans quelles conditions nous pouvons espérer (ou non) une coexistence ethnique.

Texte traduit de l'anglais
par Luc Fortin et Geneviève Nootens.

CHAPITRE 8

Autonomie et plurinationalité en Espagne : vingt-cinq ans d'expérience constitutionnelle

Enric Fossas

Il n'est pas facile de dresser un bilan de vingt-cinq ans de décentralisation en Espagne parce que c'est un exercice d'une grande complexité politique et juridique, qui comprend de nombreux facteurs et exige que l'on fasse de nombreuses nuances. Il s'agit donc d'un sujet très difficile à traiter de façon satisfaisante dans le cadre d'un chapitre de livre. Par ailleurs, toute évaluation est toujours imprégnée d'un certain subjectivisme et elle est inévitablement tributaire d'idées politiques préconçues ainsi que de sensibilités culturelles auxquelles il est difficile d'échapper. Enfin, l'évaluation d'une période historique peut être conditionnée par les circonstances du moment où elle est faite, ce qui est le cas aujourd'hui, étant donné que nous sommes au début d'une nouvelle étape politique en Espagne caractérisée par la discussion d'importants projets de réformes institutionnelles en matière de décentralisation.

Les objectifs de la Constitution de 1978

Il faut expliciter le critère qui sera utilisé pour faire le bilan que nous nous proposons de dresser. Ce critère est celui des objectifs que se sont donnés les constituants de 1978 en abordant l'organisation territoriale du pouvoir politique ou, si l'on préfère, le modèle d'État espagnol. On s'accordera sur le fait qu'il s'agissait là d'une question clé ou, peut-être même, de *la* question clé de la Constitution, qu'il fallait débattre simultanément avec plusieurs autres problèmes fondamentaux provenant de la tortueuse histoire constitutionnelle espagnole : l'instabilité constitutionnelle, l'absence de textes ayant une valeur juridique, la difficulté d'inscrire des principes fondateurs ainsi que la culture constitutionnelle en Espagne, la question de la monarchie, la séparation de l'Église et de l'État, la place de l'armée dans la vie politique, l'absence de droits et de libertés. Sur ces questions, il fallait d'abord que les principales forces politiques de la transition démocratique parviennent à un consensus. Sur le modèle d'État, les intentions des pères fondateurs étaient doubles. D'une part, il fallait transformer le vieil État unitaire et centraliste, ainsi que son appareil bureaucratique et autoritaire, que le franquisme avait porté jusqu'à ses extrêmes limites, en un État démocratique moderne, participatif et efficace, au moment où l'on percevait les premiers symptômes de la crise de l'État-nation en Europe. Toutefois, il ne faut pas oublier que cette question a toujours été liée à ce que l'on appelle en Espagne la « question nationale », un ancien et complexe problème politique que l'on peut résumer comme suit : pendant le 19e siècle, l'effort de construction de l'État espagnol (*nation-building*) n'était pas parvenu à créer une communauté nationale stable ; il n'avait pas non plus réussi à dissoudre les communautés nationales préexistantes (notamment la Catalogne et le Pays basque) ; celles-ci n'avaient pas obtenu l'indépendance, et l'on n'avait pas trouvé non plus de formule constitutionnelle (fédérale ou régionale) permettant d'accommoder la pluralité nationale et culturelle de la société espagnole. D'autre part, ce qui était encore plus important, il fallait créer une organisation du pouvoir capable d'intégrer les nationalités historiques dans un espace constitutionnel commun et qui soit en mesure de répondre aux demandes d'autonomie ainsi que de reconnaître les identités nationales distinctes.

Au moment de faire le bilan de ces vingt-cinq années de la Constitution sur ce terrain, il faut donc évaluer les résultats obtenus dans la poursuite de ce double objectif : celui de la décentralisation politique et celui de l'articulation de la plurinationalité. D'emblée, on peut avancer qu'en ce qui concerne le premier élément de l'équation la Constitution a obtenu un remarquable succès, malgré quelques défauts et insuffisances, alors que par rapport au deuxième élément de l'équation les résultats ne sont pas satisfaisants, au point où l'on peut dire qu'il s'agit d'une question qui demeure en suspens.

On peut affirmer que l'Espagne a accompli depuis la transition politique une des expériences de décentralisation les plus importantes et les mieux réussies du 20ᵉ siècle, et qu'elle s'est transformée d'un État unitaire et centraliste en un système ayant des caractéristiques fédérales. On peut le constater grâce à l'existence de dix-sept communautés autonomes, dont les institutions exercent des pouvoirs législatifs et exécutifs, en proportion des dépenses publiques qu'elles administrent (40 %) et du nombre de fonctionnaires qu'elles emploient (50 %).

En ce qui concerne le deuxième élément de l'équation, même s'il est vrai que la Constitution a permis à la Catalogne et au Pays basque de jouir de la période d'autonomie la plus longue de leur histoire et de récupérer certains éléments de leur identité nationale respective, il est aussi vrai qu'après un quart de siècle de décentralisation, ce sont précisément ces deux communautés qui manifestent, politiquement et socialement, le plus de déception et d'insatisfaction quant au degré d'autonomie et de reconnaissance atteint avec la nouvelle Constitution. Ce sont ces mêmes communautés qui formulent des propositions politiques qui, bien qu'elles soient différentes entre elles, cherchent à introduire des changements importants à l'ordre constitutionnel.

La déconstitutionnalisation de la forme d'État

Ce bilan que nous avons dressé s'explique par la formule unique que les constituants ont adoptée pour atteindre les objectifs qu'ils se proposaient au moment de concevoir l'organisation territoriale de l'État. Il est bien connu que le résultat final du consensus constitutionnel n'a pas culminé dans l'adoption d'un modèle défini d'organisation

294 • Les Nationalismes majoritaires contemporains : identité, mémoire, pouvoir

territoriale, et la *Magna Carta* s'est limitée à établir certains principes (unité, autonomie) ainsi que certaines procédures orientées par ce que l'on appelle le « principe dispositif » (les voies d'accès à l'autonomie) afin d'engager un processus de décentralisation dont le résultat final pourrait conduire à la mise en place de différents modèles. Les constituants ont assumé ce que l'on pourrait désigner, à l'instar de Carl Schmitt, un « compromis constitutionnel apocryphe » et ils se sont entendus pour repousser à plus tard certaines décisions en utilisant un processus de décentralisation différencié *(proceso autonómico)*. Ce processus a mené à l'élaboration d'un modèle, issu de la Constitution mais qui ne se trouve pas dans la Constitution, parce qu'il est, jusqu'à un certain point, « déconstitutionnalisé ». Par conséquent, ce qu'il est convenu d'appeler le *modelo autonómico* est en réalité un modèle pré-constitutionnel (antérieur à la Constitution), mais tombant néanmoins sous l'emprise de la Constitution. En effet, il s'agit d'un modèle pré-constitutionnel puisque l'implantation des régimes provisoires d'autonomie, avant même d'adopter la Constitution, a profondément influencé la rédaction de celle-ci et conditionné les développements ultérieurs. C'est en soi un modèle infraconstitutionnel[1] parce que la Constitution de 1978 ne crée pas les communautés autonomes, ne détermine pas les « nationalités et régions » qui pourront devenir des communautés autonomes, ni ne délimite leur territoire ; elle n'établit pas non plus leur organisation ni ne détermine leurs pouvoirs. C'est ainsi que le procès constituant continue au-delà de la Constitution et que la concrétisation de ces décisions « matériellement » constitutionnelles demeure fondamentalement aux mains des majorités politiques du Parlement central (en particulier, le *Congreso de los Diputados*), qui a la responsabilité de l'approbation des Statuts d'autonomie et du système de financement, ainsi que des

---

1. Infraconstitutionnel parce qu'il ne se trouve pas dans la Constitution, mais dans des normes constitutionnelles antérieures à cette dernière.

nombreuses lois visant la délimitation des compétences, et de la jurisprudence du Tribunal constitutionnel.

Les étapes du processus de décentralisation

À partir de ce schéma, le *modelo autonómico* s'est développé au cours de diverses étapes. La première étape, pré-1982, a permis d'établir les communautés autonomes, en empruntant différentes voies, avec l'approbation des Statuts d'autonomie. Elle a ensuite permis la mise en place généralisée des communautés autonomes, fixant des limites géographiques pour chacune des communautés grâce aux accords négociés par les deux grands partis espagnols majoritaires – le Parti socialiste ouvrier espagnol (PSOE) et le Parti populaire (PP) –, inspirés par une interprétation homogénéisatrice et menant même à une tentative avortée d'harmonisation du processus de décentralisation (*Lei orgánica de armonización del proceso autonómico- LOAPA* (Loi organique d'harmonisation du processus d'autonomie).

La deuxième étape, marquée par la situation majoritaire d'un parti « national » – le PSOE –, a conduit au pacte politique de 1992 entre les deux grands partis politiques espagnols. Poursuivant là aussi un objectif de non-différenciation entre les communautés autonomes, elle a permis de mener à terme d'importants transferts de services vers les communautés ainsi que d'approuver de nombreuses lois étatiques délimitant les compétences et de générer une importante jurisprudence constitutionnelle.

La troisième étape est caractérisée par la perte de la majorité absolue du parti ministériel – tout d'abord le PSOE en 1993, ensuite le PP en 1996 – ainsi que par la nécessité d'obtenir le soutien des minorités nationalistes au Parlement, tout particulièrement celui de la coalition catalane *Convergència i Unió* (CiU) afin d'assurer la bonne gouverne de l'État. Cette étape est aussi caractérisée par des accords avec les minorités nationalistes qui ont permis d'accentuer les transferts de services à toutes les communautés autonomes – tout particulièrement en matière d'enseignement et de santé – et à la

Catalogne, en particulier, en ce qui concerne a) la compétence en matière de police de la circulation, par la voie de l'article 150.2 CE ; b) la réforme de l'administration centrale pour l'adapter à la nouvelle structure de l'État grâce à la LOFAGE, une loi votée en vue de supprimer la figure du gouverneur civil, tout en renforçant celle du délégué du gouvernement ; c) la modification du système de financement avec la cession de 30 % de l'impôt sur le revenu des personnes physiques (IRPF) ; et d) même un certain renforcement de la participation des communautés autonomes à la politique européenne par l'intermédiaire de la Conférence pour les affaires concernant l'Union européenne, et la création d'un poste de conseiller au sein de la représentation permanente de l'Espagne auprès de l'Union européenne. Aux mesures mentionnées ci-dessus, il faut ajouter que c'est au cours de cette période qu'une nouvelle réforme des statuts d'autonomie de la majorité des communautés autonomes dites « de voie lente » a été engagée à l'initiative des assemblées régionales, faisant par la suite l'objet d'un accord entre le PP et le PSOE au Parlement de Madrid.

Enfin, la quatrième étape a commencé sous le gouvernement du PP, sans majorité absolue au début mais qui s'est poursuivie avec la majorité absolue à compter de 2000, jusqu'à son échec électoral aux élections du 14 mars 2004. Cette phase a été caractérisée par un net recul pour les tenants de la décentralisation et par l'affirmation d'un discours nationaliste espagnol, la détérioration des institutions et des pratiques démocratiques, ainsi que par une stratégie d'affrontement avec le nationalisme basque, combinée à un affaiblissement du catalanisme, tout cela menant à un climat de tensions sans précédent dans la vie politique espagnole au cours des trente dernières années.

Les caractéristiques du *modelo autonómico*

C'est à travers chacune de ces étapes que s'est développé au cours des vingt-cinq dernières années le *modelo autonómico* tel que nous le connaissons aujourd'hui. Il faut toutefois insister sur le fait qu'avec la même Constitution, un autre modèle aurait pu se mettre en place. Les analystes ont tenté d'inscrire le modèle espagnol dans certaines catégories traditionnelles et ils ont cherché à le définir en utilisant diverses qualifications : «unitaire-fédéral», «fédéro-régional», «régionalisable», «État composé», etc. De fait, il s'agit d'un modèle singulier d'État décentralisé qui présente des caractéristiques semblables à celles des États fédéraux mais qui, sous de nombreux aspects, se situe encore loin des modèles fédéraux classiques, aussi bien en ce qui concerne sa structure que son fonctionnement. À part la question de la souveraineté partagée, qui caractérise l'origine conventionnelle de nombreux États fédéraux, il faut rappeler que l'idée du fédéralisme répond à une certaine conception du pouvoir politique, de sa légitimité, de son organisation et de son fonctionnement, et qu'elle a la prétention a) de parvenir à l'unité en misant sur la diversité, b) de diviser le pouvoir territorialement pour préserver l'identité et garantir la liberté, et c) de mettre en place une gouvernance partagée aux chapitres des structures et des processus politiques. L'idée d'État fédéral est synthétisée habilement par Daniel Elazar dans l'expression d'une autonomie territoriale combinée à l'idée d'une gouvernance partagée (*self-rule plus shared rule*).

Toutefois, bien au-delà des classifications théoriques et des nomenclatures savantes, ce qui est véritablement important c'est de voir les caractéristiques que présente aujourd'hui le modèle développé à partir de la Constitution de 1978 afin de vérifier s'il répond aux objectifs que les constituants s'étaient fixés au moment de concevoir une nouvelle organisation territoriale du pouvoir politique. De ce point de vue, on peut sans doute affirmer que le *modelo autonómico* se caractérise, d'abord, par le fait de conférer aux entités territoriales une autonomie politique réduite ou, comme on l'a dit parfois, de faible niveau, parce qu'il ne leur offre pas la possibilité d'entreprendre des politiques propres dans des domaines concrets de la réalité sociale. Les communautés autonomes doivent toujours se contenter d'élaborer leurs politiques dans le cadre des politiques adoptées par l'État central. La

Constitution a certainement mis en place un cadre de référence pour le partage des compétences, très peu déterminé, dans lequel il y a une claire prééminence de l'État central en matière de compétences, aussi bien du point de vue matériel que fonctionnel, en plus de prévoir certains mécanismes qui demeurent aux mains de celui-ci – la « clause résiduelle » par exemple – et qui sont destinés à garantir l'unité du système. Il est tout aussi important de noter que la Constitution elle-même n'a pas fragmenté territorialement l'un des trois pouvoirs de l'État, le pouvoir judiciaire, malgré la possibilité pour les communautés autonomes d'assumer certaines fonctions dans l'administration de la justice. Mais il s'agit là des limitations du pouvoir des communautés autonomes qui se trouvent inscrites dans la norme constitutionnelle elle-même. Par contre, il y a de nombreuses contraintes imposées pour limiter l'autonomie et qui émanent de la pratique juridique et de l'application de la Constitution par le législateur espagnol, ainsi que de la jurisprudence du Tribunal constitutionnel. Toutefois, tous ces changements ont été rendus possibles à la suite d'une décision constitutionnelle préalable qui consistait à « déconstitutionnaliser », dans une bonne mesure, le partage des compétences et à le laisser aux mains du pouvoir central, ce qui petit à petit a miné sérieusement l'idée d'autonomie « politique » des communautés autonomes. Les techniques et les mécanismes qui ont permis d'estomper la nature politique de l'autonomie ont été nombreux et variés : la fragmentation des matières attribuées à la compétence des communautés autonomes ; l'élargissement des pouvoirs de l'État central, qui a pu utiliser ses compétences pour intervenir dans pratiquement tous les domaines, et même dans ceux qui étaient réservés en exclusivité aux communautés autonomes ; l'extension et le détail de la législation centrale « de base », qui parvient à empêcher le « développement législatif » de la part des communautés autonomes ; l'interprétation des fonctions exécutives de l'État central ; l'utilisation de compétences horizontales (article 149.1. 13 CE, « Bases et coordination de la planification générale de l'économie ») ; ou le recours à l'article 149.1.1 CE, qui attribue à l'État central la compétence pour fixer les conditions de base garantissant l'égalité de tous les Espagnols dans l'exercice de leurs droits et de leurs devoirs.

Grâce à ces mécanismes, le modèle espagnol se caractérise par l'uniformisation du fonctionnement du système dans pratiquement tous les domaines importants relevant de la responsabilité des communautés autonomes : de l'éducation jusqu'au commerce, en passant par la santé, la fonction publique ou les transports. Même dans le domaine de leur organisation interne, les communautés autonomes ont vu restreindre leur capacité d'action : c'est le cas de l'organisation territoriale interne et des pouvoirs locaux, deux matières qui, dans les systèmes fédéraux, sont le plus souvent attribuées à la compétence exclusive des entités fédérées.

De ce point de vue, une proposition de développement fédéral du modèle espagnol exigerait une augmentation quantitative et qualitative de l'autonomie des communautés autonomes afin de les doter d'une authentique capacité politique d'autonomie qui en ferait des entités exerçant pleinement sur leur propre territoire, et pas seulement de manière partagée, une partie du pouvoir de l'État dans certains domaines de façon cohérente et complète. Étant donné que la délimitation des attributions du système, comme nous l'avons signalé plus haut, relève en bonne partie du législateur central et de la jurisprudence constitutionnelle, il suffirait de quelques modifications dans ces deux domaines pour augmenter considérablement l'autonomie des communautés autonomes. Mais ce qui est certain, c'est que les législations de l'État central dépendent des majorités politiques qui assument la gouverne au Parlement central, lesquelles sont le reflet des élections législatives. En outre, l'on ne change pas facilement la jurisprudence constitutionnelle une fois les premiers arrêts prononcés. Il faut aussi penser aux possibilités qu'offrent certains mécanismes prévus par l'article 150 CE, qui permettent de transférer aux communautés autonomes des compétences relevant de l'État central. Mais tous ces mécanismes ne garantissent pas, du point de vue constitutionnel à tout le moins, l'autonomie des communautés autonomes parce qu'ils ne « constitutionnalisent » pas leurs compétences. Pour ce faire, une modification au partage des compétences destiné à garantir une autonomie politique exigerait de réformer les Statuts d'autonomie, voire même de réviser la Constitution.

En tout cas, une délimitation plus précise des domaines respectifs de pouvoir, en plus de renforcer les gouvernements régionaux, améliorerait le fonctionnement démocratique parce qu'elle aiderait à départager la responsabilité politique de l'État central et celle des communautés autonomes face à leurs électorats respectifs. De ce point de vue, il faudrait aussi inclure une réforme du système de financement des programmes, lui aussi en bonne mesure « décons-titutionnalisé », afin de conférer aux communautés autonomes davantage d'autonomie et plus d'indépendance financière pour exercer leurs compétences, et ainsi leur permettre d'assumer une plus grande responsabilité fiscale, tout en garantissant, en même temps, la solidarité interrégionale.

Une deuxième caractéristique du *modelo autonómico* est qu'il n'a pas réussi à bien intégrer les communautés autonomes aux institutions de l'État central, contribuant à éloigner le modèle des États fédéraux. Comme nous l'avons mentionné, le fédéralisme est l'autonomie terri-toriale, plus la participation des entités fédérées aux institutions centrales, de manière à ce que, par conséquent, l'expression de l'intérêt général de l'État ne demeure pas exclusivement aux mains des insti-tutions centrales. Cela est spécialement important dans le domaine législatif, ce qui explique le fait qu'il existe habituellement dans les États fédéraux un Sénat qui agit en tant que deuxième chambre au sein de laquelle sont représentées les entités territoriales, même s'il est vrai que dans de nombreux systèmes fédéraux cette chambre a perdu son caractère de représentation territoriale du fait du rôle croissant du pouvoir exécutif et des relations intergouvernementales. Le Sénat espagnol, malgré sa définition constitutionnelle de « chambre de repré-sentation territoriale », n'est pas vraiment un Sénat fédéral. Pour qu'il en soit ainsi, il serait nécessaire qu'il y ait une profonde modification de sa composition ainsi que de ses fonctions, ce qui sera difficile à obtenir sans une réforme constitutionnelle pour laquelle, au moins jusqu'à maintenant, il n'y a pas eu de volonté politique. L'expérience a montré les limites des modifications purement réglementaires, comme dans le cas de celles qui ont été effectuées en 1994, afin de faire du Sénat une chambre des communautés autonomes. Étant donné l'importance de la législation de l'État central au chapitre du partage des compétences, l'établissement d'un Sénat fédéral permettrait la participation des communautés autonomes à l'approbation des lois qui portent atteinte à leur domaine d'autonomie, éliminerait une bonne partie des conflits de compétences et faciliterait une formulation fédérale de l'intérêt général, en évitant que celui-ci soit défini de manière exclusive par le Parlement central ou, en dernière instance, par le Tribunal constitutionnel.

Sous ce deuxième aspect, il faut encore signaler que le modèle espagnol n'a pas non plus garanti l'intégration des communautés autonomes dans d'autres institutions générales de l'État, comme le Conseil général du pouvoir judiciaire ou le Tribunal constitutionnel, en faisant en sorte qu'elles participent directement ou indirectement à leur composition. Cette possibilité dépend maintenant pour l'essentiel de l'éventuel poids politique des minorités territoriales au Parlement. Enfin, des entités telles que la Banque centrale ou l'Agence fiscale pourraient prévoir une plus grande intégration des communautés autonomes dans leur composition.

Toujours à ce chapitre, les communautés autonomes devraient participer plus activement comme relais pour les politiques émanant de l'Union européenne, et tout spécialement à celles qui touchent leurs compétences, comme cela se produit dans plusieurs États fédéraux (Allemagne, Autriche, Belgique). En dépit de la création de la Conférence pour les affaires concernant l'Union européenne et l'incorporation de représentants des communautés autonomes dans les divers comités, la situation est encore déficitaire et l'on n'a pas établi de mécanismes pour incorporer des représentants des communautés autonomes au sein de la représentation espagnole au Conseil des ministres, possibilité qui est expressément admise par les traités constitutifs de la Communauté européenne et qui a même fait l'objet de deux résolutions approuvées par le Parlement espagnol en 1998.

Nous avons déjà signalé qu'un développement fédéral de l'actuel modèle exigerait davantage d'autonomie et plus d'intégration, et nous avons suggéré quelques pistes pour atteindre l'une et l'autre. Il faut maintenant préciser que l'État fédéral est une structure mais aussi un processus ; et que l'adoption de politiques publiques dans un système où le pouvoir exécutif est divisé et partagé exige la mise en place de relations intergouvernementales, tout spécialement dans les domaines – très nombreux – de responsabilité partagée. De ce point de vue, l'État espagnol présente un déficit très important par rapport aux systèmes fédéraux, qui exigerait la mise en place de mécanismes de coordination et de coopération horizontaux et verticaux.

À partir de ces caractéristiques, on peut donc conclure que le modèle des communautés autonomes développé dans la foulée de la Constitution de 1978 a sérieusement affaibli l'idée d'autonomie « politique » des communautés autonomes, sans articuler leur participation aux « politiques » des institutions de l'État central qui, comme nous l'avons vu, se sont étendues de manière illimitée à presque tous les domaines de la réalité sociale, économique et politique. Pour corriger éventuellement ces caractéristiques déficitaires, il faudrait davantage d'autonomie et plus d'intégration afin que le *modelo autonómico* se rapproche d'un modèle proprement fédéral.

Il faut pourtant signaler que l'implantation d'un système fédéral dans un pays donné ne dépend pas exclusivement des normes constitutionnelles, ni de l'organisation des institutions. Elle exige aussi des conditions particulières pour appuyer le système politique et social, mais il faut surtout alimenter la culture politique. Les pays ayant une tradition fédérale non seulement ont organisé le pouvoir de manière plurielle, mais ils sont aussi arrivés au point où le système politique dans son ensemble, ainsi que la société, fonctionnent de manière fédérale. Cet état de fait a structuré la mentalité des gens, de telle manière que les citoyens se sont habitués à «penser de façon fédérale», acceptant tout naturellement la pluralité des centres de décision et, par conséquent, la diversité politique inscrite territorialement. De ce point de vue, la société espagnole ainsi que les partis politiques qui la représentent appliquent encore des schémas uniformes et centralistes parce que la culture fédérale ne les a pas encore pénétrés. Les partis politiques «nationaux» (le PSOE et le PP par exemple) voient le fédéralisme toujours comme une menace à l'unité nationale, alors que les partis «nationalistes» (CiU par exemple) pensent qu'on ne pourrait satisfaire leurs aspirations politiques dans un tel système. Sur ce point, il faut une profonde évolution de la culture politique ainsi que des mentalités, qui ne peut venir qu'avec le temps.

L'accommodement de la plurinationalité et l'asymétrie

Il y a cependant une troisième caractéristique du modèle territorial à s'être développée à partir de la Constitution de 1978, et celle-ci est en rapport avec le deuxième objectif des constituants, c'est-à-dire l'accommodement des nationalités historiques (et tout particulièrement de la Catalogne et du Pays basque) dans un État constitutionnel et démocratique. Le préambule de la Constitution fait référence à la volonté de protéger les peuples de l'Espagne, «leurs cultures et leurs traditions, leurs langues et leurs institutions», et le texte distingue entre «nationalités» et «régions» (article 2), en plus de régler le plurilinguisme (article 3). Cependant, la norme constitutionnelle ne reconnaît jamais directement l'identité des cultures, des nationalités et des langues. Malgré les progrès qui ont été faits sur ce terrain, il demeure que le *modelo autonómico* présente de fortes déficiences en ce qui a trait à la reconnaissance et à l'accommodement du pluralisme national dans les domaines symbolique, institutionnel et au chapitre du partage des compétences. Après vingt-cinq ans d'application de la Constitution, il semble clair qu'aucune proposition d'organisation territoriale pour l'Espagne ne peut ignorer l'existence des communautés territoriales qui, à la différence des autres régions, s'autodéfinissent en tant que « nations » et réclament une autonomie politique pour le maintien et le développement de leur identité collective distincte. On ne peut pas oublier non plus que ces aspirations s'expriment politiquement à travers des forces politiques – nationalistes, fédéralistes ou souverainistes – solidement implantées dans leurs territoires respectifs et ayant un poids notable dans le système politique espagnol, bien qu'il faille signaler de profondes différences politiques, sociales et culturelles entre les nationalismes basque et catalan.

On a souvent tenté de réduire le traitement constitutionnel de cette réalité plurinationale à des termes exclusivement juridiques grâce à l'idée du *hecho diferencial* (fait différentiel), concept équivoque, juridiquement inutile et chargé de préconceptions politiques. En réalité, le « fait différentiel » ayant la plus grande importance n'est pas juridique parce qu'il consiste en la volonté affirmée d'autonomie des communautés autonomes sur des bases nationales et ayant des racines historiques, sociales et culturelles, mais s'exprime pour l'essentiel en termes politiques, et cherche à les singulariser par rapport aux autres territoires qui se représentent comme des régions de la nation espagnole. C'est cette volonté démocratique d'autonomie politique et de reconnaissance en tant que communautés nationales différenciées qui doit pouvoir se traduire constitutionnellement en traitant de manière asymétrique des réalités distinctes. Les solutions pour l'articulation de la plurinationalité sont une chose, et les techniques pour fédéraliser le pouvoir en sont une autre. Si ces dernières impliquent davantage d'autonomie et plus d'intégration, les premières comportent davantage de reconnaissance des différences et, en conséquence, une nouvelle articulation asymétrique des différentes réalités nationales. C'est pour cela que les mesures dans ce domaine devraient être centrées sur les aspects symboliques et culturels, et requièrent des modifications de la régulation des langues officielles de l'État, mais aussi d'une multitude de questions où l'identité nationale des citoyens est en jeu. Le débat politique et constitutionnel qui a accompagné l'expérience décentralisatrice en Espagne a fait ressortir le lien entre l'asymétrie et la plurinationalité, ce qui démontre l'importance de l'identité politique et des différentes approches entre les nationalismes catalan et basque, d'une part, et le nationalisme majoritaire espagnol, d'autre part. Comme nous l'avons déjà dit, il s'agit là d'une question non seulement juridique, mais essentiellement politique, extrêmement difficile, dans laquelle on ne pourra avancer que grâce à un changement des attitudes et nécessitant le passage de beaucoup de temps.

Un bilan nuancé

Le bilan de vingt-cinq ans d'expérience constitutionnelle en Espagne est nuancé : le développement de la Constitution représente un succès notable, mais il demeure encore d'importants problèmes à résoudre. En ce qui concerne la décentralisation, la Constitution a complètement transformé la structure territoriale de l'État, mais elle a développé un modèle qui ne garantit pas constitutionnellement l'autonomie des communautés autonomes, étant donné qu'il demeure aux mains du pouvoir central, ni ne leur confère une autonomie réellement politique. Il ne prévoit pas non plus leur intégration ni dans les institutions centrales de l'État ni dans ses politiques. Sur ce terrain, le *modelo autonómico* doit se développer vers un modèle fédéral et cela se réalisera avec davantage d'autonomie politique pour les communautés autonomes et plus de participation de leur part à l'élaboration des politiques au sein des institutions centrales.

En ce qui concerne l'intégration des nationalités historiques, s'il est vrai que la Constitution a permis à la Catalogne et au Pays basque de jouir de la période d'autonomie la plus longue de leur histoire et de récupérer un certain nombre d'éléments façonnant leur personnalité collective, elle n'a pas encore atteint le stade de la reconnaissance constitutionnelle de leur identité nationale différenciée, ni n'a établi de mécanismes asymétriques pour l'accommodement de la plurinationalité dans les domaines symbolique, institutionnel et au chapitre du partage des compétences. Il est donc tout à fait paradoxal qu'après vingt-cinq ans d'implantation de la Constitution, ce soient précisément ces deux communautés à base nationale qui montrent aujourd'hui leur malaise et qui proposent des projets politiques permettant d'apporter des changements importants à l'ordre constitutionnel. Il faut souligner, toutefois, qu'il s'agit de projets très différents : celui du Pays basque (plan Ibarretxe) ne jouit que du soutien des nationalistes, propose un statut de libre-association avec l'Espagne et se rapproche de celui qui fut proposé par les souverainistes québécois au référendum de 1995 ; alors qu'en Catalogne, toutes les forces politiques du Parlement régional cherchent un accord pour réformer le Statut d'autonomie de la Catalogne sans modifier la Constitution espagnole.

J'ai avancé au début de ce chapitre que tout bilan d'une période historique peut être conditionné par le moment où il est effectué, et que le bilan qui a été fait ici a probablement été influencé par la dernière étape politique traversée par l'Espagne, sous les gouvernements conservateurs du Parti populaire, qui a comporté un recul du point de vue de la décentralisation, une rupture du consensus constitutionnel ainsi qu'une forte tension avec les nationalités historiques. Mais le changement de situation politique qui s'est produit après les dernières élections catalanes (16 novembre 2003) et les dernières élections générales espagnoles (14 mars 2004) offrent un nouveau panorama plein d'espoir dans lequel on pourra peut-être retrouver le consensus constitutionnel, indispensable pour effectuer les réformes constitutionnelles et statutaires nécessaires. Toutefois, seul un accord politique entre les nationalismes en présence pourra régler la « question nationale » et apporter le succès espéré à l'expérience constitutionnelle en Espagne.

Texte traduit de l'anglais par Devrim Yavuz.

Les directeurs de l'ouvrage

Alain-G. Gagnon est le titulaire de la Chaire de recherche du Canada en études québécoises et canadiennes, directeur du Centre de recherche interdisciplinaire sur la diversité au Québec (CRIDAQ) et professeur titulaire au Département de science politique de l'Université du Québec à Montréal. Il est aussi directeur et membre fondateur du Groupe de recherche sur les sociétés plurinationales. Il compte parmi ses publications : *Quebec y el federalismo canadiense* (Madrid, Consejo superior de investigaciones cientificas, 1998) ; *Multinational Democracies* (Cambridge, Cambridge University Press, 2001) avec James Tully ; *Québec : estat i societat* (Barcelone, Centre d'Estudis de Temes Contemporanis, 2006) ; *Le fédéralisme canadien contemporain* (Montréal, Les Presses de l'Université de Montréal, 2006) ; et *Federalism, Citizenship and Quebec : Debating Multinationalism* (Toronto, University of Toronto Press, 2007) avec Raffaele Iacovino.

André Lecours est professeur agrégé au département de science politique de l'Université Concordia. Il détient un doctorat en science politique de l'Université Carleton (2001). Ses domaines de recherche sont le nationalisme, principalement en Europe de l'Ouest, et les théories institutionnalistes. Ses articles sur le nationalisme, la paradiplomatie, le néo-institutionnalisme et la politique belge et espagnole ont été publiés dans plusieurs revues dont *Nationalism and Ethnic Politics* (2000), *National Identities* (2001), *International Negotiation* (2002),

Politique et sociétés (2003), *Analyse de politiques* (2004), *Comparative Political Studies* (2005) et *Nations and Nationalism* (2006). Il a publié en 2005 sous sa direction *New Institutionalism. Theory and Analysis*, à la University of Toronto Press et est l'auteur de *Basque Nationalism* qui paraît à la University of Nevada Press en 2007.

Geneviève Nootens est professeure agrégée à l'Université du Québec à Chicoutimi. Elle y est titulaire de la Chaire de recherche du Canada sur la démocratie et la souveraineté. Elle est membre du Groupe de recherche sur les sociétés plurinationales et du Centre de recherche interdisciplinaire sur la diversité au Québec (CRIDAQ). Elle a récemment contribué à *National Cultural Autonomy* (Londres, Routledge, 2005). Elle a dirigé *Philosophie et politique : réflexions québécoises sur la mondialisation et la diversité* (*Bulletin d'histoire politique*, vol. 12, n° 3, 2004). Elle est l'auteure de *Désenclaver la démocratie. Des huguenots à la paix des Braves* (Montréal, Québec Amérique, collection « Débats », 2004).

Les auteurs

James Bickerton est professeur titulaire au département de science politique de l'Université St. Francis Xavier en Nouvelle-Écosse. Il a obtenu sa maîtrise et son doctorat en science politique à l'Université Carleton. Ses recherches se sont concentrées sur le développement régional, le régionalisme et le fédéralisme canadien, les partis politiques et le processus électoral de même que sur la politique en Nouvelle-Écosse. Il vient d'entreprendre des recherches sur les réformes du système de santé public. Il est l'auteur de *Nova Scotia, Ottawa and the Politics of Regional Development* (University of Toronto Press, 1990), co-auteur de *Ties That Bind : Parties and Voters in Canada* (Toronto, Oxford University Press, 1999) avec Alain-G. Gagnon et Patrick Smith. James Bickerton est aussi corédacteur de *Canadian Politics*, 4ᵉ édition (Peterborough, Broadview Press, 2004) avec Alain-G. Gagnon.

Àngel Castiñeira est professeur au département des sciences sociales de ESADE à Barcelone. Il est licencié et docteur en philosophie de l'Université de Barcelone et diplômé en haute direction des entreprises de ESADE. Jusqu'à septembre 2004, il était directeur du *Centre d'Estudis de Temes Contemporanis* (CETC) rattaché au bureau de la Présidence du gouvernement autonome de la Catalogne et directeur de la revue IDEES.

John Coakley est professeur à la *School of Politics and International Relations* du University College de Dublin en Irlande. En 2005-2006, il était chercheur invité au *Woodrow Wilson International Center for Scholars* à Washington. Vice-président du Conseil international des sciences sociales, ancien directeur de l'*Institute of British-Irish Studies*, ancien secrétaire général de l'Association internationale de science politique, ses intérêts de recherche se concentrent sur la politique irlandaise, la politique comparée et les conflits ethniques. Il a codirigé : *The Social Origins of Nationalist Movements* (Sage, 1992) ; *Politics in the Republic of Ireland* (3ᵉ édition, Routledge, 1999) ; et *The Territorial Management of Ethnic Conflict* (2ᵉ édition, Frank Cass, 2003).

Alain Dieckhoff est directeur de recherche au Centre d'études et de recherches internationales (CÉRI) à l'Institut d'études politiques de Paris. Il est diplômé de l'Université Paris-X Nanterre et de l'Institut d'études politiques de Paris. Il a obtenu son doctorat en sociologie politique à l'Université Paris-X Nanterre. Son principal champ de recherche concerne la politique et la société contemporaine en Israël. Il travaille également sur les relations entre politique et culture dans le nationalisme contemporain. Il compte parmi ses publications : *La nation dans tous ses États. Les identités nationales en mouvement* (Paris, Flammarion, 2000) ; *La constellation des appartenances. Nationalisme, libéralisme et pluralisme* (Paris, Presses de Sciences Po, 2004) ; et *Revisiting Nationalism : Theories and Processes* (Londres, Hurst, 2005) avec Christophe Jaffrelot.

Louis Dupont est directeur du Laboratoire Espace et Culture et professeur à l'Université Paris IV – Sorbonne. Il est aussi rédacteur pour la revue *Géographie et Cultures* et directeur du comité de rédaction de la collection *Géographie et Cultures*. Il a entre autres publié : « Les États-Unis : la guerre culturelle continue », dans André Gamblin (dir.), *Images économiques du monde* (Paris, Sedes, 2004) ; et *Une multitude de Canadas* (co-auteur avec Nathalie Lemarchand, Les Presses de l'Université de Valenciennes, 2000).

Enric Fossas est professeur de droit constitutionnel à l'*Universitat Autònoma* de Barcelone et directeur de recherches à l'*Institut d'Estudis Autonòmics de la Generalitat de Catalunya*. Il est l'auteur de nombreux livres (*Les transformacions de la sobirania i el futur polític de Catalunya, Asimetría federal y Estado plurinacional, El derecho de acceso a los cargos públicos, Regions i sector cultural a Europa, Lliçons de Dret Constitucional*) et a rédigé nombre d'articles de revues scientifiques. Il a aussi été invité dans plusieurs universités en France, en Italie, au Canada et aux États-Unis. Il collabore régulièrement à plusieurs quotidiens dont *El País, La Vanguardia* et *El Periódico de Cataluña*. Il est présentement conseiller juridique auprès du Tribunal constitutionnel de Madrid.

Liah Greenfeld est professeure au département de science politique de l'Université de Boston. Elle a fait ses études doctorales à la *Hebrew University of Jerusalem*. Elle est l'auteure de *The Spirit of Capitalism : Nationalism and Economic Growth* (Cambridge, Harvard University Press, 2001) ; et de *Nationalism : Five Roads to Modernity* (Cambridge, Harvard University Press, 1992). Depuis quelques années, ses recherches portent sur le phénomène du nationalisme et ses répercussions sur les sphères politique, sociale et économique. Elle travaille présentement à compléter deux grands projets : le premier porte sur l'étude de l'intelligentsia, la conscience nationale et le changement politique en Russie contemporaine, le second explore le thème de la culture.

John Loughlin est professeur titulaire à l'Université de Cardiff au pays de Galles, en Grande-Bretagne. Ses intérêts de recherche incluent le régionalisme et le fédéralisme européen, la démocratie infra-nationale, les rapports entre religion et politique, la politique française et la transformation de la gouvernance. Ses plus récentes publications sont : *Culture, Institutions and Economic Development : A Study of Eight European Regions* chez Edward Elgar en 2003 (avec Michael Keating et Kris Deschouwer) ; et *Subnational Democracy in the European Union : Challenges and Opportunities*, publié à la Oxford University Press en 2001.

MEMBRE DU GROUPE SCABRINI

Québec, Canada
2007